MÉDECINS DU CIEL,
MÉDECINS DE LA TERRE

MAGUY LEBRUN

MÉDECINS DU CIEL, MÉDECINS DE LA TERRE

ÉDITIONS ROBERT LAFFONT
PARIS

A Daniel, mon mari : parce qu'il y a eu toi, ton humilité et ton amour immense, j'ai rencontré le ciel et la liberté que seule peut donner la foi.

A Etty, ma réalité quotidienne.

A mes enfants et à tous ceux qui me considèrent comme leur mère.

A tous nos vieux compagnons qui depuis trente ans, à nos côtés, ont œuvré dans le silence.

SOMMAIRE

AVERTISSEMENT

Confronté à l'invraisemblable, chacun d'entre nous a pour premier réflexe de douter, de hausser les épaules, voire de dénigrer.

Je ne puis rien prouver de ce que Maguy et Daniel Lebrun, depuis plus de vingt-cinq ans, vivent avec le plus parfait naturel : un rapport facile et simple avec l'au-delà, des « conversations à bâtons rompus » avec des êtres morts et enterrés depuis des années. Mais tout ce que je sais et que j'ai pu toucher du doigt en passant quelques jours sous le toit hospitalier de ce couple peu banal, c'est qu'en vingt-cinq ans ils ont, à eux deux, fait plus de bien que tous ceux qui se prétendent bons chrétiens, qu'ils ont su convaincre une bonne quarantaine de médecins de la région — et non des moindres — de la réalité de leur aventure spirituelle. Ces médecins travaillent avec Maguy la magnétiseuse, avec Daniel le médium, et ils ont tenu à apporter leur témoignage signé que vous pourrez lire dans cet ouvrage. Ces médecins constatent des guérisons inexpliquées et inexplicables. Depuis de longues années, en outre, Maguy, Daniel et leur groupe de prières composé de médecins, de gens de toutes confessions, toutes couleurs, tous âges accompagnent des mourants qui « passent de l'autre côté » dans la joie et la paix de l'âme.

Je puis encore témoigner de leur accueil, de leur désintéressement qui n'ont d'égal que leur gaieté et leur joie de vivre, partagées avec des amis, avec les innombrables enfants qu'ils ont adoptés et tous les adolescents qu'ils ont recueillis et aidés.

J'ai vu les malades — enfants cancéreux ou diversement atteints, adultes sévèrement touchés — aller vers Maguy avec confiance. J'ai vu ses enfants adoptés — une partie seulement car ce jour-là il n'y en avait qu'une vingtaine — épanouis, spontanés et si proches, si solidaires les uns des autres... J'ai vu les amis, les médecins, les fidèles, prêts à répondre au moindre appel de Maguy et de Daniel.

Je ne puis témoigner que de cela, mais aussi avertir le lecteur que, s'il entre dans ce livre avec le cœur, sans préjugés, sa vie, peut-être, en sera changée. Et peut-être aussi sa mort.

Joëlle de GRAVELAINE

PREMIÈRE PRÉFACE

Printemps 1963 : en ce début d'après-midi, je vais recevoir, dans mon cabinet de juge pour enfants au tribunal de grande instance de Grenoble, un couple d'âge moyen que je ne connais pas, sinon par ce que m'en révèle un rapport d'enquête sociale :

« On peut, éventuellement, confier aux époux Lebrun des enfants ou adolescents en difficulté. »

Ils n'ont, heureusement, pas attendu ma permission pour en recueillir et il paraît que leur maison est pleine, au sens plein du mot, d'adolescents des deux sexes qui, ainsi que les épaves d'une mer agitée, sont venus s'échouer sur une plage paisible, après avoir traversé les tempêtes d'équinoxe.

Ils semblent avoir retrouvé, dit le rapport, le calme, l'équilibre et un comportement normal.

Instruit, et pour cause, des énormes difficultés que l'on rencontre à la solution des problèmes d'adaptation des adolescents « en danger », je ne pouvais qu'être étonné d'une telle réussite de la part de gens sans formation particulière pour les résoudre et qui n'avaient pour le faire que leur bon sens et un dévouement sans bornes.

A vrai dire, cela heurtait quelque peu mes convictions professionnelles acquises au cours de longs séminaires de

13

formation, par la fréquentation quotidienne d'une jeunesse trimbalée, manipulée ou abandonnée, souvent, hélas, délinquante, et par celle des spécialistes de l'éducation surveillée : éducateurs, psychologues, psychiatres, assistantes sociales, avec lesquels je travaillais.

Je savais aussi, par un discret paragraphe de ce rapport d'enquête sociale, que Mme Lebrun soignait des malades par magnétisme et qu'elle collaborait, ce faisant, avec « certains médecins ».

Tout cela en un seul personnage : je ne doutais pas, ce jour-là, d'avoir mis la main sur le merle blanc !

Je fis leur connaissance, séduit dès l'abord pur la lumière de leur regard et la joie qui sourdait, pour ainsi dire, de leurs personnes. J'appris de leur bouche les nombreux sauvetages de jeunes en péril qu'ils avaient opérés, depuis plusieurs années, sans aide financière ni appuis officiels, mais avec quelle ingéniosité !

C'était trop beau pour être vrai et cependant ça l'était !

J'allais dans les semaines, les mois et les années à venir le constater et, avec le concours de mon collègue juge pour enfants et de mes collaborateurs, faire en sorte que cette action remarquable fût officialisée et soutenue.

Pendant tout ce temps, j'observais, intéressé tout d'abord, et bientôt conquis, l'étonnante personnalité de Maguy, l'impression, pour ne pas dire l'empreinte, qu'elle laisse à ceux qui l'approchent ou vivent auprès d'elle, en un mot son charisme.

Je voyais aussi combien Daniel, véritable intendant de leur grande maison, soutenait avec intelligence et finesse les efforts de Maguy, organisait la vie quotidienne de la maisonnée, veillait au grain et faisait en sorte que la soupe pût bouillir.

Mais, carrière oblige, je dus, en 1969, quitter Grenoble pour n'y revenir que treize ans plus tard. Dès mon retour, je repris contact avec Maguy et Daniel que j'avais, en raison de mes lointains déplacements professionnels, en Polynésie, en Allemagne et à la Réunion, perdus de vue mais non de cœur.

Pendant mon absence, l'activité sociale de mes amis s'était encore amplifiée. Les nombreux enfants jadis confiés à leurs soins étaient devenus des hommes, des femmes, à leur tour pères et mères de famille, toujours attachés à Maguy et Daniel avec lesquels ils formaient une grande famille souvent réunie.

La justice parfois enlève son bandeau et regarde le monde. C'est pourquoi, un an après mon retour à Grenoble, j'eus la joie de remettre à Maguy, dans le salon d'honneur de la cour d'appel, la médaille de l'éducation surveillée que venait de lui décerner le garde des Sceaux, ministre de la Justice.

Ce jour-là, presque tous « les enfants » de Maguy et Daniel entourés de leurs conjoints et de leur progéniture — ils étaient quelque deux cents — assistaient à la cérémonie. C'est essentiellement au nom de la dignité qu'elle leur avait rendue et de l'amour qu'elle leur avait prodigué que je la décorais. Toute petite récompense qu'elle avait d'abord refusée. Si notre société privilégie, par de multiples moyens et pour toutes sortes de bonnes raisons, les plus mauvais exemples, il faut, quand l'occasion s'en présente, mettre en lumière les excellents. C'est pourquoi, sous la pression de tous ses amis, elle accepta enfin cette modeste médaille qui ce jour-là, parce qu'elle lui était décernée, fit son plein d'honneur et de mérite.

Parallèlement à cette action sociale, Maguy avait organisé et développé son activité thérapeutique et créé des groupes d'étude et de travail pour la recherche spirituelle.

15

Médecins du ciel, médecins de la terre

En me joignant parfois à eux, je prenais conscience que ce besoin de se prodiguer aux autres que Maguy manifestait avait pour origine, certes, une particulière qualité de l'âme, mais aussi une révélation d'ordre transcendantal et qu'elle était assistée, tant dans le domaine social que dans celui des soins aux malades, par des guides spirituels.

C'est cette dimension nouvelle, inattendue, que j'ai appris peu à peu à connaître, jugeant de son authenticité et de sa qualité par les incontestables résultats : le rayonnement des groupes d'étude, les guérisons parfois spectaculaires de certains malades, le crédit grandissant de Maguy auprès de médecins, d'universitaires, de scientifiques.

Il fallait que le récit de cette aventure spirituelle et profondément humaine qu'est la vie de Maguy fût écrit par elle-même qui peut, seule, en connaître toutes les péripéties et en traduire, dans le simple et clair langage qui est le sien, tout l'émouvant déroulement.

Roger MASSE-NAVETTE,
*magistrat, président
de chambre honoraire de cour d'appel,
chevalier de la Légion d'honneur,
officier de l'Ordre du mérite.*

DEUXIÈME PRÉFACE

Vous pourrez lire ce livre comme des fioretti, *car il en est un, avec ses histoires toutes simples, inattendues, parfois drôles, toujours émouvantes. J'ai été témoin de quelques-unes de ces « petites fleurs » et c'est d'ailleurs à l'occasion de l'une d'entre elles que j'ai rencontré Maguy et Daniel et découvert, au-delà d'une rumeur toujours brouillée et souvent fausse, qui ils étaient vraiment.*

Vous pourrez, comme moi, ne pas suivre totalement Maguy dans ses conceptions sur l'au-delà : d'ailleurs, elle ne demande pas qu'on y adhère ; elle dit simplement ses convictions à la suite de l'expérience qu'elle a vécue, grâce à Daniel, son mari, dans ce contact inhabituel avec l'invisible. Son groupe de prières reflète le même respect des autres : il rassemble simplement ceux qui, comme elle, sont persuadés que la prière est une force qui peut changer le cours des choses, pour soi et pour les autres. Le souci permanent de Maguy est de renvoyer chacun à sa religion d'origine pour qu'il en vive mieux toutes les richesses et toutes les exigences : c'est sans doute ce qui lui permet de faire prier côte à côte des chrétiens de toutes Églises, des juifs, des musulmans, des bouddhistes.

Tout au long de ces pages, vous découvrirez les multiples dons de Maguy : il y a Maguy-tendresse qui

17

trouve les mots et gestes pour guérir toutes les blessures de la vie qui viennent la trouver. Je me souviendrai longtemps de Gisèle qui, quelques semaines avant de mourir, me disait : « C'est la première fois que je suis aimée comme cela. »

Il y a Maguy la paysanne dauphinoise qui garde toujours les pieds sur terre et qui n'a pas son pareil pour détecter le piège, pour distinguer ce qui relève du spirituel ou de la psychiatrie.

Il y a Maguy-colère : eh oui ! je l'ai entendue passer une « avoinée » (c'est ainsi que dans certains coins du Dauphiné on désigne une bonne eng...) à quelqu'un qui « marchait à côté de ses souliers ».

Il y a Maguy qui sait prendre des risques lorsqu'il s'agit de sauver un enfant de l'avortement et une jeune mère du désespoir. Croyez-moi, son discours contre l'avortement est fait de paroles mais aussi d'actes.

Il y a Maguy et Daniel : Daniel, c'est le conseil dans les cas graves, c'est la logistique de toutes les situations. Quand on les voit, on ne peut s'empêcher de se dire que ces deux-là étaient bien faits l'un pour l'autre.

Il y a aussi Maguy la convaincue, qui vous attrape quelqu'un par les deux épaules et qui, yeux dans les yeux, lui dit avec une telle conviction que la mort d'un être aimé ou sa propre mort n'est pas une fin mais une autre vie qui commence qu'elle redonne en un quart d'heure, à celui qui l'avait perdu, le sens de la vie et de la mort.

En marge des institutions de toutes sortes, mais tout en les respectant, Maguy est au centre d'une expérience religieuse et fraternelle authentique : il y a comme cela des êtres vers qui convergent tous les blessés de la société, tous ceux que les institutions ne voient plus. L'Évangile dit que c'est aux fruits qu'on peut juger de la qualité de l'arbre. Alors, rassurez-vous, des fruits de cette qualité, je voudrais que bien des chrétiens, y compris le signataire de ces lignes, et tous les hommes de bonne volonté soient capables d'en produire de semblables.

Jean GODEL,
curé de Saint-Nazaire-les-Eymes

Première partie

NOTRE PAIN QUOTIDIEN

MA RENCONTRE AVEC L'AU-DELÀ

A partir de cette nuit-là, nos vies ont basculé. Plus rien, jamais, n'a été comparable à notre existence d' « avant ».

Ce soir-là, veille du 1ᵉʳ-Mai, nous nous étions couchés assez tôt, vers 21 heures, juste après que nos enfants avaient été mis au lit. Je lisais dans une revue un article particulièrement captivant et Daniel, mon mari, s'était rapidement endormi à mes côtés. Depuis quelques jours, il se plaignait d'une fatigue inhabituelle. C'est alors que je pris conscience de son agitation. Il gémissait dans son sommeil. Je me tournais vers lui pour tenter de le calmer ou m'enquérir de ce qu'il avait, lorsqu'il se mit à parler d'une voix inconnue, au timbre féminin.

« N'aie pas peur, Maguy, me dit cette voix claire. Ce n'est pas ton mari qui te parle mais un guide spirituel qui a choisi ce moyen pour communiquer, par son truchement, avec toi. Ton mari est un puissant médium et, dorénavant, je recourrai à lui pour te parler.

« Je vous propose de remplir une mission, que vous êtes libres d'accepter ou de refuser. Si vous l'acceptez,

23

ton mari et toi rejoindrez à votre mort ce que vous appelez le " royaume des cieux ". Si vous la refusez, ça ne fait rien, ce sera pour une prochaine vie, car chacun, ici-bas, a son libre arbitre. Toi, Maguy, tu as reçu le don de soigner et de guérir par magnétisme. Par l'intermédiaire de Daniel, nous t'apprendrons à t'en servir. Tu ne guériras les corps qu'en guérissant les âmes car c'est le but que nous poursuivons : élever le niveau spirituel de ceux qui viennent vers toi et amener des âmes à Dieu. »

Pendant presque trois heures, cette voix surprenante m'a parlé. Elle m'a décrit ce que serait notre vie si nous acceptions la mission proposée. Elle me fournit, sur la mort, la réincarnation et les forces spirituelles, des informations qui me stupéfièrent car j'étais ignorante de tous ces problèmes, nullement préoccupée de religion ou de métaphysique, pas même catholique pratiquante. Il en était de même pour Daniel que, jusqu'à ce jour, je n'avais jamais entendu prononcer le moindre propos à ce sujet.

La voix termina son message en me disant en substance : « Quand Daniel se réveillera, tu lui feras part de ce que je viens de t'apprendre et ensuite, ensemble, vous en discuterez. Vous prendrez alors librement votre décision et, sous quelques jours, je reviendrai et tu me la communiqueras. Daniel ne gardera aucune trace, pas le moindre souvenir, de ce qui vient de se passer. A son réveil, il faudra prendre des précautions pour l'en informer. Maintenant, écoute : demain, allez à Versailles chez vos amis Anselme, car un malheur les menace que tu pourras peut-être, par ta présence, écarter. Cela vous servira de témoignage en ce qui concerne la réalité de ma présence et la véracité de ce que je dis. »

24

La voix se tut. J'étais bouleversée. A côté de moi, Daniel dormait maintenant paisiblement. Son visage qui, pendant que l'esprit parlait, était pâle et crispé reprenait sa couleur et sa sérénité habituelles d'homme bien portant.

On imagine ce qu'il peut y avoir d'étrange, de déconcertant, à découvrir que l'être qui vous est le plus proche, le plus familier, dont on croit tout connaître, possède à votre insu une dimension inconnue, étrangère et, somme toute, inquiétante.

Il est vrai, cependant, que sa morphologie correspond trait pour trait à celle que l'on prête aux médiums : corps et visage plutôt ronds, yeux légèrement globuleux dont le bleu pâle est comme lavé d'infini. Mais, à cette époque, j'ignorais tout cela.

Daniel poussa un profond soupir puis, tout de go, se réveilla, jeta un regard sur moi et sur le réveil. Indigné, il s'écria : « Mais enfin, Maguy, tu as vu l'heure ? Tu ne dors pas ? Qu'est-ce qu'il y a... Tu es malade ? »

Comment expliquer ? J'étais traumatisée, en état de choc, et le regardais sans doute avec un regard bizarre. J'ai eu les plus grandes difficultés à lui rapporter ce qui venait de se passer. Comment faire comprendre à un homme parfaitement équilibré, bon vivant de surcroît et nullement porté sur l'au-delà et ses manifestations, qu'il vient de servir de téléphone entre un esprit et sa propre épouse !

Nous avons discuté pendant des heures et des heures, mais, le lendemain matin, nous partions pour Paris. Ne sachant comment débarquer chez les Anselme, à qui nous ne pouvions rien dire, nous nous rendîmes en premier lieu chez des amis parisiens auprès desquels nous n'avions pas à justifier notre déplacement.

De chez eux, nous téléphonâmes à Versailles pour

prendre des nouvelles : « Nous sommes venus pour affaires et, comme Versailles est si près, nous avons eu envie de vous appeler... » Et nous ne pûmes nous empêcher de penser que nous aurions tout aussi bien pu le faire depuis Grenoble. Mais, dans ces cas-là, on dit un peu n'importe quoi et la conversation se poursuivit : « Alors, vous allez tous bien ? — Mais oui, et chez vous ? etc. », pour enfin se terminer, puisque nous étions si près, par une invitation à venir dîner chez eux le soir même.

J'étais, quant à moi, dans un état épouvantable, doutant de ma santé mentale. J'en arrivais à penser que j'avais rêvé toute cette histoire, que j'avais été victime d'hallucinations, que j'entendais des voix, comme Jeanne d'Arc ! Daniel, qui est la bonté incarnée, jetait sur moi des regards mi-anxieux, mi-apitoyés.

Durant tout le trajet, j'ai pensé avoir été victime d'une crise de délire. Tout semblait aller parfaitement bien chez les Anselme où nous arrivâmes sur le coup de 19 heures. Nous y trouvâmes tout le monde en grande forme, les grands-parents, le jeune ménage et ses deux enfants.

Je devais faire une drôle de tête car, sous un prétexte quelconque, alors que nous prenions l'apéritif, mon amie m'attira dans le jardin pour me questionner. J'étais tellement chamboulée que je lui racontai tout de ce qui, de l'expérience de la veille, la concernait. C'est alors que je la vis changer de figure, s'effondrer brusquement et se jeter dans mes bras en sanglotant.

« Maguy, je pars demain avec un autre homme. J'abandonne mon mari et mes enfants. Nous nous aimons, cet homme et moi, à la folie. Nous partons pour la Colombie... Il est marié lui-même, a trois enfants dont le dernier n'a que deux ans ! »

La foudre qui tombe, la terre qui s'entrouvre, le ciel qui bascule ne m'aurait pas à ce point sidérée ! En un instant, je compris que le message reçu était réel bien que différent de tout ce que je pouvais imaginer, que je n'étais pas folle, que mon mari était un authentique médium et que cette pauvre amie allait provoquer une catastrophe, y entraîner toute sa famille et elle-même. Elle me fit répéter plusieurs fois la partie du message qui lui était destinée... et prit sa décision. Elle n'est jamais partie. Il y a de cela bien longtemps et elle est aujourd'hui une très heureuse grand-mère.

Nous repartîmes pour Grenoble dès le lendemain, persuadés de la réalité d'une autre dimension de l'existence, au-delà du visible, et, pendant tous les jours qui suivirent, nous discutâmes de cette vie nouvelle qu'on nous proposait, des difficultés, des bouleversements qu'un tel engagement risquait de nous apporter, d'autant plus que notre correspondant spirituel ne m'avait pas encore donné les précisions nécessaires sur ce qu'il convenait que nous fissions, sur ce que l'on attendait clairement de nous.

Mais quelques mois plus tard, dans des circonstances très semblables à la précédente et presque à la même heure, le guide spirituel — je n'ai pas d'autre mot pour le désigner — se manifesta à nouveau. De ce qu'elle (puisqu'elle constitue une « entité féminine ») me révéla après que je lui eus donné notre accord, je peux dire ceci : il fallait que Daniel et moi abandonnions nos activités afin que je puisse me consacrer entièrement aux soins des malades qui viendraient vers moi sans que je fasse la moindre publicité et à qui je ne devrais rien demander, acceptant cependant les dons qu'ils voudraient bien me faire « en considérant d'un cœur égal les dix francs du pauvre ou les cent francs du riche ».

27

Pendant plusieurs années, j'allais être initiée aux pratiques de mon art par une équipe de « médecins de l'au-delà ». En outre, nous allions recueillir de nombreux enfants que nous allions devoir élever dans la connaissance des valeurs spirituelles et accueillir de très nombreux amis, sans souci de leur milieu, de leur croyance, de leur religion, de leur philosophie ou de leur race, avec lesquels nous formerions des groupes de recherche spirituelle. J'ignorais alors que l'initiation allait durer dix ans.

Tout cela s'est strictement réalisé. En collaboration avec des médecins « terrestres » — dont bon nombre de témoignages apparaîtront dans ce livre — et des médecins « spirituels », je soigne de nombreux malades. Nos enfants se comptent par dizaines et nos amis par centaines.

Nos groupes sont très actifs et la fête de l'amitié qui les réunit autour de nous chaque année en est l'évident témoignage.

Pendant dix ans, chaque jour ou presque, mon guide est venu poursuivre ce que je dois bien appeler ma « formation ». Il nous avait interdit d'essayer d'entrer en communication avec lui, nous expliquant qu'il savait mieux que nous quand, comment et pourquoi il devait se manifester à nous. Trois coups retentissaient dans le meuble bibliothèque de notre chambre et, aussitôt, nous nous mettions en prière. Peu après, Daniel entrait en « transe » — pour employer une terminologie ésotérique que nous n'aimons guère mais, faute de meilleur mot, j'utiliserai celui-là. Alors, toujours à travers Daniel, notre guide nous parlait.

Qui sont-ils ? Je ne sais d'eux que ce qu'ils m'en ont dit, et c'est très peu ; rien, en tout cas, de leur identité terrestre. Exception fut faite, toutefois, pour le guide dont je parlerai le plus abondamment, qui est devenu mon amie bien-aimée, mon guide privilégié, et qui m'a donné le bonheur de se révéler à moi après que j'ai été complètement initiée.

Parmi ces guides, plusieurs ont été médecins sur la terre et collaborent encore aux soins que nous donnons à certains malades. J'en fournirai des exemples.

Tout cela peut sembler fou, délirant... Chacun est libre de demeurer sceptique, de douter, de rire ou de se moquer. Mais il n'est pas un mot de cette aventure qui ne soit exact et soigneusement pesé, pas un fait qui ne soit authentique.

Ainsi, nous avons abandonné nos activités antérieures, moi ma pouponnière — puisque j'étais infirmière — et Daniel la comptabilité. Les malades sont venus, comme notre guide nous l'avait prédit. Quand je ne savais comment ni pour quelle affection je devais les soigner, je lui en « parlais » et, aussitôt, j'avais tous les renseignements et indications nécessaires aux soins spirituels.

Parfois, hélas, il m'était dit que tout effort thérapeutique était inutile mais que, par mon action spirituelle, je pouvais aider le malade à affronter le grand passage, ce que je m'appliquais à faire et ce qui, par la suite, donna naissance à des recherches et à l'élaboration d'une action spécifique auprès des malades en phase finale.

Ce que furent ces dix années pendant lesquelles nous avons accueilli et adopté plusieurs enfants — une quarantaine en tout —, soigné un grand nombre de personnes, je ne saurais mieux l'exprimer qu'en évoquant cette traversée du désert dont nous parle la Bible. Certes, les guides se manifestaient, notre colonne de lumière, mais les épreuves étaient rudes, les fins de mois en particulier, où nous avions pour notre maison-

29

née bien remplie des pâtes et des pommes de terre pour toute nourriture... et le plus souvent achetées à crédit.

Et puis un jour, mon guide habituel, celui qui m'avait parlé la première fois, m'annonça que mon initiation était terminée, que le grain semé allait lever, que les fruits seraient abondants, qu'un autre guide allait venir qui resterait avec moi jusqu'à mon départ vers l'autre rive. Et j'ai pleuré, pleuré. Le départ, que je percevais comme un abandon, de celle qui pendant dix ans m'avait tout donné, me paraissait affreux.

J'allais cependant bientôt la retrouver tout près de moi, dans la personne d'une adorable petite fille... Mais, avant d'aller plus loin, je dois vous parler de mon initiation, de mon vécu « sur le tas », dans la vie de tous les jours, qui ont fait de moi celle que je suis aujourd'hui ou que je m'efforce d'être : un bon instrument au service du Seigneur.

Pourtant, rien ne m'avait préparée à cette expérience...

MA JEUNESSE

Issue de paysans, paysans des terres froides, de par mon père, et de bourgeoisie lyonnaise de par ma mère, je suis, à ce que prétendent mes amis, un mélange « détonant » des deux.

Pendant mon enfance, j'étais persuadée d'être une petite fille adoptée. Certes, cela fait partie du « roman familial » propre à tous les enfants, mais je fuguais sans cesse pour aller dans « mon autre famille », « mon autre pays ». Je ne connaissais dans mon environnement aucun enfant adopté, et j'ignorais le mot, mais je me croyais abandonnée et trouvée par mes parents.

Un jour — j'avais quatre ans —, j'ai suivi un paysan qui passait avec une charrette devant la maison, et le malheureux, qui ne m'avait pas vue, me renversa en reculant l'engin. La roue me passa sur la poitrine. Ce jour-là, mes parents eurent si peur que j'ai eu droit à un biscuit au lieu de la fessée habituelle, mais, à partir de ce moment, ma mère m'attacha au pied de la table dès qu'elle tournait le dos. Cela terrorisait ma petite sœur car elle me suivait souvent dans mes escapades. Assise sur une chaise, une corde autour d'une cheville, j'attendais en hurlant la fin de la punition.

Notre maison, dans un petit hameau, les « Effeuillées », en lisière de forêt, était pourtant la maison du bonheur, le refuge contre tous les chagrins. Mes parents, pauvres petits paysans, s'aimaient de cet amour qui rend les enfants heureux. Ma mère, elle, avait été déshéritée et rejetée par sa famille pour mésalliance, car on n'épousait pas un paysan pauvre et inconnu quand on était de « bonne naissance » !

Je me souviens des douces soirées où, couchées toutes deux ma sœur et moi, nous nous endormions bercées par leurs baisers et leurs chansons. Ils chantaient bien, d'ailleurs, et maman avait interprété le premier *Minuit chrétien* à la cathédrale de Strasbourg, après la guerre de 1914. Chanter à l'église, au moins, c'était permis !

Je me souviens aussi des Noëls de mon enfance, si heureux ! En attendant de partir, emmitouflés, pour la messe de minuit — l'église était éloignée de notre hameau — et si la neige ou le froid le permettaient, les voisins venaient à la maison jouer à la belote et, joie suprême, nous avions droit à une orange coupée et flambée dans un peu de vin blanc chaud.

Alors, maman chantait des cantiques de Noël que tous reprenaient en chœur devant la crèche. Cette crèche, c'était toute une affaire ! C'était notre chef-d'œuvre. Nous ramassions la mousse en forêt. Plusieurs jours auparavant, un sapin était abattu, décoré bien naïvement. Les branches de houx et de gui décoraient la maison. Noël n'était pas seulement la fête de la Nativité, mais aussi la grande fête de la famille.

A la campagne, l'hiver, parents et enfants participaient à cette fête. Nous fabriquions les truffes en chocolat et mon père, chasseur infatigable, nous réservait quelques lièvres et bécasses.

J'ai essayé d'inculquer à mes enfants ce culte des Noëls magiques, de ces Noëls d'avant la télévision, faits de bonheurs simples et profonds qui préparent peut-être, dans l'amour, l'équilibre futur des enfants.

Dans mon petit village, j'avais une grande amie, ma « Mémé Cha », qui tricotait sans cesse des chaussettes ; elle devait avoir au moins cinquante ans de plus que moi. Que d'heures n'a-t-elle passées, la pauvre, à m'apprendre à tourner un talon ! Assise à ses pieds sur un petit tabouret, nous discutions d'égale à égale, très gravement, de problèmes essentiels, de la vie et de la mort ! Mais surtout, je lui racontais tout ce que j'apprenais à l'école car, dans son enfance, elle n'avait pu y aller. Cependant, un jour, Mémé Cha m'a donné une gifle : j'avais osé lui dire que la terre était ronde, selon les affirmations de ma maîtresse. « Alors là, elle exagère, dit-elle à ma mère. Je me demande bien où elle va chercher tout ça ! Il ne faut tout de même pas me prendre pour une imbécile ! »

Chère Mémé Cha, qui m'a transmis tant de rêves

avec toutes ses histoires des siècles passés, la richesse de sa philosophie, les trésors qui habitaient son cœur et dont elle n'avait pas conscience !

A dix ans environ, je devais emmener les chèvres brouter dans les bois environnants. J'étais ravie car c'était pour moi l'occasion de rêvasser, de parler aux arbres chargés de personnages invisibles, mais si réels déjà, et surtout de dévorer des livres. Mais j'étais si passionnée par ma lecture que j'en oubliais tout. Le soir tombait et ma mère, affolée, me cherchait, aidée des voisins et des chiens bergers. Elle finit par m'interdire de lire. Je devais user de ruses de Sioux pour cacher un crayon et un papier, ne serait-ce que dans mon goûter, pour m'essayer à la poésie... Et c'était bien pire, car je ne me résignais jamais à laisser une rime boiteuse !

Parfois je rentrais en larmes, avec une bonne raclée.

Comment faire comprendre aux grands, aux parents, que je n'étais pas seule, que je sentais des amis invisibles à mes côtés ? Il m'était impossible d'exprimer ces sentiments, ce qui peut-être, déjà, correspondait à un appel spirituel.

Comme tous les enfants, j'allais au catéchisme. Un jour, j'en revins furieuse et déclarai à ma mère que le curé était un menteur, que je ne voulais plus aller au catéchisme.

« Pourquoi dis-tu cela ? demanda-t-elle.

— Parce qu'il nous a dit que seuls les enfants qui mouraient baptisés allaient au paradis, c'est un menteur ! Tous les enfants que le Bon Dieu crée vont au paradis. »

Ma pauvre mère, scandalisée à l'idée que je puisse traiter un curé de menteur — elle qui avait un oncle curé à Fourvière —, me donna une rossée telle qu'elle m'en demanda pardon avant de mourir. Mais à ce moment-là, la révélation divine, que j'avais reçue et partagée avec elle et avec tant d'autres par la suite, lui avait ouvert les yeux. Elle avait enfin compris qu'elle n'était peut-être pas la poule qui avait pondu un vilain canard, et je n'entendais plus ses sempiternels : « Seigneur, mais d'où vient-elle ? »

Après une rougeole mal soignée, je dus être opérée d'urgence d'une double mastoïdite suivie d'une méningite. J'avais douze ans environ. Je suis allée à l'école avec des pansements autour de la tête pendant un an, à cause d'une suppuration qui n'en finissait pas.

Nous avions alors un médecin de campagne, le Dr Bruny, un vieux sage un peu philosophe, qui aimait ses malades et cachait, sous un aspect bourru, un cœur d'or. Il conseilla de me faire manger tous les jours du cresson. En ai-je avalé des salades de cresson, des potages au cresson, à tous les repas ! Mais je guéris. Après mon certificat d'études, qui représentait à l'époque le bac des paysans, l'école fut finie pour moi, à mon grand désespoir. Les instituteurs eurent beau se battre, allant jusqu'à offrir à mes parents de payer mes études, rien n'y fit et je me retrouvai très vite à l'usine du village voisin pour faire des bobines.

Lorsqu'on est née fille, on ne peut pas être médecin ni prêtre. Et puis, si j'avais souffert d'une méningite, c'est que j'étais « trop intelligente », comme on le disait à l'époque. Il fallait absolument remettre les idées en place à cette Maguy bizarre qui se prenait souvent pour un garçon.

Mais, grâce à cette vieille demoiselle enseignante à la retraite, je continuais à travailler en cachette tous les dimanches. Mes parents, bien tranquilles, me croyaient aux JAC, les Jeunesses catholiques agricoles, alors que je faisais en secret des maths et du français.

Le directeur de l'usine venait souvent me taper sur l'épaule, me montrant la machine qui tournait à vide. J'étais perdue dans un rêve et m'échappais ainsi d'une réalité trop dure pour moi.

Puis un jour vint le miracle — et il y en a eu beaucoup dans ma vie. J'avais imploré les deux hommes importants de la commune, le médecin et le curé, de me sortir de là. Grâce à eux, on me proposa une place de servante dans une clinique où je pourrais faire des études d'infirmière tout en travaillant quelques heures par jour. Cela s'appelait la « promotion-travail ».

Comme il est dur d'affronter, très jeune, la souffrance des autres, la mort ! Pour moi, les questions commençaient : pourquoi les enfants souffrent-ils, pourquoi meurent-ils ? Pourquoi Dieu permettait-il le massacre des hommes innocents dans cette guerre qui débutait.

Je me révoltais contre cette souffrance que j'étais impuissante à soulager. Bientôt le Vercors, mon Vercors bien-aimé, allait agoniser sous les atrocités, sous la barbarie des hommes.

Je n'avais pas encore compris que ce n'est pas Dieu qui est responsable de la guerre, mais qu'il a créé des êtres humains dotés de libre arbitre et que ce sont eux, ces êtres créés pour l'évolution et le bonheur, qui tuent et qui torturent.

Mais Dieu, qu'est-ce que Dieu ?

Ce n'était pas la moindre des questions que je me posais...

DANIEL

La vie continuait. Je me mariai, mais ce fut un échec. Déçue et culpabilisée, j'avais décidé de ne pas me remarier. J'étais malheureuse d'avoir fait souffrir un honnête homme qui n'était pas pour moi et je n'avais pas envie de commettre à nouveau une erreur si lourde de conséquences.

Ce jour-là, rien, aucun pressentiment ne m'avertit de ce qui allait m'arriver. Pourtant, ma rencontre avec Daniel précédait de peu ma rencontre avec l'au-delà et mon destin allait bientôt basculer à tout jamais.

Je venais de ramener un convoi d'enfants à Paris et une grand-mère me demanda si, au lieu d'aller coucher à l'hôtel, j'accepterais de coucher sous son toit. Sa fille était malade et l'infirmière qui lui faisait ses piqûres était absente. J'acceptai, bien sûr, contente de rendre service. La nuit avait été agitée et le matin, tard, nous dormions encore lorsqu'on frappa très fort à la porte, et je le vis entrer.

Comptable de la maison, il venait demander un renseignement. En chemise de nuit, très gênée, je m'étais réfugiée dans un angle de fenêtre, lorsque cette dame s'adressant à Daniel : « Mais au fait, je ne vous ai pas présenté, c'est Maguy ! » A ma grande surprise, il sursauta et répéta : « C'est Maguy ! Mais je vous connais, je vous écris depuis longtemps ! »

J'ai pensé qu'il était un peu dérangé... mais il m'expliqua que nous avions plusieurs clients communs. Il tenait la comptabilité de parents d'enfants qui venaient chaque année en vacances chez moi et, à chaque passage chez eux, bien sûr, il rédigeait les lettres pour moi, chose que j'ignorais.

Il m'imaginait comme une bonne paysanne recevant des enfants. La surprise, pour lui, était grande et, paraît-il, il tomba amoureux sur-le-champ !

Les fils invisibles tissés dans le ciel venaient de se croiser. Sûr de lui, il me demanda en mariage quelque temps plus tard. Il lui a fallu patienter car je n'étais pas prête mais, tenace, se trouvant toujours sur ma route là où j'allais, il m'a « eue » à l'usure !

Merveilleux Daniel, humble parmi les humbles, instrument anonyme des voies divines... Il nous donna, aux enfants et à moi, tant de bonheur !

Il n'est pas banal de rencontrer son mari dans de telles circonstances, en chemise de nuit et à 8 heures du matin. Mais rien désormais dans notre vie ne serait banal. A notre mariage, une dizaine d'enfants, déjà autour de nous, qu'il acceptait de grand cœur, puis les adoptions, les aventures spirituelles, les joies et les peines propres à tous les couples. Les traversées du désert, pour atteindre cette sérénité qui, je l'espère, nous accompagnera jusqu'au bout de notre route terrestre, tout cela nous l'avons partagé jour après jour.

Le curé de mon village avait été nommé à la sortie du séminaire. Il était là depuis toujours. Paysan plein de bon sens, plein d'humour, il était tout à fait à sa place et à l'aise dans ce milieu rural... Il faisait partie, si j'ose dire, du paysage.

Après un enterrement, il allait boire le coup avec les hommes qui s'entassaient dans le bistrot du coin. Les femmes assistaient à l'office, les hommes entraient seulement dans l'église pour « donner l'eau bénite ».

En longue procession endimanchée, chaque famille, chaque maison était représentée. C'était un devoir pour tous d'accompagner celui qui partait. Puis on allait discuter de ses mérites et des regrets qu'il laissait autour d'un verre de vin blanc.

M. le Curé, plein de malice, les rejoignait après le service et payait aussi un verre à boire en disant : « Le curé a gagné sa vie aujourd'hui », faisant allusion à la quête !

A mon mariage avec Daniel, M. le Curé était embêté. Il m'aimait bien mais impossible de remarier à l'église une divorcée. Alors il est venu arroser ça avec nous. C'était une veille de Noël et comme il lui restait du temps avant la messe de minuit, il est venu aussi « manger un morceau ». Cela lui a permis de nous bénir. Très ému de voir tous ces enfants autour de nous, il avait, à sa façon, trouvé un compromis avec sa conscience, ce qui peut se faire et ce qui ne peut être fait. Je lui posais un rude problème.

Je lui ai toujours tout dit. Il a été le premier au courant de nos contacts avec l'invisible et de notre aventure spirituelle. Il trouvait ça parfaitement normal et, lorsqu'un problème particulièrement grave le tourmentait, il me disait : « Demande-leur voir un peu, là-haut, ce qu'ils en pensent ! »

Nous étions en période de vacances. J'avais à la maison deux enfants dont le père mourut à Lyon. Nous trouvâmes une église pour y déposer le corps mais pas de prêtre libre pour le jour où nous souhaitions l'enterrer. Qu'à cela ne tienne ! Nous allâmes chercher notre curé qui s'est déplacé bien volontiers. C'était le début des messes célébrées face au public et il était un peu gêné. Au moment où la cérémonie se terminait, il demanda à haute voix : « On les arrose, ici, les morts ? »

Ce jour-là, nous l'avons emmené au restaurant. Pendant le repas, un jeune homme, qui savait tout sur tout et qui discourait sans cesse, attira le regard du curé. Celui-ci, impassible, ne disait mot, lorsque, profitant d'un court silence, il lui demanda : « Monsieur, connaissez-vous Flachères ? »

Flachères est une toute petite commune qui dépendait de sa paroisse. « Non », répondit le garçon, quelque peu surpris. « Alors, vous ne savez pas tout », repartit le curé. Et dans l'éclat de rire qui suivit, il continua posément à couper son steak.

A la fin de sa vie, il ne se nourrissait pas bien et ses paroissiens les plus fidèles lui apportaient à manger. Il était si à l'aise avec eux qu'un jour, en chaire, il demanda : « On m'a apporté des petits pois, quelqu'un peut-il m'apporter un pigeon ? »

J'allais souvent le chercher pour un repas, mais invariablement il me disait : « Non, je n'ai pas faim ; je n'ai pas le temps. — Venez, monsieur le Curé, c'est le Bon Dieu qui m'envoie. » Alors, prenant sa cape : « Alors, si c'est le Bon Dieu, je suis bien obligé d'y aller », et il me suivait, ravi, et dînait bien.

Il n'avait eu qu'un poste dans sa vie et il en était très fier. A un jeune prêtre qui avait changé de cure plusieurs fois, il fit cette réflexion, mi-figue, mi-raisin : « Ah oui, mon ami, vous faites partie de la nouvelle Église catholique, vous êtes de passage ! » Ces nouveaux rites le déroutaient.

Un matin, je sonne longuement à sa porte. Pas de réponse. Inquiète, pensant à un malaise, j'entre et trouve mon cher vieux curé qui pleurait, la tête entre les mains, sur sa table de cuisine : « Ah, c'est toi ! me dit-il. Dis-moi, es-tu bien sûre qu'il y a quelque chose là-haut ? Es-tu bien sûre ? »

Bouleversée, je réalise que ce fidèle serviteur du Seigneur traversait une crise, connaissait le doute le

39

plus torturant de sa vie. Je me suis assise, très émue, et je lui ai parlé de mon guide, de mes expériences vécues au jour le jour...

D'un seul coup, il s'est levé, la main sur mon épaule : « Merci mon petit, c'est fini. »

Plus jamais un mot n'a été prononcé entre nous à ce sujet.

J'adorais ma mère. J'avais beaucoup de respect pour cette « demoiselle » devenue paysanne par amour. Elle aimait bien venir chez moi, dès que cela lui était possible. Ma manière de vivre lui rappelait son enfance et, à part son adoration pour mon père, la campagne ne l'emballait pas, surtout l'hiver. Ils avaient pris l'habitude de venir à Corenc, dans notre maison. Celle-ci était spacieuse et, dès les grands froids, ils arrivaient. Mon père engraissait les merles pour mieux les tirer par la suite. C'était un terrible chasseur et dès qu'il se mettait à l'affût derrière un volet fermé, maman sur le pas de la porte battait des mains et, à la grande joie des enfants, les merles s'envolaient. Mon père, furieux, s'écriait : « Cré nom de foutre ! Je ne comprends rien ; on dirait qu'ils le sentent ! »

Ma mère nous faisait tous rire quand elle nous racontait la première fois où il a fallu qu'elle plante des pommes de terre. Elle s'y prenait si mal qu'une dispute éclata entre eux et elle se retrouva, en larmes, assise par terre sur le sillon !

Maman était petite, menue, brune aux yeux bleus. Mon père, lui, était un fort gaillard de cent kilos. Hélas, je ressemble davantage à mon père ! Un jour, maman heurta bêtement une chaise et se cassa la jambe. Nous la transportâmes immédiatement dans une clinique. Elle avait alors soixante-deux ans. Le soir, pendant notre moment de prières, Mamy, mon guide bien-aimé, « vint » et me dit :

« Ta maman est atteinte d'un cancer irréversible qui n'a pas encore été décelé. Grâce à ce que tu fais pour d'autres, Dieu permet de t'avertir. » Et devant mes larmes, elle ajouta : « Le choc pour toi est grand, je le sais ; cependant tu peux choisir. Si tu décides de la garder, elle risque de souffrir. Si tu acceptes qu'elle parte, elle sera libérée. »

J'ai, bien sûr, accepté le départ et, toute la nuit, j'ai sangloté. Il est des moments terribles, dans la vie, où on se sent petit, misérable, impuissant.

Le lendemain, le chirurgien m'annonce qu'on va lui mettre une broche mais qu'il faut attendre le résultat des examens. Une autre nuit, longue et angoissante, passe. Maman ne va pas bien du tout. Le choc a provoqué des malaises cardiaques, la température monte. A 10 heures du matin, le médecin ami qui la suivait m'appelle, me prend dans ses bras pour m'apprendre ce que je savais déjà, c'est-à-dire que ma mère était perdue et que sa maladie avait enfin été diagnostiquée. Plus question d'opérer. Le soir même, elle était morte.

Pendant son agonie, Daniel et moi, de chaque côté du lit, nous priâmes. Maman, inconsciente, souriait paisiblement. Elle tournait la tête vers l'un et vers l'autre, comme si elle voulait nous communiquer quelque chose.

Une heure après sa mort, elle a pu « s'emparer » de Daniel et me dire : « Mon petit, ne pleure pas, tout va très bien, je suis bien. » Quel étrange effet cela fait d'entendre la voix de sa mère dans la bouche de son mari !

A son enterrement, il se produisit un phénomène

merveilleux. Nous marchions derrière le corbillard, avec le groupe, à pied. Il fallait faire à peu près quatre kilomètres, lorsque nous avons entendu, nous deux et tous les autres, la voix de maman. Elle chantait, elle chantait de sa voix si pure, pour nous consoler, en accompagnant sa propre dépouille, elle chantait le bonheur de la libération.

Dans les jours qui ont suivi, j'ai pu avoir quelques contacts avec elle. Elle m'a expliqué ce que, plus tard, le Dr Moody a écrit dans son ouvrage, *La vie après la vie.*

A la clinique, lorsqu'elle tournait alternativement la tête vers l'un ou l'autre, elle se voyait au-dessus de son corps, apercevait une intense lumière qui l'attendait et ceux qui l'avaient aimée, prêts à l'accueillir et qui l'avaient précédée. Elle était merveilleusement bien.

Elle m'expliqua également que les contacts avec ceux qu'on laisse sont plus faciles au début, tant que nous sommes encore imprégnés des radiations terrestres. Petit à petit, ils se sont espacés puis ont cessé tout à fait. Maman avait tout à fait compris notre mission spirituelle, notre cheminement, et elle marchait avec nous.

Elle a constitué notre première expérience de séparation, entrée vivante « en son âme » dans le surmonde.

Depuis, beaucoup sont partis, soit des membres âgés du groupe, soit des malades que nous avons accompagnés. Ils sont tous morts paisiblement, sachant que ceux qui s'aiment ne sont pas séparés. Ils vivent dans leur corps de gloire et parfois nous aident, en attendant de poursuivre leur trajectoire.

Il y eut aussi le départ de Pap'Dad. Les enfants l'aimaient bien et l'avaient surnommé ainsi. C'était le père de Daniel et il était arrivé un jour, avec armes et bagages, terminer sa vie auprès de nous. Il avait soixante-dix-huit ans.

Lorsque Daniel m'avait présentée à son père, j'avais perçu sa curiosité ; il se demandait sûrement qui était cette bonne femme encombrée d'un certain nombre d'enfants et qui, de plus, se disait guérisseuse. Pap'Dad était totalement incroyant et, depuis un certain temps, il ne reconnaissait plus guère son fils. Mon mari avait perdu sa mère à dix-huit mois ; son père, remarié, avait bien fait pour lui ce qu'il pouvait, mais la vie les avait éloignés l'un de l'autre et j'ai toujours senti que son enfance d'orphelin, pendant laquelle il avait beaucoup souffert, avait marqué Daniel mais l'avait aussi rempli d'amour et d'indulgence pour tous ces enfants sans foyer que nous avions très vite recueillis, alors qu'il supportait très mal — et supporte encore très mal — les « enfants gâtés et mal élevés ».

Je discutais un jour avec mon beau-père lorsqu'un paysan vint me trouver, les deux jambes couvertes de plaies ulcéreuses. Il refusait l'hôpital et je me demandais s'il suivait bien son traitement médical. Pap'Dad a été complètement stupéfait de voir la démarche de cet homme auprès de moi... et moi j'étais très réticente pour tenter de l'aider. C'était l'époque de mon initiation et une « équipe de médecins de l'au-delà » commençait à m'aider et à m'enseigner.

Le soir, un « médecin du ciel » me dit : « Si cet homme vient te voir régulièrement, dans trois mois il sera guéri. » Au matin, je répète ces paroles à mon beau-père.

« Si cet homme est guéri dans les trois mois, me dit-il, je croirai dans une puissance divine et en ce que tu fais. »

Trois mois après, le brave paysan était guéri et mon

beau-père converti. Je me suis toujours demandé si la guérison avait été une grâce pour le malade ou pour Pap'Dad !

Comme tous les ouvriers de la dernière heure, il mit les bouchées doubles. C'est ainsi qu'il vint vivre avec nous, aidant les enfants à travailler, faisant réciter les leçons et faire les devoirs. Il s'entendait à merveille avec mon père qui, depuis la mort de maman, était très malheureux. Lui qui était si « costaud », se mit à maigrir considérablement, errant comme une âme en peine. Seul mon beau-père le distrayait.

Ils organisaient d'interminables parties de cartes et je ris encore en pensant à cette soirée de réveillon où nous les avions laissés ensemble. Au retour, quelle ne fut pas notre surprise devant la pile de vaisselle sale ! Ils avaient fait un gueuleton, changé d'assiette à chaque plat, changé de verre à chaque vin ! Je compris alors leurs mystérieuses allées et venues des jours précédents, les cachotteries, les messes basses et surtout leur empressement à nous voir partir avec les enfants !

Pap'Dad me disait : « Que Dieu m'accorde une belle mort et que je ne sois pas à votre charge. Quand je serai dans ce monde invisible dont tu me parles, s'il existe et si ce que tu dis est vrai, je me manifesterai », et plus modeste, il ajoutait : « Si je peux ! »

Il a eu le départ désiré. Un jour, en sortant de la cuisine, à 8 heures du matin, il a été foudroyé par une crise cardiaque, mort sur le coup. Il venait de prendre son petit déjeuner avec son fils et tous les enfants. Comme d'habitude, il avait bien plaisanté.

Dans sa poche, j'ai trouvé un carnet sur lequel il notait tous les jours une pensée mais surtout des remerciements à Dieu. J'ai compris alors combien sa foi était sincère et profonde. Une fois de plus, je constatai que l'exemple dans la vie de tous les jours est plus riche et plus convaincant que tous les discours.

Le lendemain de son départ, son corps reposait encore dans la maison, lorsque, à 2 heures du matin, des coups de marteau résonnèrent en bas, dans l'atelier où il aimait bricoler. Toute la famille réveillée, pieds nus, se retrouva aussitôt devant l'établi. Ce fut à nouveau le silence.

« Si ce que tu me dis du monde invisible existe, je me manifesterai si je peux... » Ses propos me revinrent en mémoire. Il se manifestait bel et bien. Pendant plusieurs jours, les portes se sont ouvertes et fermées. Un après-midi, la chambre d'un de mes fils a été fermée à clef, la clef étant dans l'armoire ! Mais le plus drôle a été l'une de ses dernières niches. Nous étions tous à table avec un cousin et, bien sûr, parlions de Pap'Dad, lorsque la grande porte-fenêtre s'ouvrit violemment. Elle était peut-être mal fermée. Je me suis levée et l'ai fermée soigneusement, en vérifiant la fermeture. Mais dès que la discussion a repris, la porte s'est à nouveau ouverte toute grande.

Alors tous les enfants, en joie, hurlèrent : « C'est Pap'Dad, c'est Pap'Dad ! » Le cousin nous a regardés d'un drôle d'air, a pris le premier prétexte venu pour s'en aller et nous ne l'avons jamais, jamais revu !

Pourtant, nous n'avons jamais recherché, ni Daniel ni moi, à provoquer des phénomènes paranormaux. Les plus merveilleux, pour nous, ce sont les guérisons. Les autres ne nous intéressent pas.

Tout au début de mon initiation, « Mamy », mon guide, m'avait appris à magnétiser des boutons de rose. Ils ne se fanaient pas, mais se « cristallisaient ». C'était très joli et tous nos amis nous les « piquaient » au fur et à mesure, comme souvenirs. Mais, par cet exercice, on

45

cherchait à développer mon don de magnétisme, au plus vite. Depuis bien longtemps, ce genre de « travail » est abandonné. Il est tout de même plus intéressant de réserver toutes ses énergies à ceux qui en ont besoin, plutôt que de les dépenser à tort et à travers... Mais... lorsqu'on vit les pieds sur terre et la tête dans le ciel, il arrive parfois que se produisent certains phénomènes qui nous emplissent de joie, comme un clin d'œil de l'au-delà, une complicité fugitive.

Un jour, à midi, alors que j'étais occupée à des tâches bien concrètes et matérielles, autrement dit à éplucher des pommes de terre, j'entends une musique dont les accords sont si beaux, si mélodieux, que j'en ai frissonné.

« Tiens, me dis-je, que cette musique est belle ! Un des enfants a dû venir ce matin et laisser son poste de radio ouvert... »

Je pose ma pomme de terre et entre au salon. Rien. Je retourne à la cuisine et entends à nouveau la musique. Je monte, fais le tour des chambres ; je n'entends plus rien. Je pense alors qu'elle vient du dehors et ouvre la fenêtre. Mais non, rien encore. Alors je comprends qu'elle vient du ciel et qu'on m'offre quelques accents de musique céleste. Hélas, il a suffi que j'y pense pour que tout cesse. Quel dommage ! Mais le souvenir m'en est resté intact, et la gratitude, pour cet instant béni, de pure beauté.

Une autre fois, c'était un après-midi de Noël. J'étais en train de gravir un sentier de montagne escarpé et admirais Grenoble à mes pieds. Le soleil illuminait les cimes enneigées, tout était émerveillement. L'émotion éprouvée devant ce spectacle était si vive que je ne pus m'empêcher de faire une petite prière, une action de grâces. Je me sentis bizarre, le temps s'était arrêté et j'étais comme paralysée mais étrangement bien et j'ai vu soudain le même spectacle mais dans une autre dimension ; chaque détail, chaque montagne, chaque maison ou chaque brin d'herbe possédait une aura lumineuse, bleutée, impossible à décrire avec les mots de l'inexplicable.

Je ne sais combien de temps a duré cet état et j'ai complètement perdu la notion de la réalité ; je n'avais plus de corps. A mon retour à l'état normal, ma déception a été si vive que j'ai trouvé presque « moche » ce que j'avais vu si beau quelques instants auparavant.

A mon retour, Daniel m'a demandé pourquoi j'étais restée si longtemps absente ; les enfants me réclamaient à grands cris, mais j'étais perturbée par ce que je venais de vivre et je ne pus lui expliquer sur-le-champ.

Plusieurs jours ont passé avant que j'en parle à Mamy.

« Tu as eu, mon petit, une brève vision de l'astral, de ce qui t'attend après ta mort terrestre. »

Depuis, j'ai mieux compris le bonheur éprouvé par ceux qui quittent leur corps et l'extrême difficulté, pour nos guides, de tout expliquer aux pauvres humains si limités que nous sommes.

J'aurais bien voulu revivre encore une fois cette expérience, mais cela ne m'a plus jamais été accordé. Peut-être ne l'ai-je pas mérité, peut-être cela ne nous est-il pas permis trop souvent, peut-être cela nous rendrait-il trop nostalgique ?

Chaque homme, sur la terre, a son libre arbitre ; sans lui où serait le mérite de celui qui travaille, étudie, crée ? Ne croyez pas que des guides spirituels vont donner des conseils de ce genre : faites ceci ou cela... Non. Il faut se mettre en état de disponibilité, être en harmonie avec la présence qui nous entoure, l'énergie créatrice des mondes, et se laisser guider. Selon votre évolution, selon vos vibrations, vous vous mettrez en contact avec la vibration et l'équilibre correspondants.

Pour cette raison, un « karma » n'est jamais figé. Combien en ai-je vu, autour de moi, des vies totalement transformées, des êtres miraculeusement changés après une expérience spirituelle très forte ou après la guérison d'une maladie grave ! Mais peut-être étaient-ils aussi prêts à recevoir la manne céleste et leur cœur était-il réceptif à ce qu'il faut bien appeler l'amour...

Un jour, un biologiste espagnol qui avait des idées proches des nôtres, mais ne parlait pas notre langue, nous contacta par le truchement d'amis communs. Nous le conviâmes un soir à une réunion de prières, pour l'aider. Il cherchait une formule de lait artificiel pour animaux mais qui, avec quelques modifications, pourrait aussi être adapté à l'être humain.

Nous ne parlons pas espagnol mais il formula sa question à haute voix, dans sa langue, et reçut la réponse également en espagnol. J'ai dû faire traduire la bande enregistrée au magnétophone pour pouvoir comprendre. On lui donnait quelques conseils, des orientations de recherche pour qu'il travaille, mais non la formule. En effet, si on la lui avait fournie, où aurait été son mérite ? Il a travaillé encore longtemps sur les bases qu'on lui avait suggérées avant de trouver.

Un guide ne donne jamais la réponse à la question : que dois-je faire ? Quelle route prendre ? Mais il aidera, là où nous sommes, à accomplir notre mission. Souvent, il suffit de prier Dieu, humblement, de nous éclairer.

LES ENFANTS

Notre maison, à Corenc, était accrochée à flanc de montagne, entourée d'un parc splendide. Daniel, à force de patience, avait cicatrisé les vieilles blessures et je m'ouvrais à la vie, au bonheur, enfin. Nous étions très épris l'un de l'autre et avons vécu, dans cette maison, des années merveilleuses.

En m'épousant, Daniel avait accueilli mes deux enfants nés de mon premier mariage ainsi que tous ceux que j'avais déjà recueillis. Notre vie conjugale commençait sous la bénédiction des dieux. Notre vie sociale s'amplifiait et on commençait à s'adresser à nous dès qu'un pépin menaçait dans notre entourage.

Nous avons eu tout de suite beaucoup d'amis dans le village. Elise et Liliane partaient tous les matins pour l'école d'infirmières. Les communications avec Grenoble n'étaient pas très faciles et notre ami Simon récupérait les filles le matin. Elles l'aimaient bien et chantaient à tue-tête :

« Si les bœufs, si les bœufs,
Si les bœufs aimaient les vaches... »

La vie n'était pas morose... Parfois, l'hiver, une neige épaisse tombait et Daniel prenait un petit sentier, en luge, pour aller au ravitaillement. Un jeudi, nous l'attendions en regardant ce paysage grandiose, la neige étincelant sous le soleil, lorsque nous voyons passer devant la fenêtre, sur la pente enneigée, une luge, une valise et un bonhomme assis bien droit, bien raide, à toute allure. Daniel, tombé sur la pente glissante, n'avait pu se retenir ! Nous avons bien ri, surtout en apprenant qu'un grand-père qui promenait son chien

49

sur un sentier en contrebas avait vu arriver, dans l'ordre, une valise, une luge et mon mari, à ses pieds.

Un hiver particulièrement froid avait gelé les canalisations d'eau et tous les voisins obligeants nous apportaient des seaux bien remplis, sachant que nous avions beaucoup d'enfants.

Le temps filait vite et les journées étaient bien remplies. Quand Renaud arriva à la maison, à l'âge de trois mois, chacun lui fit fête. Sa mère était âgée et nous expliqua que Renaud n'aurait jamais dû voir le jour. Elle était traitée en période de ménopause pour un fibrome. Imaginez sa colère lorsqu'un jour le fibrome se mit à bouger !

« Accrochez-vous aux nuages quand ça va mal, disait-elle, même les gris ont une bordure d'argent ! »

A Pâques, elle venait à la maison les bras chargés d'œufs en chocolat immenses et sa générosité n'avait d'égale que sa bonne humeur. Elle aimait bien son « petit prince » et, à sa manière, elle essayait de le gâter, mais, à mesure que Renaud grandissait, cette maman un peu trop bruyante le gênait. Il me disait : « C'est toi, ma maman, elle, c'est une mémé », et il se cachait sous la table dès qu'elle arrivait. Elle a très vite compris. Un jour, elle me dit : « Renaud vous aime ; vous êtes ses parents, les vrais ; moi, que puis-je lui apporter ? Célibataire, pauvre comme Job, déjà d'un certain âge ; si vous acceptez, je vous le donne. » Et elle est allée signer un acte d'abandon devant le commissaire de police de son pays. Cet homme a essayé de la raisonner, de la faire changer d'avis. Alors, à bout d'arguments, elle lui lança : « Puisque vous ne comprenez rien, je vais vous dire la vérité. Son vrai père, c'est M. Lebrun. Ça vous en bouche un coin que je me sois payé un jeune, hein ? » Devant de tels propos, le commissaire s'inclina !

Nous avons donc adopté notre petit Renaud qui, marié à son tour, a adopté deux enfants. Lorsqu'il s'est marié, je lui ai demandé s'il accepterait de revoir sa mère biologique, maintenant qu'il était adulte. Il a refusé. « C'est toi, ma mère, c'est tout. »

Si les enfants adoptés connaissaient leurs origines, peut-être n'idéaliseraient-ils pas leurs parents et n'effectueraient-ils pas des recherches qui, souvent, les déséquilibrent.

Nous avons toujours dit la vérité à nos enfants, mais la croyance en la réincarnation, je le reconnais, a bien facilité les choses. A l'âge de dix-huit mois, nous commencions à leur expliquer que nous les avions choisis ou, plus exactement, qu'ils nous avaient choisis comme parents. Nous répondions franchement à toutes leurs questions au fur et à mesure qu'elles surgissaient. Les garçons étaient très fiers d'être adoptés et s'en vantaient. « Tu sais, maman, les copains disent que nous ne sommes pas des vrais frères. Qu'est-ce qu'ils sont bêtes ! » Et un jour, excédée d'entendre ces garçons en rajouter : « Nous, nos parents nous ont choisis, vous, ils ont été obligés de vous prendre ! » la petite Marie, âgée de six ans, leur lança : « Peut-être que vous avez été choisis, mais chez nous, quand on veut des enfants, on les fait nous-mêmes ! »

Renaud s'est intégré à la tribu très unie. En se mariant, il nous a apporté trois nouveaux éléments : sa femme, ses filles. Ainsi grandissent les familles...

Peu après l'arrivée de Renaud, un ami médecin me demanda de recevoir une jeune femme en détresse avec ses deux enfants : une petite fille de deux ans et un bébé nouveau-né. Elle appartenait à une famille bourgeoise très connue, avait fauté deux fois et la deuxième fois, la famille rejeta complètement l'enfant. Jacotte avait l'habitude de l'argent, de la vie facile. A dix-sept ans, elle avait bon cœur mais n'était qu'une tête de linotte. Elle regardait dormir le petit David, son enfant, sur notre terrasse et me disait : « Je n'arrive pas à l'aimer ni à croire que c'est moi sa mère... » Nous pensions que les choses finiraient par s'arranger. A cette époque, nous faisions l'impossible pour que la mère garde son bébé. Depuis, nous avons bien changé.

David était rejeté par sa mère puisqu'il représentait la source de tous ses malheurs. Né accidentellement après une « surprise-partie » où on l'avait fait boire, Jacotte ne savait même pas qui était le père. Au bout de quelques mois, la mère de Jacotte lui proposa de rentrer au bercail en me laissant les deux enfants en pension. Pour ce faire, un gros mandat arriva et Jacotte, privée de son habituel train de vie, acheta le billet de retour et dépensa le reste en vêtements et en futilités pour rentrer chez nous le soir en taxi.

Elle avait simplement oublié de nous laisser quelque argent pour la nourriture des petits. Je les ai gardés trois à quatre ans, puis sa grand-mère me téléphona un jour de Lyon, me sommant d'amener Babette immédiatement à l'hôtel où elle se trouvait et de conduire David à la DASS. Je me rappellerai toute ma vie cette entrevue. Le chagrin m'écrasait. J'adorais Babette qu'il fallait rendre et, de plus, David était abandonné ! A cette époque, je ne pouvais admettre un abandon d'enfant. J'ai essayé de plaider la cause de David devant cette femme dure, impitoyable, qui m'a seulement jeté : « Mêlez-vous, madame, de ce qui vous regarde ! » en me montrant la porte.

Qu'es-tu devenue, petite Babette que nous aimions tant ?

Daniel et moi étions choqués, profondément. Notre situation, par ailleurs, devenait très difficile. Nous avions trop de charges. Garder un enfant de plus devenait très lourd, mais comment abandonner un petit après quatre ans d'amour et de tendresse partagés! Alors nous sommes allés voir le directeur de la DASS en lui expliquant notre situation et en lui demandant s'il était possible de garder David tout en le faisant prendre pécuniairement en charge par la DASS qui nous le confierait. L'important, à nos yeux, était d'éviter la séparation. Cet homme, très humain, nous écouta longuement et dit : « Je suis tout à fait d'accord, mais réfléchissez bien. Si votre situation change, l'enfant sera d'abord à nous. »

Après quelques jours de réflexion, Daniel et moi décidâmes de le garder. Un de plus, un de moins... à la grâce de Dieu.

Cette grâce allait bientôt nous inonder, nous entraîner dans une aventure merveilleuse. Nous avons toujours pensé, mon mari et moi, que l'adoption de David avait été le point de départ, le facteur déclenchant de toute notre histoire. Il nous était demandé de donner un peu de notre nécessaire... de donner par amour gratuit, sans compter, sans faille, jusqu'au renoncement. C'est ainsi que l'on avance sur la route et que l'on trouve l'aide de Dieu.

« Regardez les oiseaux du ciel, ils ne sèment ni ne moissonnent et le Père céleste les nourrit », lit-on dans l'Évangile de saint Matthieu...

Lorsque notre maison de Corenc a été mise en vente, il nous était impossible de l'acheter. Le propriétaire, très gentil, nous donnait le temps de nous retourner,

53

mais il fallait partir. Nous n'avions pas un sou vaillant, mais tout allait s'arranger, comme d'habitude, comme par enchantement. Tout d'abord un ami, Claude, se mit en quête d'un grand terrain, puisque nous voulions nous rapprocher de nos amis. Tous nos proches et fidèles soutiens nous offrirent de l'argent, comme ça, sans intérêts, de la main à la main, nous faisant totalement confiance. Je pense à notre ami Robert qui nous prêta sept millions, à l'époque, et qui manifesta tant d'émotion lorsque nous lui avons remboursé la dernière tranche de notre dette avec un peu d'intérêts, mais trois fois rien en comparaison du service rendu. Et cette grande maison, construite au pied de la montagne, a servi de refuge à tant de souffrances !

Maison d'accueil et de bonheur pour tous ces jeunes sans foyer... Pendant des années, nous avons dormi dans le garage ouvert. Une chambre était aménagée au sous-sol, avec des lits. Il nous arrivait de trouver quelques barbus et chevelus dans la maison le matin. Un café et hop, dehors ! Ils nous respectaient et nous n'avons jamais eu de problèmes. C'était l'époque où circulait la formule : « Tu peux aller chez les Lebrun, anti-flics, anti-curés ! » Nous n'étions ni l'un ni l'autre, mais c'était leur façon d'exprimer la sécurité qu'ils trouvaient à la maison et surtout une paix royale, jamais de leçons de morale...

Maison de repos, de détente, pour ceux qui souffraient. J'ai reçu là une foule de gens en convalescence : d'abord ceux du groupe, qu'ils aient un chagrin d'amour, une opération de l'appendicite ou besoin, simplement, de faire halte. Notre maison était un refuge pour tous les autres aussi, ces malades perdus, seuls au monde, sans argent et ne sachant où aller.

Maison d'attente aussi pour ces femmes qui décidaient, en connaissance de cause, de garder l'enfant indésiré, indésirable, et de l'offrir à celles qui n'en avaient pas. Et qui, très souvent, l'heure venue, décidaient de le garder avec elles.

Maison du bout de la route pour ces vieillards parvenus en fin de séjour terrestre, désireux de préparer dans le calme, la prière et la joie, leur départ. Car cette maison, elle était gaie et la vie y était joyeuse.

Les jeunes écoutaient, amusés, les anciens. Les anciens, si indulgents pour les jeunes, se ressourçaient auprès d'eux. Daniel et moi, sans doute n'avions-nous pas conscience de notre marginalité, pris que nous étions par la vie quotidienne, dans « le bain ». Tout nous paraissait parfaitement naturel.

Il y avait tant de vie, tant d'amour et d'espérance, tant de prières dans cette maison que nos guides spirituels s'en réjouissaient et cela seul nous importait.

Celui qui disait en partant : « Je n'oublierai jamais », nous payait au centuple de nos peines. Parfois, à notre grand regret, nous étions obligés de laisser « tomber » quelqu'un, lorsqu'il nous semblait que nous perdions notre temps, soit parce qu'il était trop paresseux, profiteur ou l'inverse, trop gâté et trop loin spirituellement... mais que Dieu nous pardonne, il y avait tous les autres et il fallait les préserver.

A cette époque, la drogue ne circulait pas comme aujourd'hui. Si nos jeunes avaient connu ce piège mortel, aurions-nous pu vivre de la même façon ? Toute drogue est mauvaise, aucune n'est inoffensive. Si pour le corps physique le hasch n'est pas plus dangereux que le tabac ou l'alcool, il n'en est pas de même pour les autres corps, je peux l'affirmer.

Beaucoup de jeunes qui n'ont rien reçu ou ont été élevés dans un milieu religieux trop timoré — ce qui ne vaut pas mieux — se laissent aller à des expériences douteuses, parfois par besoin spirituel, ce qui est un comble, et ils sont détruits. Les expériences dites spirituelles obtenues sous drogues, quelles qu'elles soient, sont absolument faussées et provoquées par ce que l'on nomme bas astral, c'est-à-dire, pour être simple, les forces du mal.

Il y a plusieurs façons de se détruire. Selon le degré de résistance, de sensibilité ou d'évolution propre à chacun, mais j'ai vu des êtres complètement dédoublés, qui ne font plus la différence entre le jour et la nuit ; d'autres croient avoir une mission à remplir, d'autres voient des soucoupes volantes ou se prennent pour des oiseaux. Il y a ceux qui n'écoutent la musique qu'en « certaines conditions »... chaque son fait « vibrer leur âme » mais aucun ne travaille plus, aucun n'a de volonté ni ne réalise, à un moment donné, qu'il est investi par ces forces destructrices qui le contraignent à son tour à revendre de la drogue pour se payer la sienne et qu'ainsi il devient un assassin. « Zombifié », totalement conditionné, il finit par payer avec bien des épreuves les souffrances qu'il a semées... car qui sème le vent récolte la tempête.

Je ne veux pas jouer les moralistes, surtout pas, ça ne sert à rien, mais je peux faire part d'une réalité transmise par mon guide astral : « A toi, mon petit, qui tires sur tes premiers joints pour ne pas perdre la face devant les copains, aie le courage de dire non. Il vaut mieux perdre la face que son âme. »

« A partir du moment où on fume cette " belle herbe " avec régularité, on émet peu à peu des vibrations qui attirent les forces du mal et, crois-moi, celles-là, elles ont du mal à lâcher leur proie. »

Ainsi, dans notre maison, grâce à Dieu, ce fléau n'a pas pu entrer.

Cette grande bâtisse a un sous-sol immense qui sert aussi bien de salle à manger lorsqu'il pleut, un jour d'été et qu'un repas froid doit nous réunir, que de salle de prière. Pendant de nombreuses années, nous n'en eûmes pas d'autre. On peut s'y tenir à cent vingt personnes environ. Un jour, notre sous-sol est devenu bien trop petit mais comme toujours, en pareil cas, les moyens d'y remédier nous ont été donnés.

Notre ami Henri, industriel, nous fit construire une immense salle, très moderne, d'environ trois cents places, au cœur de son usine, nous permettant ainsi d'agrandir notre cercle. Cette salle est toujours comble. Souvent les jeunes sont assis par terre mais nous devons respecter les règles de sécurité qui nous obligent à freiner les entrées au groupe.

Si nos réunions ont lieu à Grenoble, celles du groupe restreint se tiennent encore au garage. Il a même servi pour les « boums », lorsque les enfants étaient encore avec nous, et de salle de répétition pour les spectacles que nous donnions pour gagner un peu d'argent. Jamais maison n'a autant servi ni à tant d'activités diverses. Hélas, rien de tout cela n'est rentable et nous allons devoir nous en séparer, mais il nous est surtout demandé maintenant de porter témoignage de ce que nous avons vécu et entrepris. Et lorsque, en accord avec nos guides spirituels, il a été décidé de faire des conférences que j'appellerai plus modestement causeries, c'est pour apporter un message d'espérance à ceux qui souffrent et à ceux qui doutent.

A chaque âge de notre vie, nos travaux sont différents et nous quitterons sans regret notre maison trop lourde, qui ne correspond plus à nos besoins.

Un jour, nous quittons tout, toutes choses terrestres, et n'emportons avec nous que ce que nous avons donné avec amour.

Dans le jardin merveilleux où nous irons, point besoin de maison.

Après tant d'années de vaches maigres où nous vivions au jour le jour, il m'arrivait, en inspectant tous les tiroirs et toutes les poches de la maisonnée, de trouver, ô miracle, le petit billet qui permettait de faire les courses de la journée. Je ne me suis jamais penchée sur l'étrangeté de la chose, mais c'est vrai : bien souvent, un petit billet inattendu se trouvait là au bon moment.

Il n'était évidemment pas question de sorties, d'aller au restaurant par exemple, mais ce soir-là, un bal était donné par l'Association éducative de Grenoble au bénéfice des enfants des foyers, au casino d'Uriage.

J'invite des amis plus fortunés que moi et fais beaucoup de « pub » pour faire rentrer l'argent dans nos caisses car j'appartiens depuis sa création à cette association qui dépend des services du juge des enfants.

Au moment du départ, on nous annonce qu'il y a une surprise : les billets d'entrée sont numérotés et le mien gagne un voyage en Corse pour un couple, tous frais payés. Tous les copains battent des mains et nos amis Jean et Mimi, charmants et gentils à l'extrême, nous proposent de venir avec nous. Quelle aubaine ! Un voyage en avion, c'était formidable !

La veille du départ, ces amis nous téléphonent en demandant si nous accepterions un autre couple, fatigué, qui a besoin de détente. « Sont-ils sympathiques ? — Très, vous verrez ; il est très rigolo. — Alors, d'accord ! »

Les dés venaient de tomber. Un couple d'amis entrait dans notre vie ; l'avenir du groupe allait en être changé.

Nous voilà donc partis tous les six. Dans le petit port de Bonifacio, un pêcheur nous apporte un panier de langoustes, nous les propose. Je n'en avais jamais mangé et dis oui, sans connaître le prix, et nous les dégustons joyeusement.

A la vue du prix, je fais une véritable crise, attrape un crayon, calcule combien de gamins auraient mangé et pendant combien de jours, avec cette somme-là. Je les traite de tous les noms, nos malheureux compagnons de route !

« Vous êtes inconscients, leur dis-je, égoïstes, pleins de fric, etc. »

Atterrés, ils comprennent que, trop prise par ma vie sociale, j'ai perdu le sens des réalités. Très gentiment, ils proposent alors de les jouer aux cartes ; celui qui perd paie. Evidemment, ils se sont arrangés pour perdre et j'ai eu honte de mon comportement.

L'après-midi, nous roulons sur Ajaccio lorsque nous passons devant un site préhistorique, Filitosa, et décidons de nous arrêter.

Tout à coup, Henri se sent « tout chose », devient pâle et s'assied, à la vue des alignements de pierre. Sa femme s'inquiète. Je réalise qu'il se passe quelque chose et entraîne tout le monde un peu plus loin, le laissant seul. A notre retour, il est toujours aussi pâle.

« Qu'avez-vous ?

— Je crois que je deviens fou, me dit-il. Je ne suis jamais venu ici et pourtant je connais parfaitement bien cet endroit. Je peux vous dire ce qu'il y a derrière cette colline.

— Ce n'est rien, répliquai-je ; c'est une réminiscence d'une vie passée. »

Devant son ébahissement, nous commençons à discuter réincarnation. Nous avons parlé toute une partie de la nuit. Pour Henri et Lyne, une porte s'ouvrait sur un monde inconnu. Ils entrevoyaient une autre réalité.

L'un comme l'autre, ils étaient prêts pour un voyage spirituel et ils n'ont cessé, depuis lors, d'évoluer. A notre retour, nous étions unis par un solide lien d'amitié. Henri était cultivé, ingénieur, dirigeait une usine. Ils sont entrés au groupe, avec leurs enfants, très rapidement.

Peu après ce voyage, Henri nous invite à un week-end à Toulouse où son travail l'appelle. Nous voilà partis tous les quatre. En passant par Montpellier, je me souviens que Sylvette, l'une de nos filles, s'est mariée dans cette ville et que nous ne l'avons pas vue depuis longtemps. Heureux tous les deux, Daniel et moi, de lui faire une surprise, nous décidons une étape à midi.

Lorsque Sylvette, très surprise de nous voir, se jette dans nos bras, nous couvrant de baisers, nos amis sont profondément touchés. Nous avons gardé Sylvette pendant six ans et elle n'avait pas oublié.

En arrivant à Toulouse, nous allâmes voir une autre de nos « filles », mariée elle aussi à un vétérinaire. Elle a vécu quatorze ans à la maison. Elle sanglota dans nos bras. Alors, d'un seul coup, Lyne fond en larmes à son tour et s'écrie : « Mais alors, moi, je n'ai rien fait de ma vie ! »

Chère Lyne, comme elle allait se rattraper par la suite !

Elle est peintre aux Beaux-Arts de Grenoble et, depuis des années, elle donne gratuitement des cours de dessin tous les jours ouvrables, dans les écoles d'enfants handicapés. Chaque année, une exposition couronne son travail et lorsque j'ai vu ce qu'elle a pu faire peindre à des enfants non voyants, j'en ai été bouleversée. Leurs couleurs, leurs dessins sont un hymne à la vie, à la joie.

Quelquefois, il nous était impossible de prendre en charge un enfant de plus car nous ne disposions d'aucune subvention. Je n'avais pu recevoir Cathy alors que j'avais sa sœur à la maison. Un matin, en ouvrant la porte, je trouve Cathy couchée sur la marche, dans un état comateux. Par désespoir, elle avait avalé un tube de comprimés. J'ai vite appelé une ambulance pour la transporter à l'hôpital où elle a subi un lavage d'estomac...

Comment faisions-nous pour entretenir tout ce petit monde ? Nous organisions des spectacles !

Pendant des années, chaque fois que le porte-monnaie était vide, nous recourions à cette activité et ça marchait très bien ; nous avons donné des spectacles dans toutes les villes autour de Grenoble, jusqu'à Lyon et La Mure. Nous avons même rempli le théâtre de Grenoble !

Tous les jeunes étaient enthousiastes et nous amenaient des camarades de classe qui appartenaient à telle ou telle formation, écoles de danse, de musique, de chant, etc. De plus, il m'arrivait de traiter par magnétisme des artistes, des « voix », qui acceptaient, amusés, de venir nous donner un coup de main.

Je remercie, au passage, l'Opéra de Lyon si souvent mis à contribution, nos amis Etienne Arnaud, Pierre Filippi ainsi que Ginette Gourmelin et tant d'autres qui nous assuraient, grâce à leur talent, un bon public. M. et Mme Deson, qui ont dirigé la chorale des papeteries de Lancey avec tant de dévouement ! Nous

61

avons eu, grâce à eux, une école de danse de petits rats polonais.

Pendant des années, les soirées de gala occupaient tous nos jeunes. Il fallait les tenir sans les contraindre. Ils préparaient les costumes, les chansons et la musique. Nous louions un car et partions en chantant pour le grand soir.

Les dernières années, il nous est arrivé de jouer pour d'autres que nous, par exemple pour aider l'Association de l'action éducative.

Beaucoup de ces jeunes qui n'avaient rien trouvaient ainsi le moyen de donner.

Guy m'aidait beaucoup. Il avait subi de nombreuses interventions chirurgicales, avait failli mourir dix fois, mais il avait un cœur grand comme une marmite et quand il arrivait avec son accent chantant, c'était le soleil qui surgissait. Il était du Midi, jouait de la guitare, chantait bien mais, surtout, c'était un fantastique éducateur qui aimait et comprenait les enfants.

Une année, il décida de faire un camp en montagne, près d'un lac. Pour acheter les tentes, les matelas pneumatiques, le matériel de camping, il nous fallut organiser un grand spectacle. Le soir, il s'est promené tard dans les rues de certains quartiers, a ramassé des gosses qui traînaient, les a emmenés chez eux pour discuter avec les parents, pour finalement recruter une vingtaine de gamins et leur proposer un camp, en août, à raison de deux francs par jour. Deux familles sur les vingt ont payé... Les parents avaient dit : « Nous sommes d'accord, mais pas de bondieuseries, hein ! » Bien sûr que non, seulement le lever du drapeau dans le camp le matin, et quelques minutes de silence : c'est très bon pour la maîtrise de soi...

En jouant au ballon, la première année, Guy est

tombé et s'est fracturé le genou. Immobilisé dans un plâtre jusqu'à la ceinture. Il s'est fait faire une planche sur roulettes et, avec deux bâtons, il a continué, couché, à circuler et à garder les enfants jusqu'au bout. Il est maintenant éducateur chez les gitans et ça lui convient très bien !

Toutes ces années, entre les détresses, les maladies, les réunions de prière, les « guides » qui se manifestaient le soir, ont filé si vite... mais la paix nous habitait.

Nous devions vraiment jouir de grâces divines car les journées étaient longues et les nuits très courtes. Nous attendions avidement ces nuits où les messages divins venaient à nous. Balayés les soucis, les fatigues, après cette communion qui nous était nécessaire comme l'eau et le pain. Alors nous nous endormions heureux.

En 1983, s'est tenu un congrès sur la délinquance, à Grenoble, auquel j'assistai en tant que membre de l'AS de l'action éducative. Dans la session de travail où j'étais, j'ai tenté de faire passer quelques-unes de mes idées. Je pense que les foyers où se retrouvent les jeunes en difficulté ne constituent pas la meilleure solution. Ils se contaminent les uns les autres et la tâche des éducateurs est parfois rude. On devrait s'en soucier bien avant l'adolescence et les éducateurs pourraient alors suivre les enfants, de préférence dans leurs familles. Il me semble aussi que, si cette dernière est absente ou totalement néfaste, les enfants seraient mieux dans des foyers sans enfants où ils trouveraient l'amour d'une mère de remplacement. Ce pourrait être un parrainage puisque ces enfants ne sont pas adoptables. A condition, bien sûr, comme cela arrive parfois, que la famille d'accueil ne cherche pas, en ce petit, un « boy » gratuit...

Après ce congrès, le service de l'Association éducative de Grenoble m'a proposé la médaille de l'Éducation surveillée. J'ai tout d'abord refusé car on ne fait pas un travail social pour des médailles. Ou pour que ça se sache... Daniel et moi, nous avons toujours agi avec désintéressement, mais Etty, mon guide spirituel, m'a tancée vertement et m'a demandé d'accepter, non pour moi, mais pour ce que je représente. « Tu seras, me dit-elle avec humour, la seule magnétiseuse spirituelle de France décorée par la justice ! »

Alors j'ai accepté, à la grande joie de mes enfants.

Une quarantaine de nos « enfants » étaient présents. Le surlendemain — un article ayant paru dans la presse locale —, le téléphone sonna toute la journée. Ceux qui n'étaient pas venus, dont nous n'avions plus les adresses ou qui, mariés, avaient coupé les ponts avec leur passé et que nous nous serions bien gardés de troubler, se manifestèrent. Tous et toutes ont appelé pour nous dire : « Merci, on vous aime, on n'a pas oublié ! »

Le soir, notre cœur éclatait de joie et nous n'avions qu'un seul regret : n'avoir pas fait davantage !

Chaque année, en juin, nous avons pris l'habitude de nous réunir sous les arbres, aux Eymes, pour un pique-nique afin de partager dans la joie et l'amitié le pain et le sel. C'est l'occasion de faire le bilan du travail de l'année, de mieux nous connaître les uns les autres.

Au début, nous étions environ trois cents, mais le cercle s'est élargi peu à peu. Sont arrivés les parents et amis des enfants et des amis, puis les réfugiés, avec les événements dramatiques du Viêt-nam, du Cambodge, du Chili... et bien des amis de notre association ont essayé, à leur manière, d'aider ceux qui avaient le plus perdu. Des participants étrangers ont pris goût à nos « journées de l'amitié » et cette année nous nous sommes retrouvés près de deux mille. Un immense parc prêté par la municipalité nous a accueillis sous l'ombre de ses arbres centenaires. Ils sont venus de partout, tous ont pu s'exprimer librement et en toute sérénité. Une immense chaîne silencieuse de méditation s'est créée pour la paix dans le monde. Mains blanches, mains noires ou jaunes, soudées dans une même communion et un même idéal de paix et de fraternité !

Enfin, nous touchions au but. L'enseignement de nos guides commençait à porter ses fruits. Un commencement de réalisation, tangible, encourageait nos efforts.

Si une poignée d'hommes déclenche la guerre et porte la haine, pourquoi un groupe d'hommes décidés ne pourrait-il être un ciment de paix ? Est-il si utopique de le croire ?

Ce moment intense de solidarité, au-delà des religions et des races, concrétisation de l'œcuménisme de notre groupe, constitue bien la preuve que les hommes, quelle que soit la couleur de leur peau, peuvent se comprendre et se donner la main car leurs cœurs battent au même rythme. Leur sang est du même rouge.

Profitant d'un week-end de Pentecôte, en 1971, nous avons décidé, Daniel et moi, de réunir tous les « enfants » qui pourraient ou voudraient venir et que nous avions épaulés durant une année au moins. Ils sont venus, sac au dos, avec des tentes, de tous les coins de France, accompagnés de femmes et d'enfants. Nous nous sommes retrouvés cent soixante ! Pendant deux jours, personne ne voulait dormir pour ne pas en perdre une miette. Un grand barbu, en me faisant tourner dans ses bras et m'étouffant de baisers, me disait : « Tu te souviens bien, tout de même, je suis le petit Frédéric ! » Les aînés en scrutant les petits s'écriaient : « Mon Dieu, c'est toi ? Comme tu as grandi », ou jouaient au jeu des ressemblances, ou chantaient à tue-tête :

« Quand on va dans le désert
Et qu'on n'a pas de chameau
On monte sur l'infirmière
Et ça en fait un beau ! »

L'infirmière, bien sûr, c'était moi !

Certains de ces enfants ont « atterri » chez nous de bien curieuse manière. Je me souviens de Jeanine...

Il était 7 heures du matin. Le soleil de mai brillait déjà au-dessus du Moucherotte. Mon mari s'apprêtait à partir au travail et moi, comme chaque matin, je préparais le petit déjeuner pour les quinze enfants qui dormaient encore car c'était un jeudi, jour de repos à l'époque. Daniel était allé sortir la voiture du garage. Je le vis revenir précipitamment pour m'annoncer que deux policiers voulaient me parler. Fichtre ! La police ! Aussitôt, j'imagine une série de catastrophes. Ils se présentent : « Commissaire Bertrand, inspecteur Félix, de la police judiciaire. Vous êtes bien Mme Lebrun ? »

Dans l'entrée, un portrait du curé d'Ars, pour lequel j'avais une particulière vénération, attire le regard de l'un d'eux qui, dans un murmure que je perçois, dit à l'autre : « Je crois qu'on s'est gourrés. »

Le commissaire me fait face : « Est-il exact, madame, que vous hébergez depuis quelque temps une mineure prénommée Jeanine ?

— Mais oui ; elle est chez nous depuis cinq jours. Elle est venue directement de l'hôpital où elle était en traitement. Cette enfant, qui n'a que quinze ans, s'est livrée à la prostitution depuis l'âge de douze ans, pour le compte de sa propre mère qu'elle ne veut plus revoir. C'est la raison pour laquelle elle est venue chez moi. C'est du moins ce qu'elle m'a déclaré...

— Comment se fait-il qu'elle soit venue précisément

66

chez vous ? me demande le commissaire. Vous la connaissiez auparavant ?

— Mais non, je ne la connaissais 'pas. C'est par ma fille, infirmière à l'hôpital, qu'elle a su notre adresse, assurée qu'elle pourrait y trouver refuge.

— Pouvons-nous la voir ?

— Mais bien sûr... Je vais la réveiller car elle dort encore. »

Je me dirige, suivie du commissaire, vers la pièce où Jeanine repose en compagnie de deux de mes filles. La maison a beau être spacieuse, il faut beaucoup de place pour loger quinze enfants de tous les âges... Je réveille Jeanine et lui explique brièvement que la police veut lui parler et, pendant qu'elle se prépare, j'emmène les policiers dans la salle de séjour. Ils me donnent alors le motif de leur visite : la mère de Jeanine qui, par la fuite de sa fille, se trouve privée de son gagne-pain, a porté plainte contre moi qu'elle accuse de détournement de mineure.

Le commissaire m'informe que je ne peux accueillir une mineure, même pour la protéger, sans une autorisation de justice et que la mère, qui exerce la puissance parentale bien qu'elle en soit indigne, est en droit, légalement, de se plaindre. Je devine à ses propos courtois, au ton aimable, que son opinion est faite, qu'il n'a pas l'intention de me chercher des poux dans la tête. J'apprendrai par la suite qu'il avait pensé, en recevant la plainte et avant d'avoir consulté les services judiciaires de la protection de l'enfance, avoir affaire à des proxénètes et mettre le nez dans une sordide histoire de ballets roses !

Jeanine arrive enfin et je lui fais avaler en vitesse son petit déjeuner, car les policiers désirent l'emmener au commissariat et l'interroger dans les formes. Je ne peux m'y opposer, mais ce n'est pas sans appréhension que je la vois monter dans leur voiture.

Avant de nous quitter, le commissaire nous fait part d'une convocation du juge des enfants pour le jour même à 16 heures. Nous nous regardons, Daniel et moi, consternés. Que signifie cette convocation du juge des enfants ? Ni mon mari ni moi n'avons eu, au cours de notre existence, maille à partir avec la justice pénale ! Que nous veut-on ? Que va-t-on nous faire ?

Nous en discutons pendant un quart d'heure, mais Daniel doit partir et les enfants me réclament. On n'a pas le temps de s'apitoyer sur soi-même quand on doit s'occuper des autres.

Deux heures plus tard, alors que je prépare une lessive, je suis saisie d'un doute terrible ! Ces hommes qui ont emmené Jeanine étaient-ils vraiment des policiers ?

Je me précipite au téléphone et appelle le commissariat de Police, demandant le commissaire Bertrand. On me le passe...

« Ici Mme Lebrun. Est-ce bien vous qui êtes venu ce matin chez moi et qui... » Il me coupe la parole, devinant mon angoisse. « Rassurez-vous, madame, c'est bien moi. La jeune Jeanine est avec nous et confirme vos propos mais nous devons enquêter, vous le comprenez. Nous vous tiendrons au courant. »

Bon, je suis tout de même rassurée et il ne me reste qu'à patienter. Daniel vient me chercher et nous sommes au palais de justice à l'heure dite, devant la porte du juge des enfants qui nous a convoqués. J'ai entendu parler de lui par une assistante sociale. Il est nouveau à Grenoble, vient de l'Ouest et n'est, paraît-il, pas très commode. A travers la porte, nous entendons des éclats de voix. Il est manifestement en train de tancer quelqu'un, et vertement. Pourvu qu'il ne sache pas que je pratique le magnétisme spirituel. Il va me prendre pour une illuminée... Je ne suis pas rassurée.

A quelques pas de nous, deux gendarmes attendent, assis sur un banc. La porte s'ouvre enfin et un jeune homme hirsute et assez sale en sort, l'air piteux. Les gendarmes, qui se sont approchés, le récupèrent. Je n'ai pas le temps d'en voir plus car un homme d'un certain âge, qui se révélera être le greffier, vient vers nous et s'enquiert de notre identité.

Et il nous fait entrer dans le bureau du juge qui se tient debout derrière son bureau. Je suis surprise par son aspect : pas du tout le genre d'homme auquel je m'attendais. Il nous fait asseoir très courtoisement. Sa voix, forte et bien timbrée, est agréable. D'emblée, je me sens à l'aise, persuadée que tout va bien se passer. Une fois assise, j'ai davantage le loisir d'examiner notre interlocuteur. C'est un homme d'une quarantaine d'années, de taille très moyenne, aux traits agréables mais déjà ridé, un regard très bleu et perçant sous les paupières plissées par une attention soutenue. Pas du tout le style du petit magistrat routinier pour qui nous ne serions qu'« une affaire de plus à régler ». Celui-ci, j'en suis sûre, saura nous écouter et nous comprendre.

« J'ai appris, nous dit-il, que vous avez recueilli de nombreux enfants dont certains ont été abandonnés par leurs parents naturels. J'ai appris, en outre, que récemment une jeune fille s'était réfugiée chez vous pour, semble-t-il, se soustraire aux agissements de sa mère qui la contraindrait à la prostitution. Racontez-moi tout ça. »

Alors nous avons vidé notre sac. Pendant presque deux heures, nous avons expliqué à cet homme attentif le pourquoi et le comment de notre action envers les

69

jeunes enfants ou adolescents abandonnés, perdus, agressés parfois. Nous lui avons dit les raisons pour lesquelles ils venaient chez nous et s'y plaisaient.

Je lisais dans les yeux du magistrat qui nous écoutait que l'homme, en lui, comprenait et approuvait. Un sentiment de profonde sympathie s'établissait entre nous au fur et à mesure que notre récit se poursuivait. Il ne nous interrompit guère mais nous donna toutes les directives pour que nous soyons, en notre rôle de gardiens des enfants accueillis, couverts et protégés par la loi. Il ne nous cacha pas qu'avant de nous convoquer il avait fait procéder à une enquête discrète mais approfondie sur nos personnes et nos activités et que l'incident relatif à Jeanine n'avait fait que précipiter notre convocation.

Nous avions enfin trouvé celui à qui nous pouvions tout dire et sur qui nous pourrions, dorénavant, nous appuyer.

Je ne craignais qu'une chose : qu'il n'apprenne que je soignais de nombreux malades par magnétisme, car à cette époque héroïque, ça sentait encore le soufre et la Faculté toute-puissante pourchassait les guérisseurs de sa vindicte.

Le juge se leva, nous annonça qu'il nous confiait provisoirement la jeune Jeanine, qu'il allait rendre « régulières » nos gardes d'enfant qui ne l'étaient guère et, après nous avoir serré la main, nous raccompagna jusqu'à la porte de son cabinet.

Alors que nous allions la franchir, il se ravisa soudain : « Ah, encore un instant, madame Lebrun ! Revenez, je vous prie. Asseyez-vous. »

Je m'assis, surprise et inquiète malgré tout. Il s'installa à côté de moi, tout souriant, me donna une petite tape sur l'épaule et me dit : « Ce n'est plus le magistrat qui vous parle mais l'ami. Alors, madame Lebrun, il paraît qu'on fait du magnétisme ? »

Je venais de rencontrer mon ami, frère en spiritualité, avec qui, pendant de nombreuses années, j'ai œuvré bénévolement. Grâce à lui, de nombreux enfants et adolescents ont connu la chaleur d'un foyer.

Dès que l'amitié entre Roger Masse-Navette et nous s'est installée, nous avons essayé de créer une espèce de chaîne de solidarité pour venir en aide à un plus grand nombre d'enfants et d'adolescents possible. Nous avons demandé, Daniel et moi, aux familles du groupe et à leurs amis — nous n'étions pas encore très nombreux à cette époque — s'ils accepteraient de recevoir et de patronner un enfant pris en charge et élevé dans des foyers.

Nous avons ainsi trouvé trente familles d'accueil ; nous choisissions les enfants les plus déshérités, ceux qui ne recevaient pas de visites familiales et ne sortaient que rarement de l'établissement où ils se trouvaient. De cette façon, ils avaient un Noël, des vacances, un week-end de temps en temps et surtout des petits cadeaux : vêtements, jouets, qui leur donnaient beaucoup de bonheur et d'importance. En effet, il est essentiel d'avoir quelque chose à soi, surtout lorsque les familles sont absentes et qu'il est impossible d'avoir son territoire. A l'époque, les enfants ne couchaient qu'en dortoir.

Ils n'étaient pas « malheureux », bien sûr, et pas maltraités, mais ils n'étaient pas heureux non plus. Trop de besoins affectifs qui ne pouvaient être comblés ! Ce n'était pas l'idéal et ça ne marchait pas toujours, mais dans l'ensemble les résultats positifs l'emportaient sur les échecs.

Les familles étaient soigneusement choisies, non pas

suivant leur condition sociale ou intellectuelle, mais sur leurs qualités humaines, leur amour, le calme et la tendresse que les enfants trouveraient à leur foyer.

Dans tous les cas, le bénévolat était total et les enfants le savaient. C'était très important. Certains de ces enfants nous demandaient : « Pourquoi tu fais ça, si on ne paie pas ? — Parce que nous t'aimons, tout simplement », était la seule réponse.

Vingt-cinq ans plus tard, certains de ces enfants écrivent toujours à leurs familles d'accueil.

Le service du juge pour enfants supervisait tout ça et cette chaîne d'amour a duré tout le temps que Roger Masse-Navette est resté à son poste à Grenoble, puis petit à petit les situations ont changé, les lois françaises aussi... et peut-être nous-mêmes aussi, tellement occupés ailleurs...

Je me souviens d'avoir emmené des enfants ou des adolescents dans des grands magasins et leur avoir dit : « Achetez ce qui vous fait plaisir en vêtements », et les voir ressortir, fous de joie, avec des chaussettes vertes, une robe rouge, un manteau jaune, mais si heureux ! C'était à eux.

Beaucoup plus tard, mariés, installés dans la vie, quelques-uns m'ont avoué que c'était leur plus beau souvenir et que des actes de cette sorte avaient été plus bénéfiques, moralement et spirituellement, que tous les discours.

Quant aux adolescents, il fallait leur trouver du travail et, hélas, ils ne possédaient guère de compétences ni de spécialités. Le chômage ne sévissait pas encore, alors je « tapais » tous les gens qui s'adressaient à moi pour des soins et dès qu'un « employeur potentiel » était guéri, je lui demandais de prendre un de mes jeunes dans son usine ou son entreprise. Sous le coup de la joie d'être guéri et en hommage à la sympathie qui nous unissait, il ne refusait jamais !

C'est ainsi que plusieurs d'entre ces jeunes profitèrent des liens spirituels qui m'unissaient à Henri, car il dirige une importante usine et je lui « refilais » les cas les plus difficiles... C'est ainsi qu'il accepta de prendre un garçon qui se droguait et qui était sans travail depuis des années. Hervé m'assura qu'il était si heureux de travailler qu'il allait se faire soigner et guérir. Pour aborder ce beau programme, il peignit sa chambre toute la nuit et de ce fait s'endormit à 5 heures du matin pour ne se réveiller que dans l'après-midi et manquer ainsi sa première journée à l'usine. Alors, pour ne pas recommencer, il alla le lendemain dormir sur les marches de l'usine où Henri le découvrit au petit jour.

Une autre fois, je lui ai demandé de faire travailler un jeune pendant les vacances scolaires : celui-ci venait de perdre son père, sa situation matérielle était très difficile. Il le prit sans hésitation. Deux jours plus tard, il me dit : « Comment vas-tu, tu es bien ? — Oui, répondis-je étonnée, pourquoi cette question ? — Tu m'as envoyé un garçon tout à fait normal, ça me surprend tellement ! »

Roger Masse-Navette, toujours lui, m'envoya un jour Fatima, petite Maghrébine, qui se trouvait dans une œuvre avec sa famille. Elle cassait tout, partout où elle allait, et se battait comme un garçon. Elle est restée trois ans chez nous et nous l'avons mariée.

En avons-nous marié de ces jeunes sans foyer !...

Le mariage était préparé par une collecte dans le groupe, pour acheter le nécessaire, car bien souvent ils n'avaient que leur jeunesse pour toute fortune. Tous les jeunes que nous avions connus et reçus constituaient leur seule famille. Un grand repas froid était préparé par tous, les guitares accompagnaient chansons et danses. J'achetais un grand rouleau de tissu et des amies nous aidaient. Les demoiselles d'honneur en robe longue... C'était un vrai mariage, une vraie fête.

J'ai rencontré Fatima un jour, par le plus grand des hasards — je ne l'avais pas vue depuis longtemps — et elle me sauta au cou en me disant : « Maguy, j'ai honte ! Je ne te donne jamais de mes nouvelles... mais si tu me demandes ma vie pour toi, je te la donne ! » Les larmes aux yeux, elle ajouta : « Je n'ai jamais oublié, un seul jour, de prier avec vous à 20 h 30. » C'était pour moi la plus belle récompense !

Tant de garçons et de filles sont passés par nos mains, par nos cœurs, que, si l'on dit des marins qu'ils ont une femme dans chaque port, nous pouvons dire que nous avons un enfant dans chaque ville.

La plupart de nos jeunes ont acquis chez nous une foi solide qui les préserve et les protège efficacement tout au long de leur vie. Parfois, cependant, il n'en va pas de même.

Julien était emprisonné à Saint-Joseph, à Grenoble, pour vol de voitures. C'était un gosse de la rue dont personne ne s'occupait. Sa sœur était à la maison et le juge me demanda si j'accepterais d'aller le voir. Il avait un visage d'ange, des yeux superbes et une cervelle grosse comme une noisette. Julien appartenait à une bande de voyous qui volaient les voitures des « riches ». Un jour, toute la bande décida de faire une course Chambéry-Grenoble avec des camions volés devant les relais routiers, juste « pour rigoler » et de nuit. Aucun n'avait de permis de conduire et les choses ont très mal tourné. Il faisait très froid l'hiver. La prison Saint-Joseph était peu chauffée et Julien, gosse mal nourri, a attrapé une pleurésie tuberculeuse. Je suis allée le voir à l'hôpital. C'était en même temps triste et amusant de voir ce gamin gardé par deux flics. Finalement, le juge consentit à le libérer sous notre responsabilité. Impossible de l'amener à la maison, malade et certainement contagieux... en bêtises.

Une de mes amies dirigeait un sana dans la région. Nous décidâmes de le lui confier, mais il n'est pas resté longtemps. S'il se tenait tranquille dans la semaine, dès qu'il avait une permission de sortie le dimanche, il buvait, se battait et cassait tout. Il a été transféré dans un établissement similaire en région parisienne, mais la séparation avec nous l'a peiné ; nous avons compris qu'il commençait à nous aimer. Il nous jura ses grands dieux de se tenir tranquille.

Hélas, un soir de sortie avec un copain, il a voulu aller au bal qui était éloigné et, sur le chemin de retour, ils avisèrent deux vélomoteurs qu'ils décidèrent d'« emprunter » pour rentrer. C'étaient les vélos des gendarmes du coin ! Julien s'est retrouvé en prison et s'est senti très honteux de « nous avoir fait ça » ! Par désespoir, il s'est taillardé les veines du poignet. Nous avons alors compris — avec quelle joie ! — qu'une prise de conscience s'opérait. Daniel est allé le voir et Julien est devenu tout à fait sage. Après sa guérison, nous lui avons trouvé du travail, puis nous n'avons plus eu de nouvelles. Deux ans plus tard, cependant, j'ai reçu une adorable lettre de la femme de Julien qui venait de mettre au monde une petite fille. Elle me disait être au courant du passé de son mari, mais sa famille ignorait tout. C'était leur secret. Nous n'avons pas répondu. Il vaut mieux parfois savoir couper les ponts pour les aider à oublier. Mais, de toute façon, ceux qui veulent nous retrouver savent où nous sommes.

Lorsque cela était possible, j'ai toujours essayé

d'avoir des contacts amicaux avec les familles des adolescents ou des enfants qui m'étaient confiés. Je pensais ainsi aider à leur équilibre et surtout s'ils nous aimaient profondément, non seulement Daniel et moi mais aussi tous les camarades et compagnons de vie qui devenaient leur véritable environnement. Cette attitude pouvait, avec un peu de chance, leur éviter de se culpabiliser.

Lorsque mon amie Simone, assistante sociale à Lyon, m'a priée de recevoir chez moi Lyliane et son petit frère Dominique, j'ignorais que je les garderais des années, les marierais tous les deux et qu'ils deviendraient nos « vrais enfants ».

Leurs parents étaient séparés ; le père, hospitalisé, ne pouvait s'occuper d'eux ; leur mère, parfaite « vieille fille », n'avait qu'un amour, son fils aîné, et elle répétait sans cesse à Lyliane qu'elle ne s'était mariée que pour avoir un enfant, l'aîné, mais pas les trois. C'était trop !

Lyliane était pensionnaire près de Paris, dans une école militaire. Trop jeune, les longues marches lui mettaient les talons en sang. Le petit était dans un orphelinat.

Je suis allée les chercher pour la période des vacances. J'avais alors vingt-cinq ou vingt-six ans... et je les ai toujours auprès de moi. Ils étaient vraiment très abandonnés moralement et nous avons fait fonction de foyer en leur écrivant souvent, les prenant aux vacances jusqu'au moment où nous les avons gardés car chaque séparation était noyée de larmes.

Avec la mère, peu ou pas de contacts ; elle était trop dure et les atomes crochus n'existaient pas. Elle a voulu récupérer Lyliane lorsqu'elle celle-ci a été en âge de travailler, mais je me suis battue pour qu'elle continue ses études car elle était très brillante. J'ignorais alors que le destin changerait sa route... et qu'un arbre, trop brutalement rencontré, allait l'orienter autrement. Pendant le coma de Lyliane, j'ai cru de mon devoir d'avertir sa « vraie » mère. Quelle bêtise ! Elle est venue mais, même dans cet état, Lyliane l'a sentie et s'est mise à hurler si fort que les infirmières, les internes, le médecin, tout le monde est accouru et a prié la mère de se retirer immédiatement.

En revanche, les relations avec son père sont devenues de plus en plus fréquentes et lorsque le mal a empiré — il avait un cancer de la gorge —, nous l'avons hébergé à la maison jusqu'à la fin de sa vie. Il était seul, ne savait où aller et nous sommes devenus son refuge. Il eut ainsi le bonheur de vivre avec ses enfants et, grâce à ces moments de vie familiale où il leur racontait ses aventures d'aviateur et où il leur donna une bonne image de père, ils purent garder de lui un souvenir positif.

Parmi les enfants sans famille que nous avons accueillis, je me souviens de Julie...

Julie se trouvait dans un foyer tenu par des religieuses. Elle souffrait terriblement de n'avoir pas de famille. Le manque de tendresse est encore plus douloureux pour les cœurs sensibles. Elle est d'abord venue passer les week-ends à la maison et a trouvé, petit à petit, un certain équilibre. Un beau jour, elle m'a été confiée totalement.

Elle vivait depuis quelques mois avec nous, sans problème, lorsqu'elle reçut une convocation de la supérieure. Elle devait rejoindre le foyer à la fin de la semaine, pour raisons personnelles. Elle est partie sans méfiance et nous ne l'avons plus revue, pendant longtemps. Lorsque j'ai demandé des explications, je me suis heurtée au mur du silence.

J'ai seulement appris qu'elle avait été transférée dans un autre foyer tenu par d'autres religieuses, à Nancy, bien loin de nous. Nous sommes alors partis pour Nancy, Daniel et moi, car nous ne comprenions pas du tout les raisons de cet état de choses. Après bien des discussions avec la mère supérieure, nous avons tout de même obtenu l'autorisation de voir Julie, en présence de la supérieure.

Notre pauvre Julie était en état de choc ! Elle n'avait le droit ni de sortir ni d'écrire et ne savait pas pourquoi elle était là. Nous nous sommes adressés au juge pour enfants de Nancy, homme charmant qui a accepté de faire une enquête.

Il a appris qu'un curé avait signalé que Julie n'allait pas à la messe le dimanche et qu'elle était en état de perdition chez les Lebrun qui avaient mauvaise réputation car ils avaient beaucoup d'enfants et d'adolescents chez eux et se servaient peut-être de leur cerveau pour faire des expériences ! En fait de cerveau malade, ce pauvre prêtre aurait bien dû se soigner !

C'est la seule méchante histoire que nous ayons eue. Pour nous, c'était sans gravité, mais pour Julie, que de dégâts !

Heureusement, grâce à ce magistrat de Nancy, nous l'avons récupérée, mais il a fallu plusieurs mois pour qu'elle retrouve son sommeil et son appétit.

Julie s'est mariée à la maison ; elle a aujourd'hui quatre enfants... et j'ignore si elle les envoie à la messe !

Il est parfois difficile, autour de nous, de comprendre notre action. Nous avons eu quelques contacts avec la justice, mais je pense que d'autres que nous, qui ont donné de leur temps, de leur argent, un peu de leur foyer, comme nous, n'ont pas été compris.

La première fois, à Corenc, avec notre jeune Jeanine,

tout s'est terminé dans le bureau de notre ami Roger Masse-Navette et après lui, j'ai connu bien d'autres magistrats au grand cœur qui nous ont soutenus et conseillés. La deuxième fois que la police judiciaire est venue à la maison, il s'agissait d'un bébé qu'une sage-femme noire avait donné à une famille et cette famille portait le nom patronymique d'une de mes filles, d'où confusion. J'ai expliqué notre action et les policiers, compréhensifs, nous ont félicités pour notre travail.

La troisième fois, une dame, un peu dérangée et qui voulait à tout prix s'occuper d'une jeune fille qui était à la maison, est allée porter plainte contre nous à la DASS et chez le juge pour enfants, pour « trafic de bébés ». Nous « vendions des enfants à des milliardaires » ! Mais quand cette pauvre femme m'appela pour me proposer une marche de Grenoble à Paris à pied, avec des journalistes, contre la DASS, j'ai compris qu'il valait mieux en rire... et puis une marche à pied, c'est trop fatigant !

Il est certain que, dans une société comme la nôtre, notre action provoque des questions. Pourquoi faites-vous cela ? nous demande-t-on souvent. Ce qui nous semble si naturel paraît suspect aux autres. Ils ne savent pas...

Ils ne savent pas donner gratuitement, par amour. Ils ne savent pas qu'en donnant à des petits enfants, ils deviendront eux-mêmes riches et lumineux, qu'ils serviront à une transmutation spirituelle indispensable au monde de demain car cette société de demain, ce sont les enfants d'aujourd'hui qui la feront.

Dans les premières années de notre mariage, Daniel et moi faisions l'impossible pour aider les jeunes mères en détresse. La pilule et l'avortement n'existaient pas. Nous pensions qu'il fallait tout faire pour qu'elles gardent leur bébé. Nous nous disions sincèrement qu'avec le temps les choses iraient mieux pour elles, qu'elles mûriraient et que cet enfant non désiré donnerait un but à leur vie. Nous étions et sommes toujours des adversaires de l'avortement pour des raisons spirituelles. Pour nous, si des raisons valables ne l'exigent pas, il demeure criminel.

Nous avions reçu Anita et Myriam chez nous pour quelques jours. Anita sortait de clinique et vivait un drame, un drame de guerre. Juive, mariée à un juif veuf. Il avait perdu sa femme et ses enfants dans un camp de concentration et le jour de sa sortie de maternité, la petite Myriam dans les bras, Anita trouva dans sa boîte aux lettres une missive de la première femme qui n'était pas morte, contrairement aux documents officiels qu'on avait transmis à son mari. Cette femme l'avait recherché et retrouvé et celui-ci partit sur-le-champ la rejoindre, abandonnant Anita et le bébé.

Complètement perdue, Anita voulut abandonner sa fille et s'en aller très loin. Nous avons lutté, nous l'avons aidée de tout notre cœur et elle a gardé sa fille.

Quinze ans plus tard, un enfant arrive de l'école, très secoué : « J'ai une copine, Myriam, qui a vu mon nom et mon adresse sur une copie : elle m'a dit que mes parents l'avaient gardée bébé et qu'elle aimerait nous revoir ! »

Nous avons retrouvé une petite fille élevée dans des foyers, à droite et à gauche ; sa mère, en fait, ne s'était pas occupée d'elle. Quels regrets nous avons eus alors !

Après quelques expériences de ce genre, nous avons changé d'avis et lorsqu'une jeune femme, après avoir eu son bébé dans les bras, comme il convient, et passé les trois mois de « probation » réglementaires qu'exige la loi française et qu'elle décide quand même de ne pas garder son enfant, nous l'aidons, mais ne cherchons plus à la convaincre.

Ne jugez jamais une maman qui offre son enfant à une jeune femme qui n'en a pas elle-même. J'en ai rencontré, de stériles et désespérées qui étaient condamnées à ne plus avoir d'enfant, après un avortement trop tardif ou pratiqué dans de mauvaises conditions! Cela peut paraître étrange, en fonction de mes idées personnelles. Mais je suis tout à fait d'accord avec la loi sur l'IVG. Il vaut mieux qu'un acte médical de cette sorte soit pratiqué dans des conditions hospitalières, plutôt que n'importe comment. La vie de la femme est ainsi protégée et on ne meurt plus, heureusement, d'hémorragie provoquée par une aiguille à tricoter!

Le problème, pour moi, ne se situe pas là, mais au niveau de la décision à prendre. Pour la vie ou pour la mort?

Lorsque j'entends critiquer ces jeunes mamans qui offrent leur enfant, mais trouver normal qu'elles le tuent, je ne comprends pas la morale de notre société.

L'enfant rejeté obsède parfois la mère au point d'entraîner chez elle de graves dépressions nerveuses.

Un jour, Mme V., enceinte de six mois, est venue me voir. Mariée, avec deux enfants, vivant dans le Midi, cette jeune femme apprend par hasard que son mari la trompe. Très choquée, elle fait une dépression sévère avec tentative de suicide, se bourre de tranquillisants et échoue dans une maison de repos. Au moment où elle commençait à aller mieux, elle se rend compte qu'elle est enceinte. Un coup de cafard, un soir, l'avait poussée dans les bras d'un étudiant.

A ce moment-là, elle était en pleine tempête du

divorce et le mari faisait des pieds et des mains pour obtenir la garde des enfants. Comment pouvait-elle se montrer, enceinte d'un autre ? Elle n'avait pas le choix et a préféré abandonner celui qui arrivait et garder les deux autres. Qui peut lui jeter la pierre ?

Comment nous arrivent toutes ces jeunes femmes enceintes ? D'une façon toute naturelle. Nous nous sommes occupés de plus de quarante enfants et adolescents en trente-cinq ans. Lorsque, pendant leur scolarité ou sur leur lieu de travail, ils rencontraient une copine ou un copain en détresse, ils nous l'amenaient, tout simplement.

Plusieurs cas pouvaient se présenter. Le plus souvent, après quelques mois de rejet ou d'indécision, la maman gardait le bébé et ça se passait très bien.

Lorsque c'était possible, nous les dirigions soit vers la DASS, soit vers des œuvres agréées.

Mais si, en aucun cas, la maman ou la famille n'acceptaient ces deux solutions, il restait l'acte d'abandon signé devant magistrat en faveur de... ou passé par une œuvre privée acceptant d'opérer la transaction. Autrement dit, elle acceptait de recevoir le bébé pendant trois mois et faisait constituer un dossier d'adoption aux parents d'accueil. Certaines mamans préféraient que leur enfant soit accueilli sur-le-champ, en toute connaissance de cause.

Nous n'avons jamais regretté nos peines, les vacances annulées. Pour nous, un enfant était sauvé et une femme aimante avait un enfant dans les bras. Ces enfants, dont beaucoup sont adultes ou presque maintenant, sont notre plus belle récompense. Ils sont beaux et heureux de vivre.

J'ajouterai cependant que je suis hostile à la « location de ventre ». Un enfant n'est pas une marchandise à vendre...

Le Dr V. me téléphone un jour.en me demandant d'aller le voir tout de suite : une jeune femme, très cultivée, très bonne situation, attendait un bébé qu'elle ne pouvait garder.

Cette jeune femme avait été adoptée et son père était un homme politique très connu. Sa mère était gravement malade. Elle adorait ses parents, leur avait caché sa grossesse et s'était mis dans la tête que sa mère en mourrait si elle apprenait la vérité ou que les ennemis politiques de son père se serviraient de cette histoire pour lui faire du tort.

J'ai longuement parlé avec cette jeune femme qui connaissait la loi mieux que moi et désirait que le bébé soit donné immédiatement à sa mère adoptive, sachant qu'elle devait signer un acte d'abandon devant un magistrat, mais elle voulait le faire avant même la naissance. Le père était un étudiant en médecine allemand qu'elle avait connu en faisant son stage dans un grand hôpital parisien ; elle ne l'avait jamais revu ni même mis au courant.

J'ai essayé de la convaincre de mettre l'enfant en nourrice quelque temps. Elle aurait pu assumer cet enfant sans problème. Elle devait rejoindre Paris qu'elle avait fui pour accoucher ailleurs et que le secret ne fût pas découvert. Adoptée elle-même, elle refusait avec véhémence la DASS ou l'œuvre privée.

Etty, mon guide spirituel, dans son immense générosité, me demanda de garder l'enfant qui était la réincarnation d'une entité allemande dans sa dernière vie terrestre, qui désirait revenir très vite pour des raisons spirituelles ; elle avait une carrière à terminer que les événements de la guerre avaient ruinée. Nous

avons donc gardé cette petite Annie, fort belle demoiselle aujourd'hui.

Pendant des nuits et des nuits, le visage de sa mère
m'a hantée. Au moment de me confier son enfant, elle
a pleuré et m'a fait jurer de la garder et de l'aimer.

Je lui ai laissé mon adresse, toutes mes coordonnées
pour le cas où un regret, ou un remords, la tarauderait.
Nous n'avons régularisé la situation de l'enfant que bien
plus tard, mais jamais je n'ai eu la moindre nouvelle.
De temps en temps, j'en ai de son père, par la presse, et
qui n'a jamais su que par amour une petite fille avait été
offerte et adoptée dans une autre famille... Annie est
notre rayon de soleil, poursuit des études de biologie, et
nous avons beaucoup d'ambition pour elle !

L'intervention des familles, pourtant, n'est pas toujours heureuse. Nous en avons eu un exemple à travers
l'histoire de David.

David dormait un soir, paisiblement, lorsqu'un jeune
homme sonna à la porte et me demanda : « Vous avez
recueilli un garçon dont je suis peut-être le père.
Pourrais-je le voir ? »

Je ne voyais aucune objection à cette rencontre.
Debout, très pâle devant le berceau, il s'exclama :
« Mon Dieu, il ressemble à mon père ! »

Ce garçon était torturé et ne savait pas trop ce qu'il
devait faire. Il m'a écrit deux ou trois fois puis
m'annonça son mariage et la fin de nos relations.

Philosophe, j'ai pensé, en voyant David heureux et
très aimé de tous, que la voix de sa conscience s'était
apaisée. Mais le destin veillait, tragique. Peu après son
mariage, sa jeune femme étant enceinte, il eut un
accident et fut tué sur le coup. Sa sœur jumelle qui
adorait son frère reçut un choc trop violent pour son
équilibre et elle plongea dans la dépression. Elle savait

vaguement que son frère avait un enfant quelque part et se mit en tête de le rechercher car, si son jumeau était mort, c'était peut-être une punition divine ! Elle fit faire une enquête, qui prit plusieurs années, et un jour, elle essaya de le kidnapper.

David se rendait à l'école lorsqu'une dame, un nounours dans les bras, vint le prendre par la main et le tira vers une voiture arrêtée plus loin. David eut tout de suite très peur et se mit à hurler. Voyant ça, ses petits copains eurent un réflexe formidable, firent une manchette à la dame qui, surprise, lâcha l'enfant qui détala à toutes jambes.

Ses copains lui remirent du papier, des crayons, tout le monde l'entourait à la récréation, il était le héros du jour. « Tu nous écriras un message », lui dirent-ils.

Mais à midi, le lendemain, la dame et la voiture étaient là à nouveau, à la sortie. Pris de panique, David courut le dire à son maître qui avertit la police.

Le jour suivant, les journaux titraient : « Un enfant adopté a failli être kidnappé ! » Nous avons béni le ciel de ce qu'il soit au courant de sa situation. Quels dégâts la presse peut-elle faire ! Il a fallu des années pour que notre enfant retrouve sa tranquillité. Il avait toujours peur. Pendant des mois, il fallut laisser de la lumière dans sa chambre, la nuit. Il faisait des cauchemars, ne supportait pas que je m'absente. Longtemps, nous avons dû le conduire à l'école et l'en ramener.

Cette pauvre femme un peu folle n'a pas été poursuivie, vu son état psychique, mais elle a fait beaucoup de mal.

David a toujours été très près de nous. C'est un idéaliste comme beaucoup de nos enfants, engagé dans un combat spirituel pour que règne plus de justice et plus d'amour. Il rêve, étant enseignant, de créer une école où la réincarnation serait enseignée. Qui sait, si Dieu le veut, ce rêve sera peut-être un jour réalité... Les liens du cœur sont plus puissants que les liens du sang. Ainsi, un jour, une dame très bourgeoise, personnage en vue dans son village, vint me trouver. Il y a plus de vingt-cinq ans de cela. Elle me demandait mon aide. Sa fille était enceinte et il n'était pas possible de garder l'enfant. L'IVG était encore interdite à l'époque et le scandale serait grand si on apprenait ça dans le pays. Étrange pays où la naissance d'un enfant provoque un scandale !

Je la raisonnai de mon mieux et lui promis de prendre cette jeune fille à la maison. Elle accepta à condition que l'enfant fût abandonné à sa naissance.

Michèle entra donc chez nous et fit très vite partie de la famille. Les mois passant, elle commençait à penser, devant les exemples qu'elle voyait, qu'elle pourrait garder son enfant. Puis un adolescent dont je m'occupais tomba amoureux d'elle. Pour Michèle, c'était la porte de sortie, la solution à son drame, et elle joua très bien le jeu. Dès la naissance de Cyril, un superbe garçon, elle accepta d'épouser ce sauveur providentiel qui reconnut l'enfant comme le sien. Deux mois après le mariage, Michèle ne put plus « jouer la comédie », et son mari comprit la vérité, mais ils aimaient tous deux cet enfant, passionnément, cet enfant dont personne ne voulait et qui maintenant tenait une place immense. Michèle alla passer quelques jours de repos chez sa mère avec son fils et, passant par là, j'allai l'embrasser. L'accueil de la grand-mère fut glacial. De quoi m'étais-je mêlée, n'est-ce pas ? Maintenant tout le monde savait que sa fille avait été « enceinte avant le mariage » !

L'attitude de Michèle fut très ambiguë et je compris très vite que cette petite, que j'aimais beaucoup, retombait, sous l'influence de sa mère, dans le milieu frivole et snob qui était le sien.

Le mariage a duré cahin-caha quelques années, puis le divorce a séparé les parents. Mais Cyril était devenu le véritable enfant de son père, qui s'est toujours beaucoup occupé de lui, l'a assumé pleinement sur le plan matériel, l'a aimé et l'aime encore, a des liens avec lui. Quant à Cyril, adulte aujourd'hui, il est toujours très près de son père.

L'important, souvent, c'est de pouvoir épauler au bon moment l'adolescent en difficulté.

Ainsi les parents de Julie ont-ils failli en faire une révoltée, peut-être une « ratée ».

Ils divorçaient. Le père, alcoolique, n'avait plus de travail et la mère, bien trop occupée d'elle-même, ne pouvait pas assumer sa fille en prime. Julie allait en classe avec l'une de mes filles ; elles étaient en terminale, et Julie qui mangeait à la cantine n'avait pu payer ses repas depuis longtemps. Elle était très mal fagotée. De plus en plus souvent, elle vint à la maison. Enfant sensible, elle était traumatisée par la situation. Ses parents venaient de lui annoncer leur séparation en disant : « Tu as dix-huit ans, tu es adulte, tu te débrouilles, nous ne pouvons plus rien pour toi. » Tout ça quatre mois avant son bac.

Elle est venue partager la chambre de ma fille, nous avons payé les dettes à l'école. Un beau jour, elle apprend que son père, qu'elle ne voulait plus voir, venait d'avoir un accident de voiture. Je lui ai conseillé d'aller voir sa mère, de prendre des nouvelles. Elle partit avec Françoise, ma fille, et revint bouleversée, très pâle. Arrivée chez elle à l'improviste, elle avait trouvé sa mère dans les bras d'un homme. Du coup, elle a raté son bac cette année-là. Avec le temps, tout s'est apaisé et elle l'a enfin réussi.

Nous l'avons épaulée quelques années, ce qui lui a permis de faire de brillantes études, et elle s'est mariée à la maison. Julie est maintenant maman de deux petites filles et elle a amené son mari au groupe. Ils sont tous deux généreux et très ouverts aux problèmes des autres...

Ainsi se noue la chaîne...

Combien sont-ils de jeunes qui ne parviennent pas à s'épanouir parce qu'une main solide ne s'est pas tendue au bon moment ?

C'est encore grâce à mon ami Roger Masse-Navette que je connus Rosine, parmi les nombreux enfants qu'il amenait parfois lui-même, ne sachant où les envoyer. Il savait, avec une acuité particulière, je dirais presque médiumnique, que certains de ces enfants, intelligents et révoltés, ne pourraient pas s'habituer à un foyer, malgré tout le bon vouloir des éducateurs, parce qu'ils en avaient trop connu, des centres d'accueil et des foyers multiples, qu'ils avaient été trop bousculés, qu'ils avaient trop manqué d'amour ou de la chaleur d'un foyer, un vrai, avec un père et une mère.

Ainsi il m'amena un jour Rosine, en me disant qu'il régulariserait la situation plus tard. Abandonnée par ses parents, elle avait été confiée à un foyer de la DASS, puis à un second, puis à un troisième, etc. Elle venait de faire un séjour à l'hôpital, était sous-alimentée et maltraitée, mais ne se plaignait pas parce que dans cette famille se trouvait un garçon dont elle était amoureuse. Transportée à l'hôpital dans un état lamentable, les médecins avaient alerté le parquet. Le juge pour enfants décida donc de nous la confier. Mais lorsque je suis allée la chercher, elle refusa de me suivre, ne voulant pas quitter « son grand amour » et Roger Masse-Navette dut recourir à la force. Elle est arrivée chez nous, tête basse, entre deux gendarmes.

Rosine, heureusement, intelligente et courageuse, nous a aimés très vite, s'est très bien adaptée à la vie de la maison. Elle avait dix-sept ans et nous acceptions que son amoureux, quinze ans, vienne la voir. C'était la première fois qu'on lui donnait de la tendresse et il aurait été trop cruel de les séparer.

Puis ce qui devait arriver arriva. Elle se retrouva enceinte. Nous lui promîmes de la garder et de l'aider si elle gardait, elle aussi, son enfant. Jean, le père, très jeune mais bien décidé à assumer ses responsabilités, demanda une dispense de mariage au président de la République et nous les mariâmes ! Ils ont voulu s'unir le jour même où ils reçurent la dispense et nous allâmes chercher le maire dans sa vigne. En voyant le papier officiel, il s'est contenté de dire : « Très bien. Le temps de me changer, rendez-vous à la mairie. » Il était aussi ému que nous.

Rosine nous aimait tant qu'elle a décidé, pour nous remercier, de devenir quelqu'un, et tout en travaillant, elle a repris ses études. Tout d'abord servante dans un hôpital, puis après quelques années aide-soignante, elle a décidé de devenir infirmière. Elle me dit un jour : « C'est tellement dur que je ne veux plus te voir. Je ne reviendrai qu'avec le diplôme, pas avant. » Il lui a fallu plusieurs années, mais Rosine est revenue triomphante, le diplôme en main !

Un autre enfant est né. Ce gentil ménage, courageux, peut constituer un exemple pour bien des jeunes. Mais l'exemple est-il toujours suivi ? C'est une autre histoire...

Une infirmière amie, travaillant dans un hôpital

psychiatrique, m'expliqua qu'une jeune fille internée par sa famille risquait de rester enfermée très, très, longtemps, d'autant plus que le psychiatre qui dirigeait le service n'était lui-même pas tout à fait normal... Il vivait entouré de dix-sept chats noirs, se rasait le crâne tous les matins et avait horreur de laisser sortir un malade de son service et à plus forte raison si c'était une jeune fille.

Éloïse avait seize ans, de type indien, et ses grands yeux sombres m'ont très vite touchée. Aidée par une assistante sociale et après maintes démarches, nous avons pu la récupérer et la prendre en charge.

Éloïse avait beaucoup de qualités, mais c'était une orgueilleuse et une ambitieuse. Très retardée dans ses études, traumatisée par sa vie — sa mère s'était remariée et son beau-père avait essayé de la violer —, elle s'était brisé une jambe en sautant par la fenêtre. « Ses parents » l'avaient fait interner comme délirante pour échapper à la justice et à leur conscience.

Apparemment, elle nous a aimés. Intelligente, elle travaillait bien, assimilait rapidement pour combler son retard. Un jour, elle a rencontré un beau jeune homme, ambitieux comme elle et fort amoureux. Nous leur avons offert un beau mariage et je vois encore Éloïse, tout en blanc, conduire la farandole et rire, heureuse, ses longs cheveux au vent.

Son mari a fait des affaires, elle l'a secondé. Des enfants sont nés ; bientôt leurs besoins augmentèrent, ils achetèrent une superbe maison, mais au fur et à mesure que leur situation devenait plus brillante, leur ambition enflait. Rien n'était trop beau : voyages, diamants, toilettes. Éloïse ne nous connaissait plus... ou presque. Nous lui rappelions un passé douloureux qu'elle voulait effacer. Nous pouvons tout à fait comprendre ce besoin d'éloignement. Cependant, son attitude, dans le domaine spirituel, nous tracassait. Elle n'avait jamais participé à aucune réunion de prières, nos travaux ne l'intéressaient pas, mais elle allait tous les dimanches à la messe. Comme tous les autres, nous respections ses choix et son libre arbitre.

Après son mariage, ses relations avec l'Église s'accrurent. Elle recevait énormément de prêtres et même l'évêque, en me disant : « Tu comprends, dans une ville de province, ça peut servir. » Petit à petit, nos relations s'espacèrent et s'arrêtèrent tout à fait. Un jour, j'appris le divorce d'Éloïse et en même temps l'effondrement de la situation du mari. Elle avait provoqué contrôle fiscal sur contrôle fiscal pour mieux l'enfoncer, ne se rendant pas compte que s'il perdait tout, elle aussi.

Sa fille aînée se droguait et était hospitalisée pour tentative de suicide...

Longtemps après, j'ai rencontré son mari sur la Côte d'Azur. Il est venu assister à l'une de mes conférences et m'a raconté son calvaire. C'était un homme brisé, désespéré, qui s'est trouvé mal à table en évoquant les jours heureux du passé.

Éloïse, depuis la décadence, ne m'a jamais donné de ses nouvelles, retenue sans doute par ce terrible orgueil qui l'habite. Elle risque de récolter la souffrance qu'elle a semée à son tour. Dommage, je lui aurais volontiers ouvert les bras...

Je ne lui aurais pas fait de discours car, comme me le disent mes guides, « les discours ne servent à rien, seuls les actes comptent ».

Ainsi Fabien, un de mes nombreux garçons, a trouvé chez nous la foi et l'a gardée. Lorsqu'il a rencontré Marthe, d'énormes problèmes se sont posés car elle adhérait à un mouvement marxiste et faisait partie d'un groupe qui voulait refaire le monde. Pour Fabien, si les idées lui paraissaient bonnes, elles étaient inapplicables. Marthe était une idéaliste sincère, communiste par conviction et pensait que, si Fabien avait un autre idéal, il était néanmoins sincère avec lui-même comme elle l'était et qu'ils pourraient trouver un terrain d'entente. Un jour, elle lui a demandé si elle pouvait l'accompagner à une réunion de prières pour pouvoir ensuite discuter avec lui, le piéger et lui montrer les failles de son « système ».

Plus tard, elle m'a confié que le choc reçu alors avait été énorme. Car, dans notre « système », il n'y avait ni discours interminables ni théories. Il lui était difficile de concevoir un groupe cohérent, qui fonctionnait bien, sans paroles inutiles. Elle a compris que ce qui se passait chez nous était d'un autre ordre, se situait à un autre niveau, se fondait sur des actes. Elle a réalisé que les discours ne serviraient pas à grand-chose, face aux grands malades qu'on nous amenait, aux enfants aux yeux perdus que nous accompagnions ou tentions de guérir. « Pour moi, me confessa-t-elle, le plus important, ça a été l'efficacité incroyable des pensées et des prières, de cette force qui se dégageait de tous et barrait la route aux forces de haine ou de destruction. »

Elle avait été très frappée par une petite histoire qui est bien souvent celle des hommes : lorsqu'elle prenait des cours d'auto-école, elle avait un gentil moniteur, très décontracté, avec lequel elle sympathisait. Un jour, il a acheté l'école dans laquelle il travaillait, il a commencé à se prendre au sérieux, a remplacé le pull et les jeans par un strict costume. Il a changé.

Dans cette assemblée heureuse qu'est la nôtre, pas de hiérarchie. Marthe s'est sentie si bien chez nous qu'elle y est restée, a épousé Fabien, et ils ont eu deux enfants qu'ils ont élevés dans les valeurs spirituelles nécessaires à leur évolution.

Dans le cas de Francis, les choses auraient pu tourner plus mal...

Il pleuvait fort ce soir-là et, alors que nous allions tous nous mettre au lit, je vois arriver Francis avec sa vieille bicyclette, trempé comme un rat, une petite valise en carton sur le porte-bagages. Il venait de fuguer.

Il avait perdu sa maman quand il était bébé et son père, remarié, n'avait pas beaucoup de contacts avec lui. Je connaissais bien les parents de Francis et j'étais bien embêtée.

Au moment de la mort de sa mère, toute jeune, elle était venue me confier — en utilisant Daniel comme médium — son petit Francis. A l'époque, Daniel et moi avions été bouleversés, malgré notre habitude de servir d'« intermédiaires », mais il est si cruel, sur la terre, de voir un bébé perdre sa mère, malgré toute la foi que l'on peut avoir.

Les années nous avaient séparés, mais comme tout s'accomplit lorsque c'est la volonté du ciel, Francis, à son retour à Grenoble, s'est trouvé dans la même classe que l'un de mes fils et a renoué avec nous. Ses difficultés psychologiques provenaient, je pense, de l'absence de cette mère morte trop jeune qui lui manquait et qu'il avait idéalisée.

Nous l'avons gardé quelque temps à la maison. Il a retrouvé une famille et surtout un idéal spirituel. C'est lui qui nous a dit un jour : « Les adolescents ont souvent besoin de servir. Ils recherchent un idéal, qu'il soit religieux, politique, syndicaliste ou autre. Quelle tristesse qu'ils soient si souvent déçus, si las et si vides,

93

souvent par manque de tolérance de la part de ceux qui les entourent et qu'ils jugent durement. »

Il a continué des études normales et un jour il m'annonce, bien ennuyé, qu'il a eu une liaison avec un de ses professeurs, qu'elle est enceinte et ne veut pas garder l'enfant. A cette époque, la loi interdisait l'IVG. Après discussions, il décide de m'amener Colette. Mon Dieu, où avais-je mis les pieds ! Colette était très engagée dans un mouvement féministe, prêchait la libération des femmes et la liberté de leur corps. Pour elle, garder un bébé fabriqué avec un presque gamin posait réellement problème.

Nous avons fait connaissance un soir. Elle est venue avec une bande de copains à la maison, très agressive mais curieuse quand même. « Pourquoi avez-vous aidé et recueilli Francis ? » Mon attitude et celle de mon mari ne collaient pas avec les idées qu'elle s'était forgées.

Je l'ai aimée tout de suite parce qu'elle était franche et que sa violence cachait mal sa difficulté à vivre. Lorsque nous nous sommes quittés, à 2 heures du matin, elle n'avait pas cédé un pouce de terrain. Du moins « en paroles ». Mais c'était gagné, et la petite Élise est née un soir de réveillon !

L'accouchement n'a pas été triste ! Colette hurlait dès que je sortais dans le couloir : « S'il y a un Bon Dieu, les femmes ne doivent pas souffrir en couches ! » Et quand je revenais à son chevet en demandant : « Qu'est-ce que tu dis ? »... elle répondait évasivement « Rien, rien », pour ne pas me faire de la peine.

Élise, aujourd'hui, est une jeune fille superbe, intelligente. Ses parents se sont séparés mais restent de grands amis. Francis a, pendant des années, tourné avec

Médecins sans frontières pour étancher cette soif d'aider qui l'a toujours habité.

Colette est venue parfois dans notre groupe, mais n'est pas restée. L'important, c'est d'être là dans les moments difficiles. Chaque année, le jour de la fête des Mères, l'amitié est traduite par une superbe gerbe de fleurs.

Une petite fille a pu naître, continuer ainsi son évolution. Pour nous, c'est l'essentiel.

Lorsqu'un problème surgissait, nous demandions conseil à Mamy, notre premier guide spirituel, celle qui nous a « initiés ».

Noémie, nous l'avons connue à Corenc, au tout début de notre aventure. Elle était jeune et atteinte de sclérose en plaques. Boby, son mari, l'adorait. Ils étaient venus nous trouver dans l'attente de conseils et d'une aide spirituelle. Noémie attendait un bébé. Le médecin qui la suivait déconseillait la grossesse et voulait pratiquer un avortement thérapeutique.

Qu'en disaient les « médecins du ciel » ?

Ils conseillèrent de garder l'enfant, mais en me demandant de prendre en charge l'enfant car de grosses difficultés étaient à prévoir, cependant que cet enfant constituerait pour sa mère une grande espérance.

Je demandai alors à mon ami, le Dr V. chirurgien, de bien vouloir suivre Noémie, une césarienne étant inévitable.

De nombreuses séances de magnétisme apportèrent à la mère l'énergie nécessaire pour permettre l'accouchement dans les meilleures conditions possible, et son état n'empira pas. Elle était folle de joie d'avoir un beau bébé, qu'elle prénomma Pierre.

Les années passèrent, et Boby tomba brusquement

malade. A quarante ans, une tumeur cérébrale maligne devait l'emporter très vite.

Pierre et sa maman habitaient dans une H.L.M., sans ascenseur. Noémie fut bientôt dans l'incapacité de sortir et l'enfant devint responsable de sa mère, faisant les courses, le ménage, la toilette, au détriment, bien sûr, de l'école. Le choc du deuil aggrava très vite l'état de Noémie qui fut transportée à l'hôpital et l'enfant mis dans une pension religieuse. Une amie de la famille m'avertit que Pierre, à la demande de son tuteur, allait se retrouver dans un foyer de la DASS. Une fois de plus, je suis allée trouver mon fidèle ami Roger Masse-Navette, lui exposant le problème et lui demandant de me donner, après enquête, la garde provisoire de Pierre. Dès que ce fut conclu, je suis allée chercher Pierre, fou de joie, pour le ramener à la maison. Cet enfant, déboussolé, traumatisé, avait besoin de contacts avec des enfants de son âge ; tous les nôtres étant alors mariés ou partis, nous l'avons mis à Villard-de-Lans dans une école privée, pendant un an. A douze ans, il ne savait pas lire !

Tout le groupe, absolument coopératif, nous a aidés à payer les charges, puis une de mes filles et son mari acceptèrent de le garder à leur foyer.

Noémie, bien soignée dans un hôpital spécialisé, allait mieux. Nous lui avons rendu Pierre dès qu'elle obtint un appartement aménagé par l'Association des paralysés de France.

Quelques années passèrent, pas toujours roses. Pierre aimait sa mère mais d'un caractère violent et un peu révolté, il fréquentait aussi de jeunes voyous et je dus, plusieurs fois, le récupérer chez le juge pour enfants.

Noémie quitta enfin cette vallée de larmes pour

rejoindre Boby. Le chagrin de Pierre fut terrible, mais le bon grain allait lever. Il avait la foi, savait que ses parents vivaient ailleurs, dans une autre dimension, et souvent, il les sent près de lui.

Pierre habite non loin de chez nous. Il a trouvé dans le groupe une famille. C'est un adulte et nous espérons bientôt le marier... Pierre, enfant de la rue — car sa mère ne pouvait guère le surveiller et il en profitait ! — aurait mal tourné si un idéal spirituel ne l'avait soutenu. Il a eu tant d'exemples d'entraide, de partage, tant de fraternité qu'il a pu puiser dans le groupe un peu de cette force protectrice dont il avait besoin.

Depuis tant d'années, plus de trente, nous n'avons jamais eu à déplorer qu'un enfant du groupe se soit égaré. Jamais de drogue, jamais d'actes de délinquance. Tous savent, depuis leur enfance, qu'il faut payer jusqu'au dernier iota la loi transgressée et l'acte malveillant. Quel que soit cet acte, c'est contre eux qu'ils le commettent puisqu'ils auront à en rendre compte dans cette vie ou dans une autre.

Deuxième partie

L'INITIATION

Mamy, que nous appelâmes ainsi familièrement, fut mon premier guide spirituel. Pendant dix ans, elle m'a accompagnée sur la route de l'initiation, avant de revenir parmi nous et avant ma rencontre avec Etty, celle qui m'a promis de m'accompagner jusqu'au bout.

Qu'est-ce que l'initiation ? Le mot désigne à la fois le commencement de la route et ce « passage par la mort » qui seul permet la renaissance.

Pour moi, c'est la première étape. Elle s'est faite au fil des années, au fil de ces pages, et continue encore, bien sûr, puisque j'espère bien apprendre jusqu'au bout, recevoir encore un peu de ce précieux enseignement. Parfois les expériences sont douloureuses, mais je sais que la « grâce » est ensuite donnée.

A travers l'initiation, on accède à une mutation de l'âme, à un état d'esprit particulier fait d'ouverture, de tolérance et d'exigence à la fois. L'initiation, c'est la clé qui permet de pousser certaines portes qui conduisent à la connaissance.

Être initié, c'est peut-être tout simplement apprendre à se réconcilier avec la vie de tous les jours, à en comprendre le sens, la valeur ; accepter les épreuves, les souffrances inévitables qui seules nous font évoluer, en tirer la leçon afin d'éviter désormais les pièges.

Il y a des millénaires, les initiés étaient tenus au secret dans des lieux saints, des écoles de sagesse, mais tout évolue et les temps sont venus où il faut dévoiler les mystères.

Les disciples de bonne volonté, une certaine connaissance — sinon la Connaissance — doivent se mettre au service de la bonne parole.

L'initiation, courant visible ou invisible, est parfois, comme celle que j'ai reçue, un enseignement vivant, acquis sur le tas, au contact de la réalité quotidienne, des expériences qu'il m'a été donné d'affronter.

Lorsque mon guide, Mamy, m'a proposé une initiation, je n'ai pas imaginé une seconde ce que cela signifierait réellement. Ni la durée — dix longues années —, ni les sacrifices, ni l'abandon de nos situations, les fins de mois plus que difficiles, le don total de nous-mêmes exigé à chaque instant, le renoncement à notre vie privée, à nos vacances, à notre nécessaire, les épreuves subies avec la foi du charbonnier, la souffrance physique acceptée et offerte pour guérir la souffrance de l'autre.

N'abordez jamais une initiation avec trop de hâte... Votre volonté, votre détermination seront mises à l'épreuve. Vos actes seront la concrétisation de vos pensées.

Ne jouez pas avec des forces, sans prudence ni précaution.

Une petite anecdote, bien concrète, illustrera mon propos. J'étais en voiture, place Grenette, cherchant une place pour me garer. Je fis une petite prière : « Mon Dieu, faites que je trouve une place ! » Lorsque, enfin, une voiture recule. Tout heureuse, je prends sa place, descends de la voiture, la ferme... et vois un attroupement : la voiture qui venait de quitter le parking avait reculé, sans chauffeur, pour emboutir la vitrine d'un magasin, comme si, par exemple, ses freins avaient lâché !

La puissance de la pensée, ça existe. Et bien plus qu'on ne le croit ! Si nous émettons des vibrations, les pensées très fortes peuvent avoir une action sur le matériel, le tangible, tout comme la prière et la méditation peuvent aider un malade, par exemple.

Les médecins de l'espace nous disent toujours : « Sans vous, nous ne pouvons rien. C'est le matériel (spirituel, évidemment) que vous nous fournissez qui nous permet de vous aider. »

Par notre foi, nous attirons à nous de multiples forces divines et bienfaisantes. Notre initiation nous permet de servir, de développer notre désir de devenir un bon instrument. Nous devons tenir compte des lois cosmiques qui sont les lois de Dieu et nous devons sans cesse être dignes, pratiquer la prière, la méditation, la charité, émettre des vibrations d'amour. Cette attitude humble et attentive constitue notre bouclier, car la route est longue et ardue, les pièges nombreux.

Recevoir une initiation si on n'en est pas digne, c'est s'assurer une ascension suivie d'une descente vertigineuse. Plus haute sera la montée, plus profond le gouffre. Il ne faut jamais essayer d'acquérir des pouvoirs. Vous commencerez à en avoir lorsque vous serez sincèrement détaché de bien des choses.

J'ai lu quelque part cette petite histoire qui résume bien ce que je viens de dire :

« Un brigand se dit un jour : je vais aller méditer auprès d'un maître, au Tibet. J'apprendrai tous ses secrets et m'en servirai pour voler et tromper les hommes ; je deviendrai immensément riche. Ainsi fit-il. Mais, au fur et à mesure que la connaissance fut donnée au brigand, il devint un saint homme et finit sa vie en mendiant ! »

Il faut beaucoup, beaucoup d'humilité pour recevoir une initiation. Il faut avoir le désir profond de soulager la souffrance humaine, la misère des pauvres, l'injustice des opprimés. Il faut surtout oublier ses propres intérêts, son orgueil, ce « moi » qui tend à prendre tant de place. Il faut pratiquer le pardon des offenses, savoir tendre la main sans arrière-pensée à celui qui vous a fait mal.

Tous ceux qui nous ont précédés en cette vie et en l'autre et qui essaient d'adresser leurs messages au monde n'ont d'autres raisons, d'autres intentions que de transmettre le flambeau à ceux qui veulent servir.

Regardez leur vie : ils ont souvent tout quitté, tout donné. Seule la recherche de l'amour et de la fraternité les a guidés, parfois jusqu'au sacrifice suprême...

Pourquoi la souffrance ? Pourquoi frappe-t-elle aux portes ? Est-elle notre péché, ou le chemin de l'éternel ?

La souffrance est intolérable, inacceptable pour ceux que l'on aime, mais parfois elle est le fouet qui nous conduit sur le chemin de l'évolution.

Un soir, Mamy, mon guide des premières heures, me dit : « Pour que tu comprennes la souffrance des autres, il a fallu que tu la connaisses, que tu la portes en ton cœur, en ton corps, en ton âme, et que tu l'acceptes... »

Alors, je me suis souvenue... Après la naissance de ma fille, en 1950, dans une clinique lyonnaise, j'ai oscillé entre la vie et la mort, après un double infarctus pulmonaire, pendant deux mois. C'était très grave à l'époque et, en tant qu'infirmière, j'avais vu beaucoup de malades en mourir. C'était le tout début des traitements anticoagulants et on allait tous les jours chercher de l'héparine à Grange-Blanche, centre hospitalier lyonnais. Le chirurgien qui m'a soignée, le Dr V., ignorant que j'étais infirmière, a dit en me voyant : « M... ! l'infarctus ! » Ça m'arrangeait bien. Je n'avais plus très envie de continuer. La vie était trop douloureuse. Une immense sérénité s'abattit sur moi. « Byebye la vie, quelle aubaine ! » J'étais trop croyante pour mettre fin moi-même à ma vie, mais le désir de vivre m'avait quittée. Ce cher médecin, qui devint un ami par la suite, sidéré par cette réaction, vu mon âge, a commencé à se battre.

Le combat a été rude. Je me revois, la nuit, le jour — était-ce la nuit ou le jour ? — entendant des trains sans fin, des bruits de train sur des rails. Pourquoi des trains ? Allez savoir... Encore aujourd'hui, il m'arrive, si je suis dans une gare et entends des trains, d'avoir une vision fugitive de ce lit de souffrance...

Aux missions africaines, à côté de la clinique, les pères priaient pour moi avec les sœurs dévouées de la clinique. L'un d'eux venait me voir chaque jour et, prophétique, me dit : « Je ne sais si vous allez mourir ou guérir. Dieu décidera. Mais si vous guérissez, à mon avis, vous aurez une mission spirituelle à accomplir car il n'est pas possible de tant souffrir sans raisons essentielles ! »

Comme j'en étais loin, de ce lit de douleur, et pourtant, comme ce bon père avait raison ! Plus tard, il m'a écrit pour me proposer de diriger un orphelinat en Afrique. Mais c'était trop tard. Je connaissais déjà Daniel et mon aventure spirituelle commençait, là où Dieu m'avait placée.

En me faisant revivre cet épisode douloureux, Mamy me dit encore : « Tu es allée au-delà du supportable, tu as su accepter la volonté de Dieu ; cela faisait partie du plan divin te concernant. Tu seras désormais capable de comprendre et de porter celui qui souffre. »

Bien que luttant pour vaincre la souffrance, nous avons appris, au groupe, qu'une souffrance offerte était très atténuée et que, acceptée, elle devenait prière et pouvait aider.

Il y a quelques années, j'ai dû subir une intervention chirurgicale au genou. J'ai offert à l'avance cette épreuve pour mes malades... et j'ai presque été vexée de n'avoir pas souffert davantage !

A la première péridurale que j'ai « vécue » dans une salle d'accouchement pour une naissance qui s'annonçait mal et lorsque j'ai vu cette jeune mère, apaisée, s'endormir sur la table de travail, je n'ai pu m'empêcher de pleurer et de dire, en secret : « Merci, mon Dieu, d'avoir permis aux hommes, dans certains cas, de vaincre la souffrance ! »

La première chose que Mamy, mon guide bien-aimé, nous a apprise est la force, la puissance prodigieuse de la prière. Un homme qui prie seul est une petite bougie allumée ; vingt hommes, vingt petites bougies ; cent hommes, cent petites bougies ; trois cents, c'est une immense flamme, une pyramide de lumière, qui s'élève. Comme vous seriez étonné de voir la puissance de cette prière émanant d'un groupe entraîné et qui ne fait plus qu'un !

La prière est le lien qui relie à Dieu. Les guides spirituels, les anges gardiens, ne sont que des amis, des intermédiaires. Demandez-leur de vous aider, mais surtout ne les priez pas. On ne prie que Dieu, ce Dieu que chacun définit avec ses mots.

Ce n'est sûrement pas un barbu sur un trône...

La prière est le chemin de lumière qui nous relie au

but, la finalité absolue que je ne sais décrire qu'avec des mots simples. Les prières sont des perles, des joyaux précieux qu'il faut porter avec amour. La prière est une force, comme le vent, le soleil. L'acte d'amour et l'acte de désintéressement sont en eux-mêmes une prière. La main tendue, si on n'a pas envie de la tendre, est une prière. Prier, c'est vaincre le temps et l'espace pour retrouver l'intégrité de l'être originel, retrouver la lumière et la libération totale.

Mamy m'expliqua tout cela et elle me demanda de nous réunir pour prier, en famille d'abord :

« Enseigne la prière à tes enfants. Si un jour, seuls dans la vie, ils connaissent l'épreuve, nous pourrons ainsi les aider. La prière des enfants est pure et l'habitude de prier les rendra forts. On peut tout retirer à un homme, sauf la foi, même s'il est dans un cachot. La foi et la force de la prière ne peuvent lui être retirées. »

C'est ainsi que, tout doucement, notre groupe est né.

Au début nous étions cinq, puis dix ; aujourd'hui, avec les enfants, presque quatre cents en 1987. C'est ainsi qu'est née notre prière du soir, à 20 h 30, pour les malades et pour la paix.

Lorsqu'un homme est entraîné à prier, c'est comme si un interrupteur le mettait en contact avec la lumière.

Une nuit, réveillée par une quinte de toux — mon mari avait une bonne bronchite —, je l'accompagne dans une chambre voisine et me recouche aussitôt pour dormir car j'ai besoin de beaucoup de sommeil pour mon équilibre, surtout dans cette période très chargée, comme souvent. En m'endormant, j'élève ma pensée vers Dieu et presque automatiquement, de façon machinale, je prie pour mes malades comme j'ai l'habitude de le faire, lorsque soudain un poids invisible fait plier mon lit, comme si quelqu'un s'asseyait à mes côtés. Et, immédiatement, des milliers d'aiguilles « picotent » mon corps... Il faisait un magnifique clair de lune créant une ambiance magique, et je me suis sentie merveilleusement bien, m'endormant aussitôt.

Le lendemain, j'avais une forme extraordinaire, toute fatigue disparue ! J'ai compris que ma prière avait déclenché un processus de « contact » et que mes « médecins du ciel » en avaient profité pour me recharger.

Sur terre, la majorité des humains ne connaissent ni ne soupçonnent la puissance de la prière qui, dirigée, jointe à la connaissance et à la force de la pensée, ignore les barrières. L'esprit peut, de cette manière, agir sur la matière. Il n'y a dans le cosmos aucun secret, aucun miracle pour ceux qui savent ; seulement de grandes lois cosmiques qu'il faut respecter.

Toutes les religions, tous les pays ont leurs saints. Que ce soit à Lourdes, à La Mecque ou ailleurs, partout des hommes se réunissent pour prier autour des malades et lorsque toutes les conditions sont réunies, si Dieu le veut, les malades guérissent.

Mais Dieu, qui est Dieu ?

Mon guide m'a répondu : « Un cerveau humain ne peut imaginer Dieu. Il est trop limité par la matière et il n'y a pas de mots pour l'expliquer. Le réduire à une apparence humaine serait lui faire injure, pourtant nous sommes créés à son image. Je vais essayer de te faire comprendre la mesure de ta petitesse : Dieu est une force. Dieu, c'est l'ensemble des vibrations humaines astrales, c'est la quintessence de l'Esprit. C'est peut-être l'ensemble de toutes les forces terrestres, de la nature, des énergies. C'est la Vibration parfaite.

« Il est aussi impossible d'imaginer Dieu que de

compter les étoiles d'une belle nuit d'été ou de projeter une vision de l'éternité, de l'infini. Pense aux siècles passés, aux siècles à venir. Une vie humaine n'est qu'un éclair, et pourtant si important pour l'évolution.

« Dieu est aussi et surtout l'Amour personnifié. Seules l'observation des lois divines, la spiritualité de l'individu, l'utilisation des vibrations peuvent aider le monde.

« Remplis ta tâche journellement, évite l'orgueil, l'envie, la jalousie. La main de Dieu viendra alors se poser sur toi. Dieu est en chaque homme, il envoie ses apôtres, ses initiés sur la terre par amour des hommes mais les hommes qui ne les comprennent pas, les tuent pour ne pas écouter le message qui les gêne. Pense aux hommes de paix, comme Gandhi, Martin Luther King et tant d'autres, pense à Jésus et même à notre pape... pauvre terre...

« Par amour, avec amour, tu peux faire beaucoup dans ta vie de tous les jours. Pense à Mariette... »

Mariette, dix-sept ans, confiée par le Bon Pasteur, amie d'un truand notoire ! Elle apportait les objets volés dans son lit, dans sa chambre. Les sœurs ne pouvaient rien en tirer. Révoltée, tête de bois, elle semait la panique partout où elle passait et la mère supérieure en était réduite à l'envoyer en prison si nous ne la prenions pas chez nous. Je suis allée la chercher. Outrageusement maquillée, les cheveux décolorés à l'eau oxygénée, jupette au ras des fesses, elle refusa de me parler, me tournant obstinément le dos. « Tu sais, Mariette, chez moi, les fenêtres et les portes sont grandes ouvertes. Fais un essai, tu verras bien... C'est mieux que la prison », lui dis-je. Elle accepta de me suivre, pensant fuguer la nuit même.

Nous avions une quinzaine d'enfants et, le soir venu,

chacun est allé faire une bise à Mariette en disant : « Tu verras, on est bien ici, on partage tout, on donne un coup de main, on fait la vaisselle en chantant, Maguy et Daniel sont gentils ! » Et voilà ma Mariette en larmes ; personne ne l'avait jamais embrassée, ne lui avait jamais fait confiance.

Elle est restée plusieurs années à notre foyer, avec des hauts et des bas. Un jour, pendant notre absence, un de nos amis sonne et voit Mariette qu'il ne connaissait pas. Voulant être gentil, il lui caresse la joue. Mariette recule et dit : « Regarde bien mais touche pas, c'est pas pour ta g...! » et le lendemain, notre ami « bon chic bon genre » téléphone en nous déclarant : « Je sais bien ce que vous faites... bien sûr... Mais celle-ci a vraiment mauvais genre ! »

De nombreux jeunes venaient de ces foyers où, trop brimés, ils étaient malheureux ; les débuts leur paraissaient durs ; nos pulls, nos chaussures disparaissaient, mais ensuite, ils les rapportaient en pleurant. C'était gagné. Gagné avec l'amour, seulement l'amour. Car nous ne pouvions pas les gâter. Nous ne pouvions que partager avec eux notre joie de vivre, notre famille, leur donner l'image de notre foi, sans jamais, au grand jamais, faire la morale. Nous répondions aux questions lorsqu'elles venaient, sans rien forcer. Mais il est dit quelque part que l'on reconnaît l'arbre à ses fruits...

Nul ne peut progresser s'il ne passe pas la porte étroite de la tolérance.

L'homme tolérant possède une forme de sagesse et de sérénité qui lui permet d'accepter et de comprendre le monde autour de lui, sans vouloir imposer sa loi ou sa conception de la vie. Pour lui, l'univers ne s'arrête pas à son palier ou, pis, à son nombril.

On pourrait éviter, grâce à la tolérance, bien des

épreuves, puisque nos erreurs sont toujours commises par ignorance. L'orgueil, en outre, nous interdisant de reconnaître nos torts.

A mesure que la connaissance nous pénètre, nous réalisons que nous sommes asservis par des tâches matérielles et liés ainsi à la terre. Nous comprenons que l'union fait la force et que chacun est exactement à la place qu'il doit occuper. Quel que soit le rang, quels que soient les honneurs reçus, la porte est la même pour tous : c'est la grande égalité face à Dieu.

Nous marchons, je l'espère, vers la religion universelle et celle-ci ne peut être fondée que sur la tolérance. Les adeptes de cette foi sauront que rien ne sert de changer de religion, mais que l'évolution passe par la main tendue vers l'autre, même si ce dernier n'a ni la même croyance ni la même couleur de peau ou la même langue. Il est nécessaire de comprendre et d'aider l'autre pour se comprendre et s'aider soi-même.

L'intolérance mène à l'envie et à la rancœur, à la jalousie, à l'orgueil et peut provoquer des cataclysmes dont l'humanité tout entière paie le prix et qui ne sont pas à son honneur !

Dans tous les pays où règne une dictature, des hommes sont morts pour avoir protesté, et nous pleurons ces morts-là.

Un soir où je « bavardais » avec mon guide, j'en viens à lui parler de Mme D. Une femme épatante, pleine de charité et d'amour, mais elle ne croit en rien, elle est communiste militante, etc., et j'aimerais l'aider à croire... Après m'avoir bien écoutée, mon guide répond : « Pour qui te prends-tu ? De quel droit juges-tu cette femme ? Elle ne croit pas en Dieu, dis-tu, mais Dieu, elle l'a en elle, elle visite les malades, partage son pain et son sel et, souvent, assiste des mourants ; cette femme sera bien avant toi, bien avant certains qui vont tous les jours à la messe, sur la voie de l'évolution. Essaie d'en faire autant ! »

La leçon était dure, et méritée. Depuis, je me suis efforcée de ne plus jamais juger.

Si les hommes cherchent la vérité, c'est qu'ils ne l'ont pas encore trouvée. Lorsque je demande à mon guide : « Qu'est-ce que la vérité ? » il me répond qu'il est impossible de communiquer l'incommunicable, que nos sens sont limités, pas assez réceptifs ni soumis à l'Esprit pur.

Qui peut se vanter de détenir la vérité ?

Pendant les premières conversations avec mon guide, éblouie, je pensais tout apprendre, tout connaître. Plus de trente ans après, je sais que je ne sais rien. Je n'ai monté qu'une marche de cette immense échelle. J'aime bien l'image que donne le père B. : chaque religion est une face de la pyramide que nous escaladons tous pour nous retrouver au sommet.

Mais alors, la vérité, où est-elle ?

La pyramide n'est pas seulement pyramide de lumière : elle est finalité, commence par la base, dans notre vie de chaque jour, dans l'équilibre des forces qui nous entourent, entre le positif et le négatif, le jour et la nuit, le yin et le yang, le fini et l'infini, le bonheur et la douleur...

Au nom de la vérité, combien de fois les notions de justice et de liberté ont-elles été bafouées ?

La vérité est lieu de résonance pour chaque individu, à chaque étape de sa vie, de la naissance à la mort, de la naissance ultime au retour à la source. Pour commencer à la percevoir, il faut sortir de soi pour écouter l'autre.

Chaque religion possède une parcelle de vérité. Il appartient à chacun de découvrir la sienne. Sur nos trajectoires d'évolution, nous ne sommes pas tous au même niveau. Ma vérité, c'est la mienne, mais je respecte la vôtre. Chacun choisit selon son attente, son degré d'évolution, ses besoins propres.

Si nous avons la chance de rencontrer notre vérité, elle se fera sans bruit, simplement, dans le silence et l'évidence intérieure. Elle peut bouleverser le cours de notre vie, nous apporter un prodigieux équilibre. Et si tous comprenaient, la face du monde, de ce pauvre monde malade, en serait changée.

Fatima est une Maghrébine, très simple et pleine d'amour, très « mamma ». Elle a épousé un veuf en charge de cinq enfants et qui lui en a fait cinq autres. Dans son quartier, on lui confie des enfants à garder pendant que les mamans font leurs courses. J'ai connu Fatima insomniaque, perturbée, souffrant de violents maux de tête parce que la fille aînée de son mari n'allait pas bien. « Si je l'avais aimée comme sa vraie mère, ce ne serait pas arrivé... », me dit-elle.

J'aime bien parler avec Fatima ; une complicité et une mutuelle compréhension nous unissent, peut-être l'amour des enfants !

Après une séance de magnétisme, un jour, Fatima m'interroge : « A toi je peux le dire, tu comprendras sûrement. Est-ce que tu ne crois pas que Mahomet et Jésus, c'était le même ? »

Parce que son cœur est plein d'amour, Fatima a compris la loi d'unité du message divin.

La croyance est un don qui vient de l'extérieur ; ceux qui marchent ensemble s'entraident et avancent dans l'humilité, sans perdre leur temps à de vaines polémiques.

Les religions sont des béquilles qui aident les pauvres humains, bien souvent boiteux, à gravir le chemin rocailleux de leur vie. Changer de religion, sauf aspiration profonde et violente, ne sert à rien. C'est parfois un recul. Dans la marche de l'humanité vers son destin, nous sommes des fourmis, des atomes, mais qui ont une place spécifique. Cette place, bien occupée, cette tâche, bien remplie, constituent l'essence même de notre propre destinée.

L'expérience de notre passé, même si nous n'en gardons aucun souvenir, nous dictera nos actes, dans le secret de nos âmes. Ce que nous appelons la voix de notre conscience. Parfois aussi celle de notre guide.

L'homme naît sur terre dans un berceau pour apprendre à marcher, à parler, à penser, à évoluer. Il est envoyé à l'école de la vie.

Il arrive parfois qu'au cours de cette existence l'homme — qu'il soit maçon ou ouvrier, universitaire ou érudit — se sente frappé d'inutilité, de faiblesse, de vacuité. Un éclair de raison ou un écho venu d'ailleurs secoue sa conscience en sommeil. Il prend conscience de forces, autour de lui, qui l'ébranlent et le pénètrent. Sans compter avec l'angoisse, la peur de la mort. Souvent un sentiment irraisonné va le porter vers l'invisible, le surnaturel, et il s'y accrochera.

C'est le mécanisme si fragile de l'intuition qui s'est mis en mouvement. Ces idées nouvelles sont des réalités venues du monde cosmique, sources d'énergies créatrices, potentiels d'actions, et elles se matérialiseront grâce à la volonté. Dès lors la machine est en marche, engendrant subtilement un irrésistible besoin d'infini, de fusion. Quelle que soit sa religion, l'homme a alors trouvé la foi, cette foi de l'homme qui donne accès à une communion totale avec tous les peuples de la terre et avec, surtout, tout le peuple du ciel, constitué de tous ceux qui nous ont précédés et qui essaient de nous venir en aide lorsque nous voulons bien déployer nos antennes, ouvrir nos yeux, nos oreilles, notre cœur...

Souvent, de jeunes adolescents viennent me trouver et me demandent quelle technique il faut pratiquer pour évoluer spirituellement ou pour développer des pouvoirs en gestation. Doivent-ils méditer, aller aux Indes ?

Si Dieu nous avait voulus hindous, nous serions nés hindous. Il n'y a pas d'autre technique que celle de l'Évangile : l'amour et la charité. Elle est simple, à la portée de tous... Mais c'est aussi la plus difficile car elle exige de l'homme beaucoup de vraie humilité. Même les saints ont dû lutter contre l'orgueil...

Toutes les religions ont prêché les mêmes enseignements, avec des mots différents, mais pendant des siècles, la lumière a été sous le boisseau et seuls les initiés, instruits dans des écoles de sagesse, apprenaient certains mystères divins. Dans les temples d'Égypte, des Indes, de la Grèce, nous retrouvons la croyance aux esprits qui dictent des oracles. A Delphes comme à Eleusis, l'Esprit a soufflé sur les servants des lieux sacrés.

Pythagore enseigne aux initiés les divins mystères par la bouche des prêtresses endormies qui conversent avec des génies invisibles. Rien de nouveau sous le soleil. Mais Jésus est venu, il a marché sur notre terre, a enseigné aux hommes, à tous les hommes, pauvres, riches, malades, désespérés, pécheurs.

Il les a tous pris, ceux qui marchaient avec lui ou venaient au-devant de lui, les perplexes, les hésitants, les hérétiques. Jésus, le Christ, a apporté aux hommes la Révélation.

Il a promis à tous ceux qui croiraient en lui la libération. C'est la promesse de Pâques. Mais il n'a pas toujours été compris et, en son nom, on a commis bien des abus.

Comme ses compagnons, rendons-nous humblement disponibles, sachons éviter les mots qui divisent et laissons-nous envahir par l'amour.

Voilà, très simplement, ce que j'ai compris et que les messages qui suivent, reçus toujours par l'intermédiaire de Daniel, mon mari, en état médiumnique, nous confirment.

Ils m'ont été offerts, ces messages, par mes guides spirituels au cours de séances de méditation. L'un est d'imprégnation bouddhique, le deuxième islamique, le troisième, chrétien.

Mardi 3 novembre 1981

« Quand tu ne seras plus rien, quand tu auras effacé à tout jamais toutes les aspérités de ce corps, quand, anéantissant toutes les humeurs, les impressions, les actes, les créations passées, quand tu n'existeras plus, quand tu t'anéantiras toi-même, alors il restera le Tout, tu resteras. Tu resteras cette parcelle divine, unique échantillon de la création divine, et tu seras et tu établiras alors l'harmonie totale entre toi et l'Être éternel qui a pourvu à toute création. Mais alors, alors seulement, tu comprendras que tu n'es plus rien et que ta totalité, tu ne l'obtiendras que dans et par la Totalité. Donc, alors, tu comprendras que ta vie d'étincelle divine est ici-bas au service du Tout et que, à nouveau, ton effacement sera nécessaire car, ici-bas, il n'est pas question de briller de l'éclat pur.

« Ton effacement sera la marche lente de celui qui sait et sait pourquoi il marche. Ton effacement ne sera que l'apparence que les autres verront de toi. La vie

116

naîtra alors. La vie sera alors et l'entière existence conquise, lien constant et éternel avec le monde qui crée et d'où toute initiative créatrice procède.

« Porte donc au creux de tes mains, au creux de ton cœur, cette étincelle ainsi qu'Il te le permettra en ce parcours, mais n'oublie pas que, plus éclatant sera le brillant, plus petit, tout petit, plus humble tu seras, et, de plus en plus effacé, tu marcheras pour l'accomplissement de Sa volonté aujourd'hui comme hier, à jamais. Ce parcours doit être aussi court que l'éclair, aussi long que le tout des univers ; qu'importe, puisqu'Il est. »

19 octobre 1982

« Seigneur, prends ma main
Et guide mes pas incertains
A l'aube de ce sublime éveil
Radieuse, je contemple Ton ciel
Au grand jardin d'Allah, tout est bonté
Amour, tendre sollicitude
C'est l'Éden perdu et retrouvé
Le chemin de lumière peuplé de certitudes
Comme il est doux de rafraîchir son âme
A Ta source limpide, à ce bain de jouvence
Comme il est doux de faire jaillir la flamme
De ce vieux cœur éteint mais gonflé d'espérance
Au fond de l'escarcelle de ma vie passée
Restent un peu de bonté, un peu de charité
Un brin de compassion mais tellement d'insouciance
Qu'à tous les temps j'ai conjugué " ignorance "
Mais Tu m'as dit : Vois. Et je vois.
Écoute. Et j'écoute
Enfin Tu m'as dit : Va. Et je vais

117

Et quand partir je devrai un de ces lendemains
Pour un autre voyage au pays des mosquées
Là où Ton souffle tiède berce nos oliviers
Alors, Seigneur, merci de me prendre la main. »

2 avril 1983

« S'il marchait le premier, ce n'était pas pour être le premier. S'il marchait le premier, c'était parce que Dieu avait tout mis en lui.

« S'il marchait le premier, c'est qu'au creux de ses mains se manifestait la toute-puissance du Père.

« S'il marchait le premier, c'était pour mieux les prendre tous, tous ceux qui venaient à lui, au-devant de lui, questionnants et perplexes, amis ou hésitants, tous ceux que la vie avait conduits sur son chemin, à sa rencontre, à la rencontre du seul, du premier que Dieu mit sur la terre.

« S'il marchait le premier, c'était pour mieux les comprendre, pour mieux les prendre, pour mieux les aimer.

« Accueillis tous, aimés tous, tous ceux qui venaient, tous ceux qui avaient fait ce premier pas, tous ceux qui avaient accepté de marcher à sa rencontre.

« S'il vient à notre rencontre ce soir, serons-nous prêts ? Sommes-nous ces marchants (ceux qui marchaient) d'antan ? Avons-nous fait le premier pas ? Avons-nous accepté cet Être ni de chair ni d'éther, cet Être au-delà de nous et qui tient si bien dans notre cœur ?

« Nous avons appris au cours des vies que la vie est, que tout est vie, que si près, si loin quelquefois, elle est.

« Ce qu'il nous apporta, celui qui fut appelé Christ, premier homme à avoir parcouru la terre à la démarche

118

de Dieu, ce qu'il nous donna en ces huit jours, est l'accomplissement de toute l'histoire. Elle s'écoula en huit jours et nous avons mis des siècles à la comprendre. Elle s'accomplit en huit jours, mais il faudra des temps et des temps pour apprendre à marcher dans ses pas, pour apprendre à être dans ses pas, pour apprendre, comme lui, à obéir au Père.

« Ce qu'il nous apprit : à être semblables.

« Ce qu'il nous a promis, ce qu'il nous a révélé : à ceux qui seront, il a été dit : comme moi, vous réaliserez la plénitude du ciel. Comme moi, car le Père l'a dit, semblables nous sommes, semblables nous avons été créés, semblables, issus de l'Éternité.

« La promesse de Pâques, la promesse du premier fils qui rejoignit le Père, est celle qui fut faite ce soir-là à tous ceux qui voulurent bien regarder, au ciel, l'étincelle divine qui partait, à ceux qui surent qu'il était la vie. »

Pendant vingt-cinq ans, mes guides nous ont demandé le silence. Dix ans d'initiation, dans le silence, puis quinze ans encore. Pourquoi ? Parce que, au bout d'un quart de siècle, on peut commencer à juger « sur pièces », mesurer sa force, apprécier, surtout, ses résultats.

Lorsque quelqu'un demandait à entrer dans le groupe, il devait jurer de se taire, de garder le secret sur nos travaux, sur tout ce qui se passait dans une réunion de prière. Les bavardages étaient une cause, sans appel, d'exclusion.

« Celui qui sait se tait.

« Celui qui bavarde ne sait rien », disait mon guide.

Méfiez-vous des beaux parleurs, des maîtres et des gourous qui foisonnent, qui savent tout, détiennent la connaissance. Mon guide me dit : « Regarde leurs actes ; regarde leurs vies. Ont-ils assumé leurs engagements ? Leurs enfants sont-il fiers d'eux ? Si oui, tu peux leur faire confiance, surtout s'ils savent se taire, humblement. »

Ainsi, un jour, un de ces hypnotiseurs vint me demander de l'accepter dans mon groupe. Il m'expliqua comment il procédait pour faire remonter les gens dans leurs vies antérieures et après avoir bien discouru, très content de lui, il me demanda ce que je pensais de lui. « Vous voulez mon opinion ? lui répondis-je. Eh bien, je ne crois pas un mot de ce que vous venez de me dire ! Ce n'est pas à moi qu'il faut raconter cela. » Il est devenu cramoisi, fixa un moment ses chaussures et me dit : « Il faut bien gagner sa vie et ça leur fait tellement plaisir !... »

Souvent on me demande : « Comment reconnaître le bon grain de l'ivraie ? »

Si un magnétiseur présente une vingtaine d'attestations de médecins certifiant son honorabilité et ses capacités, ce sera déjà un début de garantie. Jamais on n'empêchera un malade d'aller voir un guérisseur. Lorsqu'un homme est désespéré par l'impuissance de la médecine à son égard, il échouera chez le sorcier du coin, surtout s'il souffre de troubles d'origine psychosomatique.

Il m'est arrivé de recevoir des gens désespérés, ayant consulté vingt médecins, essayé vingt traitements, pour rien. Ils sont prêts à tout et c'est là que le « guérisseur » peut aider ou provoquer une catastrophe. Il faut rassurer le malade, l'écouter, lui redonner confiance, en lui-même et en son médecin, avant même d'essayer le traitement par guérison spirituelle.

J'ai vu certains « confrères », hélas, arrêter tout

traitement médical, même chez des diabétiques ou des cardiaques, et leur donner simplement des tisanes. J'ai vu une femme atteinte d'un cancer du sein venir chez moi après deux ans de soins chez un magnétiseur. J'ai vu un homme de quarante ans, père de deux enfants, mourir d'un cancer du rein, pris beaucoup trop tard, pour la même raison.

Si le magnétiseur avait été reconnu comme auxiliaire médical, un médecin aurait suivi et traité ces malades en même temps. Les médecins seraient plus libres de collaborer lorsqu'ils sentent leur patient leur échapper par lassitude ou manque de confiance.

Dans bien des pays, en Espagne, en Italie, les magnétiseurs sont reconnus et tolérés. Pas en France.

Que dire de celui qui prétend être diplômé de telle ou telle école, qui vend des pierres magnétisées, des bracelets en cuivre contre le cancer, etc. ?

Il y aura toujours des escroqueries et des escrocs. Il y en aura tant que les magnétiseurs ne seront pas reconnus et contrôlés.

Qu'est-ce qu'un médium ?

Avant tout, c'est un instrument. Il en existe plusieurs formes et le génie, souvent l'artiste exceptionnel, est un « médium », c'est-à-dire un intermédiaire.

Dans la musique, qui nous exalte, nous reconnaissons des harmonies divines. Toute œuvre d'art peut nous nouer la gorge d'émotion, nous bouleverser jusqu'aux larmes...

Quant à moi, je suis magnétiseuse. Dieu m'a donné le don de guérir les corps en soignant les âmes. Je ne suis que le fil conducteur dans lequel passe le courant. L'intermédiaire. Je ne suis ni la puissance ni l'aboutissement. Je désire guérir de tout mon cœur, mais ne puis jamais promettre. Je ne détiens aucun pouvoir sur la vie, la guérison ou la mort.

Pendant toutes ces années où tant de détresses physiques, morales ou spirituelles sont venues vers moi, je n'ai jamais fait une imposition des mains sans prier Dieu ni demander, bien humblement, aux médecins de l'au-delà de m'assister.

Lorsque je soigne un enfant, un malade, je l'aime et l'inonde de mon amour. Si le patient est croyant, je lui demande d'élever sa pensée ; sa participation facilite ma tâche et je n'oublie jamais que la foi peut soulever des montagnes. Ensuite, je m'efforce d'être aussi passive que possible, laissant faire mes guides, infiniment plus puissants que moi.

Les soins spirituels donnés directement par les « médecins du ciel » sont extrêmement courts et puissants, comme un jet d'énergie de quelques minutes. Souvent, je n'ose pas retirer mes mains tout de suite, de crainte que le malade ne croie que des soins aussi rapides ne puissent être efficaces. Je ne peux rien expliquer, le plus souvent.

Lorsque j'ai vu les premiers films de *Don Camillo*, j'ai bien ri car, lorsque le fardeau est trop lourd, depuis des années, j'ai pris l'habitude de parler à Jésus : « Seigneur, je n'en peux plus ! Je te donne mes soucis, je te confie mes malades ; je veux dormir ; demain, tu me rendras tout ! » Mais, à moi, Jésus ne répond guère !

La médiumnité de Daniel, mon mari, est tout autre. Dans une « transe », il se dédouble très facilement, très simplement, un peu comme s'il dormait et faisait une sorte de rêve réveillé. On me demande parfois si ce n'est pas dangereux. S'il existait le moindre danger ! Il me semble qu'en trente ans, je m'en serais aperçue,

Néanmoins, je pense que certaines règles doivent être observées.

Un médium, quel qu'il soit, doit être d'une moralité et d'une honnêteté rigoureuses. L'argent peut tout salir ; et l'orgueil, ou la recherche des pouvoirs, tout perdre.

Le médium est une éolienne dans le vent. Si le vent est bon, elle tourne bien. Mais il a besoin de confiance, d'amour, de prières.

Nous sommes tous faits de vibrations et d'énergies. Les guides spirituels ont des vibrations beaucoup plus rapides que les nôtres, beaucoup plus pures et éthérées. Lorsque le médium à incorporation est en transe, il est dédoublé, son esprit quitte son corps et un autre esprit prend sa place et parle par sa bouche. Le phénomène est bien connu. Pour que cette fusion vibratoire s'opère, les vibrations du médium sont augmentées par l'effet du groupe de prière, ou par sa propre élévation, sa pureté, son désintéressement. Il ne devient que l'instrument aussi parfait que possible du divin. De leur côté, les guides spirituels ralentissent leurs propres vibrations, mais si la pureté vibratoire n'existe pas, alors le danger survient peut-être, car des esprits de bas niveau pourraient prendre leur place et tromper les gens naïfs et non préparés.

Il ne faut jamais rechercher des effets extraordinaires ni céder à une curiosité de mauvais aloi. Les seuls critères, les seules exigences seront toujours du domaine de la prière, du don de soi, de l'amour, du désir de soulager ou d'aider.

Un jour, des amis m'ont invitée à rencontrer un « maître » hindou qui passait par l'Europe. J'ai été très déçue, pour toutes sortes de raisons. Il n'avait certainement le titre de maître que pour des gens non avertis.

En revanche, quelques jours plus tard, un professeur de yoga appartenant au groupe me signala que son maître, qui vit en Inde dans un ashram, venait pour la première fois à Grenoble et me demanda de le recevoir. J'étais très réticente mais, devant son insistance, j'acceptai. Lorsqu'il est arrivé, il marchait devant, en robe rouge, crâne rasé, ses disciples derrière lui. Dès le premier regard échangé, j'ai senti des vibrations le long de l'épine dorsale. L'émotion, une très vive émotion, m'a saisie. J'ai su, immédiatement, que j'avais devant moi un maître authentique. Nous avons passé une soirée inoubliable. Ces yogis ont prié en silence avec nous, puis ils nous ont joué de la musique sacrée : deux civilisations différentes, mais communiant sur une même longueur d'onde, de vibration.

Avant le départ, le maître me dit : « Ce que vous faites est bien, mais si vous acceptez de venir en Inde, dans un ashram, vos pouvoirs seront doublés. — Je ne veux pas doubler mes " pouvoirs ", lui assurai-je. Je me contente du don que Dieu m'a fait ; ce serait faire injure à mon guide spirituel, à qui je dois tout ; je reste là où j'ai été parachutée, là où, je pense, se trouve mon devoir. »

Un sourire l'a illuminé et, mettant sa main sur mon épaule, il dit : « Elle est sage. Si elle était chez nous, on l'appellerait Mère. » J'ai compris alors que sa question était un piège !

Parmi les tentations auxquelles j'ai été soumise, il y a eu aussi l'argent.

Un soir de novembre froid et grisâtre, je vois entrer chez moi un monsieur vêtu de blanc, superbe. Il venait de Saint-Tropez où il possédait une propriété au bord de la mer, et me proposait d'animer un séminaire pendant trois jours, m'offrant une véritable petite fortune, vu le nombre de participants. A son grand ébahissement, j'ai refusé. Les paroles de mon guide résonnaient à mes oreilles : « Un message spirituel doit passer gratuitement ; tu ne t'enrichiras jamais. »

Le moment de la tentation était bien choisi. Nous nous occupions alors, au niveau du groupe, d'une jeune femme seule avec deux petits enfants ; son mari, apprenant qu'il avait un cancer, s'était suicidé. Ne pouvant subvenir à ses besoins, ayant tout perdu et confié ses petits à un foyer de la DASS, elle avait à son tour fait une tentative de suicide, Dieu merci ratée. L'assistante sociale de la clinique m'avait alertée ; il fallait beaucoup d'argent pour lui payer plusieurs mois de loyer et éponger ses dettes, puis l'aider ensuite à reconstruire sa vie.

Après le départ de cet homme, j'ai eu un instant de regret puis, à la réflexion, je me dis que personne ne pourrait jamais dire que le message que je devais transmettre serait payé.

Deux jours plus tard, une très vieille dame, un peu fofolle, vient me voir pour que je la prenne comme « élève ». Elle était persuadée d'avoir un don de guérison. Je lui explique gentiment qu'on ne commence pas une telle carrière à son âge et dans son état de santé. Elle m'avoue alors être seule dans la vie, périr d'ennui et avoir fait un énorme héritage dont elle ne sait que faire. Il est pour moi si j'accepte !

Je comprends alors que ces deux propositions de fortune offertes coup sur coup sont des tentations diaboliques !

A la fin de cette même semaine, un médecin de Grenoble me téléphone. Une de ses clientes voulait me voir, pensant elle aussi avoir des « dons ». Je lui réponds vertement que je ne suis ni un maître à penser

125

ni un gourou, que je ne sais rien et n'ai rien à enseigner, et lui raccroche au nez ! Prise de remords, une heure après, je le rappelle pour le prier de m'excuser. Il me dit en riant : « Ah, madame Lebrun, j'ai bien vu qu'il y avait un problème ! »

Beaucoup de magnétiseurs perdent leurs dons, j'en suis certaine, parce qu'ils tombent dans ces deux pièges redoutables : l'appât de l'argent et la soif des pouvoirs.

La médiumnité mal assumée peut, elle aussi, contenir de réels dangers. Il faut un bon équilibre pour aborder ces phénomènes.

Daniel, par exemple, passe par des alternances. Il peut connaître des périodes de travail intense, avec surgissement de beaux messages, et d'autres où il est comme en sommeil, en repos. Jamais les phénomènes ne peuvent se produire à volonté, sur commande. C'est aussi, à mon avis, la raison pour laquelle ils ne pourront jamais être étudiés en laboratoire.

Pour que nos guides et médecins du ciel puissent utiliser Daniel, il faut que celui-ci se trouve dans un climat de calme, de paix, d'affection et de confiance.

La prière est la « voie fluidique » qui ouvre la porte aux forces célestes. Il y faut une harmonie totale. C'est pourquoi un médium doit toujours être entouré, protégé, ne jamais être abandonné à lui-même. Le groupe de prières constitue donc une protection comme peuvent l'être le monastère au saint homme ou l'ashram au lama. Dans ce domaine, il importe d'être d'une prudence absolue.

Un jour, une dame de Grenoble m'apporta des « messages » pris par sa sœur qui travaillait comme chef de service dans une entreprise et n'avait eu aucun problème psychique avant d'être internée après une sombre aventure. Elle commença à prendre des mes-

126

sages qui semblaient très beaux, puis on commença à la flatter, à lui dire qu'elle avait des dons... Peu à peu, elle fut envahie par une force malfaisante qui l'investit complètement. Sa famille, très inquiète, ne la reconnaissait plus. Une nuit, elle a reçu l'ordre d'enlever un enfant anormal dans un établissement spécialisé et de le rendre à sa mère ; elle allait le guérir et sa mère lui serait reconnaissante à jamais. Eh bien, elle l'a fait ! Après son arrestation par la police, elle est restée longtemps dans un hôpital psychiatrique.

Jouer avec certaines forces est profondément dangereux. Devant ces expériences, on ne dira jamais assez : « Casse-cou ! »

Pour la suite de mon aventure spirituelle, il me faut parler des événements du Vercors et situer le personnage d'Etty, héroïne de la Résistance et que je n'ai jamais connue de son vivant.

Juillet 1944 : le maquis du Vercors. Un des plus coriaces bastions de la Résistance est attaqué, encerclé par les forces allemandes. Pas moins de deux divisions entraînées pour le combat en montagne, opposées à quelques milliers de maquisards dotés d'armes légères. Dix contre un. L'issue dramatique n'est plus qu'une question de semaines. Saint-Nozier, Villard-de-Lans, Valchevrière, Saint-Martin, La Chapelle, Vassieux, etc., tombent tout à tour aux mains de l'ennemi, au prix de combats héroïques et d'horribles massacres.

A l'écart de la route qui relie Saint-Agnan au col du Rousset, au milieu des taillis et des broussailles, se dissimule la grotte de la Luire. C'est une imposante excavation naturelle creusée dans la paroi calcaire de la montagne. Depuis le 22 juillet, on y a aménagé un hôpital de fortune car il n'est plus question, après l'occupation de Saint-Martin-en-Vercors, d'évacuer comme prévu les blessés de l'hôpital militaire sur la ville de Die qui vient d'être prise par les Allemands.

A l'abri improvisé du porche de la grotte, sous la direction du médecin-capitaine Fischer, aidé par les docteurs Ganimède et Ulman, neuf infirmières, dont Etty, s'occupent activement des blessés : une trentaine de maquisards pour la plupart, à l'exception de quatre soldats allemands prisonniers, ce qui dénote l'esprit de justice et d'abnégation de ce corps sanitaire soignant de la même façon les Français et leurs ennemis.

Outre le personnel médical, se trouve là le révérend père de Moncheuil, aumônier de l'hôpital, qui prodigue à tous, quelles que soient leur religion et leur nationalité, l'appui moral de ses prières. Chaque matin, il célèbre même une messe en plein air sur le petit rocher qui tient lieu d'autel. Contre la paroi, à droite en entrant, on a tendu un drap blanc frappé d'une grosse croix rouge. On espère que cette signalisation dissuadera toute attaque inopinée au cas où ils seraient découverts.

A l'abri de la grotte, la vie s'écoule dans l'angoisse. On respecte le plus grand silence possible pour ne pas attirer l'attention de l'ennemi proche dont on entend ronfler les véhicules sur la route de Rousset. La nuit, c'est à tâtons qu'il faut se diriger vers les blessés car aucun éclairage n'est évidemment possible. On ménage les vivres, et le pain commence à manquer. Heureusement, il reste un petit stock de flocons d'avoine et la moitié d'un veau abattu récemment, conservé au frais dans les profondeurs de la caverne. On attend et, vaguement, on espère... De temps à autre, le silence est ponctué par la chute d'une goutte d'eau qui sourd de la roche.

Inlassablement, les infirmières, Etty et les autres,

prodiguent leurs soins et leurs paroles bienfaisantes. Le moral est assez bon car on compte sur les arbres et les broussailles pour masquer l'entrée de la grotte à laquelle on accède par un difficile sentier de chèvres. On prend même une photo « historique » du groupe rassemblé sous le vaste porche. Bien sûr, il y a les blessés, certains gravement ; et le corps de ce jeune maquisard qui vient de succomber à ses blessures et qu'on a déposé à l'écart, au fond de la caverne. Mais il reste les vivants, qui veulent vivre. Et tant qu'il y a de la vie, comme on dit, il y a de l'espoir !

« Les voilà ! » crie soudain une voix, tirant de leur silence tous les hôtes provisoires de la caverne. Chacun frémit, raconte le commandant Pierre Tanant *, chacun frémit à l'annonce de la catastrophe que l'on espérait éviter ! Une vingtaine de silhouettes verdâtres se profilent, menaçantes, à l'entrée de la grotte et des balles ricochent contre les parois de la falaise. Les quatre prisonniers allemands se précipitent en levant les mains en l'air et en criant : « *Nicht schiessen, nicht schiessen !* » (Ne tirez pas !) Un adjudant SS s'avance et hurle : « Debout, les mains en l'air ! » Il aligne tout le personnel valide contre la paroi et fait braquer sur eux mitraillettes et fusils. Et, pendant ce temps, les soldats se mettent à piller tout ce qui se trouve dans la grotte. Détail horrible, ils arrachent les pansements des blessés pour vérifier si ce ne sont pas des terroristes valides camouflés ; ils vont même tirer sur le cadavre déposé au fond de la grotte pour s'assurer, sans doute, qu'il est bien mort !

« Les blessés capables de marcher, ajoute le

---

* *Vercors, haut lieu de France,* du commandant Pierre Tanant.

commandant Tanant, reçoivent l'ordre de se lever. Ils sont onze. Les autres sont gardés à vue sur place. L'un derrière l'autre, le personnel de l'hôpital (dont Etty) et les blessés sont acheminés ver le hameau de Rousset. En route, ils sont injuriés, brutalisés et prévenus qu'ils vont être fusillés. »

L'auteur poursuit : « A leur arrivée au Rousset, on les enferme dans un réduit immonde et soigneusement gardé... Aussitôt après le départ de la petite colonne, les Allemands se sont précipités sur les quatorze malheureux incapables de se mouvoir. Ils les ont transportés sur des brancards, d'abord dans une charrette, en direction de Die, puis ils ont rebroussé chemin, prenant plaisir à les secouer pour raviver leurs blessures, puis, lâchement, les ont assassinés à coups de fusil ou de mitraillette.

« Enfin, ils ont poussé les cadavres sur les pentes du mamelon, les faisant rouler et les entassant ensuite, les uns sur les autres, en un affreux charnier. »

Tous ces détails horribles ont été fournis par un témoin du massacre, l'infirmière Anita qui était restée à la Luire avec les blessés. Plus tard, Etty, devenue mon guide spirituel, après le « départ » de Mamy, confirmera les faits.

« Le 25, poursuit le commandant Tanant [jour anniversaire d'Etty qui avait juste vingt-cinq ans !] vers midi, les médecins, l'aumônier, les infirmières, l'officier américain et les blessés sont embarqués dans un car pour être transférés à Grenoble. Un moment plus tard, les blessés sont rassemblés dans une prairie et fusillés... Vingt-quatre blessés achevés, tel est le bilan de la tragédie de la Luire. »

Elle ne devait pas s'arrêter là. Les médecins allaient à leur tour être fusillés au terrain d'artillerie du « Polygone » et sept infirmières envoyées en déportation au camp de Ravensbrück.

Etty se trouve parmi elles ; de la prison de Saint-Paul à Lyon, où on l'a incarcérée provisoirement avec ses compagnes, Etty a le courage d'écrire à sa mère : « Ne vous inquiétez pas, tout va très bien. Le moral est bon. »

Plus tard, dans le wagon « Vercors » partant pour l'Allemagne, elle chante pour redonner courage à ses compagnes. L'une d'entre elles, Alice, parlera d'elle en ces termes : « C'était une fille charmante, très aimée de ses camarades, très courageuse, avec beaucoup de cran... Elle savait pourtant les dangers, mais elle en riait... Elle était capable de donner sa vie pour une belle cause... toujours gaie et très " mère poule ". Sa mère comptait beaucoup pour elle. »

A l'hôpital de Saint-Martin-en-Vercors, une autre de ses nouvelles collègues la décrira comme une « grande et belle jeune fille ». Etty était alors infirmière-major. Et la jeune infirmière dira encore : « Etty m'accueillit simplement, le sourire aux lèvres. Sa main ferme serra la mienne et elle me conduisit de chambre en chambre, entre les lits où reposaient les blessés. Dès l'apparition de la blouse et du voile blanc d'Etty, je voyais les têtes se soulever de l'oreiller et le rictus de la douleur faisait place à un bon sourire... Elle s'approchait d'un lit, posait sa main fraîche sur un front brûlant ; quelques paroles d'encouragement et la figure crispée du malade se détendait. »

Le 11 août au matin, c'est le départ pour Ravensbrück. C'était l'un des derniers convois de déportés. Hélas, Etty en était. Personne ne l'a plus jamais revue vivante.

Je vais souvent dans le Vercors, prier pour tous mes

copains qui ont laissé leur vie là-bas, dans d'atroces conditions parfois, et malgré toute ma foi, j'ai du mal à faire taire ma peine, voire ma rancœur.

Ce jour-là, nous étions allés à la grotte de la Luire, à Saint-Agnan, à La Chapelle-en-Vercors. Il faisait très beau et le soleil brillait sur ce pays magnifique. Le soir, en rentrant, au moment de notre prière, Daniel entre en transe et le médecin X vient me parler :

« Tu es allée dans le Vercors à la grotte de la Luire, cet après-midi et tu as pleuré ; avec la mission qui t'est confiée, tu dois dominer tes émotions et tes regrets. Le sang a séché, les fleurs ont refleuri, les oiseaux chantent, le passé est le passé. Tu dois pardonner.

— Comment peux-tu dire cela, répondis-je, tu n'as pas connu...

— Tu crois ? Eh bien, je vais te dévoiler ma dernière incarnation. Je suis Etty. Un de ceux qui ont fait le sacrifice de leur vie pour la paix sur la terre. »

Mon émotion a été si violente que je me suis mise à sangloter. Je savais parfaitement qui était Etty. Une plaque lui était dédiée à la grotte, en tant qu'héroïne de la Résistance. Devant mon chagrin, Etty me dit : « Ne pleure pas, écoute ! »

Alors j'ai entendu le *Chant des partisans*, sifflé par de nombreuses voix d'homme, et je me suis endormie comme une masse...

Le lendemain, le sentiment d'avoir vécu quelque chose d'irréel et de fantastique m'inonda. Mais j'étais loin d'imaginer la suite. Etty et moi avons vécu une « histoire d'amour » qui dure encore puisqu'elle est toujours à mes côtés, fidèle et présente. Nos sentiments sont devenus plus intimes à partir du moment où j'ai eu la révélation de sa dernière identité terrestre ; nos

« conversations » ont été plus amicales, familières et personnalisées.

Elle avait été arrêtée à la grotte de la Luire le 27 juillet 1944. C'est la guerre, me dit-elle, qui l'avait amenée là ; elle était infirmière et assistante sociale, avait travaillé au tribunal de Valence auprès du juge pour enfants et voulait consacrer sa vie aux enfants en difficulté.

« C'est moi, me confia-t-elle, qui ai " influencé " pour te faire connaître Roger Masse-Navette. Je savais que cet être très sensible (né comme moi à Valence) te comprendrait et t'aiderait. C'est moi qui ai " poussé " pour que tu rentres à l'Action éducative, car je savais que la mission qui allait t'incomber te permettrait d'aider et de sauver beaucoup d'enfants, beaucoup de bébés ; c'était mon ambition mais j'ai dû mettre mon idéal au service des blessés et des mourants de l'armée de l'ombre. »

Au cours de très nombreux entretiens, elle me parla du Vercors, de son arrestation, de sa déportation, me donnant de très nombreux détails, par exemple que, le jour où on devait lui raser la tête — elle avait de beaux cheveux —, elle les a coupés elle-même et les a jetés aux pieds de l'Allemand du camp, en lui disant : « C'est fait, inutile de me toucher ! »

Elle m'expliqua qu'arrivée à Ravensbrück, on voulait la faire travailler dans une usine souterraine d'armement. Elle a refusé et, de ce fait, elle a été dirigée vers le camp de la mort lente à Königsberg, en Prusse-Orientale : réveil à 3 heures, appel jusqu'à 6 heures, travail de terrassement, par moins trente degrés en dessous de zéro, avec sa robe d'été, puis le retour à Ravensbrück et enfin le four crématoire. « J'étais dans un état lamentable, me confia-t-elle ; j'étais heureuse d'en finir et je suis rentrée dans le four en chantant *la Marseillaise.* »

Pardonnez ces tristes détails, mais la personnalité d'Etty, son héroïsme doivent être connus car c'est grâce à cet immense courage qu'elle peut aujourd'hui se manifester avec une telle puissance.

Etty était de famille protestante, mais elle n'avait pas la foi. Avant le camp, elle croyait seulement en l'homme. C'est en déportation qu'elle a trouvé Dieu.

« Qu'as-tu fait, lui ai-je demandé un jour, à ton " réveil ", après le four crématoire ?

— Rien, me dit-elle, rien pendant environ trois mois de votre temps, car il a d'abord fallu que je pardonne ! »

Puis elle a pardonné totalement, entièrement. Et elle s'est mise au travail. La guerre avait changé de face et c'étaient les bourreaux qui avaient besoin d'aide. Elle avait compris que la vengeance engendre la haine et que seul le pardon permet aux hommes d'évoluer.

Depuis qu'Etty s'était révélée, je n'allais plus seule à la grotte avec Daniel, mais j'emmenais tout notre groupe. Nous allons souvent, maintenant, nous recueillir dans ce lieu et porter un petit bouquet à celle qui nous a donné la plus fabuleuse preuve de survie de l'âme qui puisse être donnée à un être humain.

Etty est le plus grand, le plus efficace de tous nos médecins de l'espace. Elle m'a dit un jour avoir été médecin avant sa dernière vie. Elle a donc tout simplement retrouvé ses possibilités. Nous pensons aussi qu'elle dirige les médecins du ciel. Le grand patron, en quelque sorte ! Mais elle ne l'a jamais dit.

Et quand au milieu des pierres, en nous tenant la main, dans cette grotte si émouvante, avec elle et en mémoire d'elle, nous prions pour tous ceux dont ce fut ici le tragique holocauste, nous disons tous : merci,

Etty, pour ton inlassable dévouement, pour tout ce que tu nous donnes, pour le passé, pour le présent, pour le futur. Car demain nous aurons encore besoin de toi et tu seras encore là, présente, fidèle, dévouée.

Etty est son nom de Résistance. Elle m'a demandé de ne jamais prononcer son nom de famille dans les conférences et ailleurs ; elle pense que ça n'est pas important et que ce qu'elle a fait et vécu sous le nom d'Etty seul compte.

Un soir, j'ai pris conscience de ce que, si elle vivait encore, elle aurait quelques années de plus que moi et que peut-être elle a encore de la famille en vie. « Ça t'intéresse ? On verra ça... », me dit-elle.

Quelques jours plus tard, une dame très asthmatique vient me voir. Cette jeune femme avait près d'elle une entité qui l'étouffait littéralement ! Je ne pouvais pas lui parler de ce phénomène. Je prie très fort, en essayant d'expliquer à cet esprit, par la pensée et silencieusement afin de ne pas perturber cette femme, qu'il doit partir et la laisser tranquille. Je lui demande si elle a perdu quelqu'un brutalement. Ces phénomènes peuvent se produire après un décès soudain, surtout chez quelqu'un de jeune et de non préparé. Elle m'avoue, très surprise, qu'elle a perdu un fiancé quelque temps avant le mariage et que sa maladie a démarré après. Bien sûr, je lui assure que ce doit être le choc car il n'est pas toujours bon de dire la vérité à certains patients, surtout si ça ne sert à rien. La force de la prière et le magnétisme sont bien suffisants en pareil cas.

La semaine suivante, cette dame revient, disant qu'elle va bien, que cela tient vraiment du miracle, qu'elle dort bien, etc., et me demande si elle peut m'amener une amie, Mlle M. Je sursaute à ce nom, celui d'Etty. Et comme une sotte, je lui demande si c'est la même famille. « Non, me répond-elle, mais elle connaît bien la maman d'Etty qui vit dans une maison de retraite de l'Éducation nationale, dans le Midi. J'ignorais totalement que la mère d'Etty vivait encore. Et cette charmante personne avise la famille restante de notre chère Etty.

Je reçois une lettre de sa mère me disant :

« J'apprends que vous avez connu ma fille Etty. Où l'avez-vous connue ? Pendant ses études d'infirmière, au maquis, ou en déportation ? »

Je réalise ma sottise. Car je n'ai jamais connu Etty vivante et je ne sais comment m'en tirer.

J'interroge Etty : « Que dire ? » Elle me répond : « La vérité. Mais maman est très désespérée, pleine de haine pour ceux qui m'ont tuée ; elle a perdu toute foi et toute espérance, n'a jamais pu pardonner. Les choses seront difficiles, mais je t'aiderai. »

Je suis allée la voir car il est des choses qui ne peuvent se dire que de vive voix.

Ce voyage, on s'en doute, était très important pour moi. Etty m'avait dit tant de choses sur son enfance, son adolescence, sa vie. J'allais pouvoir tout vérifier ; c'était le voyage de la vérité et, comme tout bon saint Thomas qui sommeille en chacun de nous, j'avais hâte d'entendre la maman d'Etty.

Lorsque je suis arrivée dans cette maison de retraite, j'ai aperçu une dame dans le couloir qui me fixait avec de grands yeux noirs. Je me suis jetée vers elle ; j'étais sûre que c'était elle ! Nous avons bavardé toute la journée ; elle était plus qu'incrédule, et bien qu'elle eût une amie près d'elle, Léo, qui avait bien souvent tenté de lui transmettre un peu de sa propre foi, pour elle sa fille était morte et bien morte.

Nous nous sommes quittées avec beaucoup de peine.

Elle était déjà très ébranlée car plusieurs fois elle s'était exclamée : « Mais comment pouvez-vous savoir cela ? Seules Etty et moi le savions ! » Puis elle m'a tout de même raconté un phénomène vécu le jour de la mort d'Etty dont elle ignorait la date, évidemment, mais elle n'avait pas compris le message.

En mars 1945, elle habitait une petite maison à un étage. Le soir, couchée, sa robe de chambre suspendue à une patère, elle lisait, plutôt heureuse car, si elle n'avait eu aucune nouvelle de sa fille, elle avait entendu à la radio que le camp de Ravensbrück était évacué, que les Russes arrivaient... Elle espérait que tout allait se terminer : la fin de cette horrible guerre, enfin !

Tout à coup, elle entend frapper à la porte de sa chambre et croit rêver, car la porte du bas, fermée à clef, ne pouvait laisser passer personne. Inquiète, elle écoute, attentive. Trois coups, à nouveau, très forts. Trés étonnée, elle se lève, ouvre la porte et, dit-elle : « Je vois ma fille, debout, en pyjama rayé ! (à l'époque personne ne connaissait la tenue des déportés). Je veux la prendre dans mes bras, folle de joie, en lui disant : " Vivante, tu es vivante ! " Elle m'a regardée avec ses grands yeux noirs et m'a répondu : " Pas tout à fait, maman ! " et elle a fondu. Sous mes yeux ahuris, elle est " rentrée dans le plancher ". Je me suis habillée comme une folle et suis partie raconter cela à mes voisins amis qui m'ont dit : " Vous avez rêvé, bien sûr ! " J'étais certaine de ne pas avoir " rêvé ". Je ne dormais pas. Je ne suis ni folle ni visionnaire. » Et lorsque les autorités françaises ont fourni la date exacte de la mort d'Etty à sa mère, elle s'est immédiatement rappelé que c'était bien ce jour-là, inoubliable !

Etty était assez contente de cette première rencontre et un jour, en plaisantant, nous avons « échangé » nos mamans. « Je te donne la mienne qui est dans le surmonde, tu me donnes la tienne ! »

Nos relations sont devenues très vite plus que chaleureuses et j'ai pris en charge Hélène et Léo, la maman de mon Etty bien-aimée, et son ombre, son double, sa meilleure amie. On ne les voyait jamais l'une sans l'autre, on les appelait Nénette et Rintintin !

Rintintin était une vieille demoiselle, ancienne enseignante, qui partageait toutes nos idées et croyances ; elle chantait tout le temps, une véritable joie de vivre l'habitait. Souvent, elle tentait d'expliquer à Hélène que la mort n'existait pas et qu'Etty était bien « vivante » quelque part. Hélène répondait invariablement : « Taisez-vous, Léo, vous dites des sottises ; ma fille est morte ! »

Nous ne pouvions pas les séparer et nous les invitions ensemble. Tout d'abord, elles sont venues passer un mois de vacances chez nous, puis deux, puis les fêtes de Noël. Tout le groupe les aimait, les chouchoutait. Le jour de la fête des Mères, au cours de la première année de leur séjour à la maison, Hélène a reçu autant de cadeaux, offerts par des jeunes filles du groupe, qu'il y avait eu d'années de séparation... Petit à petit, Hélène revivait, retrouvait une raison d'exister et, en retrouvant la foi à notre contact, d'espérer.

Dès leur arrivée, le programme était établi. Nous organisions des excursions en montagne et il leur arrivait de chanter avec nous à tue-tête. Nous montions encore des spectacles, à l'époque, et Léo a voulu participer à des sketches humoristiques. Elle se disputait la vedette avec Élise, notre clown. Un jour, je ne sais plus pourquoi, nous lui avons fabriqué un costume de diable, avec une queue ; elle est restée trois heures debout pour ne pas l'abîmer, à plus de soixante-dix ans !

Un soir où nous avions chanté en chœur après un repas pris en commun, elle tint à nous interpréter *Perrine était servante chez M. le Curé!* et elle mimait la chanson avec un médecin du groupe, Sylvain, qu'elle aimait bien. Il n'était pas là, ce jour-là, et fut remplacé par un copain. Mais après le baiser final, Léo, très digne, nous regarde tous et déclare, superbe : « Il ne vaut pas Sylvain, il n'embrasse pas aussi bien! »

Les années, en passant, courbaient un peu nos deux amies très chères et j'avoue que nous les gâtions beaucoup. C'était un bonheur pour nous. Deux fois par an, nous allions leur rendre visite chez elles. Un jour, notre ami Étienne, baryton à l'Opéra, nous a accompagnés et a chanté pour elles et pour tout l'établissement. Elles étaient si fières!

Hélène écoutait tous nos amis lui parler d'Etty, des merveilles accomplies par sa puissance. Elle avait les yeux mouillés de larmes en réalisant ce que sa fille représentait pour nous tous, du plus petit au plus grand. Pas un foyer qui n'ait la photo d'Etty avec une fleur devant, dans sa chambre ou dans son salon. Un jour, elle n'y tint plus : « Maguy, je veux parler à ma fille! »

« Pas encore, disait Etty; elle n'est pas tout à fait prête. J'y tiens trop, c'est ma mère... »

Il est certain que beaucoup de nos « invisibles » hésitent à entrer en contact avec les leurs, tant leur évolution spirituelle a été fulgurante dans le « surmonde ». Ils ont très peur de ne pas être reconnus. Il se produit autant de changements, parfois, avant et après la mort, m'expliquait un jour Etty, qu'entre un enfant de cinq ans et un homme de soixante. Pourtant, c'est bien le même être. Mais demandez donc à un homme de soixante ans le nom de son ours préféré quand il avait quatre ans!

Enfin, un soir, la rencontre s'est faite. Pendant deux heures, Hélène a pu converser avec sa fille. Cette soirée a été l'une des plus belles, des plus bouleversantes de ma vie. Hélène a reconnu formellement sa fille et n'a plus jamais, plus jamais douté. De ce jour, la foi de son enfance lui est revenue ; elle a participé à nos réunions de prières, ayant retrouvé le bonheur, la sérénité, la paix intérieure, totalement libérée de la peur de la mort.

Le dernier Noël d'Hélène sur la terre arrivait. Elles n'ont pu venir aux Eymes et Daniel et moi sommes allés les chercher pour les emmener dîner et coucher dans un grand hôtel des environs. Elles étaient comme deux pensionnaires déchaînées ! Nous avions bien fait. Peu de temps après, Hélène, âgée de quatre-vingt-dix-sept ans, se cassa le genou. Transportée à l'hôpital, mal soignée, je l'ai récupérée pleine d'escarres. Elle a séjourné dans une clinique de chez nous avec un horrible plâtre qui la faisait beaucoup souffrir. Elle était complètement décalcifiée et le médecin nous annonça que la fracture ne se ressouderait pas. Alors, je l'ai fait transporter à la maison, où elle a paisiblement fini ses jours. La grande chaîne de solidarité a joué ; le médecin, l'infirmière, le « kiné » venaient chaque jour. Elle s'est endormie, entourée de l'amour de tous.

Peu après son départ, elle nous a « envoyé » ce témoignage que je livre ici :

« J'ai été et reste la maman d'un être qui vous est très cher. Ce soir, j'apporte mon témoignage. Témoignage de sympathie, de gratitude. Je dois beaucoup à cet enseignement simple et merveilleux que vous recevez forcément dans ce groupe et que j'ai écouté dans les derniers instants de ma vie terrestre. Comme beaucoup, j'ai été une maman avec des enfants. Comme beaucoup d'autres mamans, j'ai vu partir mon enfant, comme beaucoup d'autres, j'ai versé tant et tant de larmes, j'ai pleuré, j'ai prié, j'ai imploré, sans savoir la profondeur de cette prière. J'ai demandé au Seigneur, maintes et maintes fois, de me laisser revoir ma petite sur la terre et le Seigneur ne l'a pas permis. La vie, la méchanceté des hommes non plus, car c'est bien de là que vient la méchanceté : de l'ignorance de l'être humain qui parfois n'est plus qu'une bête ou réduit à l'état tel.

« Toute cette richesse que vous détenez, il a fallu attendre et marcher longtemps pour la découvrir. Pendant de longues années, je me suis refusé à la disparition de cette fille qui n'est jamais revenue, mais Dieu a été bon pour moi. Dans sa miséricorde, pour combler ce vide immense, il a su mettre à mes côtés une personne toute douce, toute silencieuse, tout insignifiante qui, à pas feutrés, avec beaucoup de patience, a su m'écouter pendant des heures, qui a su, avec une grande sagesse, m'aider à accepter et à comprendre, qui a su me préparer à votre rencontre, la rencontre avec la vérité.

« Lorsque, sur mon chemin, j'ai rencontré vos chefs de groupe, une rébellion, bien sûr, s'est encore fait sentir, mais j'étais préparée par l'amour, la présence de cette compagne. Il m'avait fallu parcourir un long chemin noyé de larmes, il m'avait fallu cette amie fidèle pour être prête au pardon.

« Je n'ai pas retrouvé mon enfant perdu sur cette terre, mais j'ai retrouvé une famille, j'ai retrouvé beaucoup d'amour, j'ai retrouvé des enfants aimants, petits et grands, j'ai retrouvé des êtres de bonté et ils m'ont rendu ma fille. Que de larmes, de misères, que d'ignorance vaincue pour enfin retrouver mon enfant qui ne m'avait jamais abandonnée, qui n'avait pas disparu, qui m'avait toujours aimée du véritable amour !

« Que Dieu permette à toutes les mamans qui ont perdu leur enfant de le retrouver comme j'ai retrouvé la mienne, de savoir pardonner aux bourreaux, comme j'ai pu le faire, de retrouver la paix, la sérénité et de quitter cette terre heureuse, sans haine.

« Écoutez-moi ! Après une vie de regrets, de remords, de haine, de mauvaises pensées, il n'est pas facile de pardonner. Je l'ai fait grâce à vous.

« Les guerres sont atroces, c'est pourquoi il faut prier. La prière, c'est l'appel de tous ; la prière, c'est la bonté, c'est voir grandir ses enfants, les voir sourire, pouvoir les nourrir ; la prière, c'est leur apprendre à aimer, c'est la liberté.

« Rien ne pourra se réaliser sur terre si la prière n'est pas l'acte incorporé à la vie de tous les jours. Nous, les mères sacrifiées, nous avons la foi, nous pensons que nos enfants ne sont pas partis pour rien, que leurs sacrifices et leurs prières feront la paix de demain.

« Le sacrifice de leurs vies, leurs souffrances, ne peuvent être inutiles. Ils ne veulent plus de massacres, de génocides, d'enfants qui hurlent, de larmes, de misère. Nous voulons tous la lumière rayonnante, le bonheur de vivre, donner et partager le bonheur.

« Sachez aimer tout comme je l'ai été, avec vos cœurs simples et purs. Il faut, à l'heure actuelle, déployer beaucoup de forces et de pensées d'amour pour aboutir à la paix.

« Je suis fière de mon enfant retrouvée mais je suis fière de vous, mes enfants spirituels, qui m'avez donné, avec votre amitié et votre sourire, la paix dans mes derniers jours sur terre.

« Vous m'avez réappris à aimer. »

Même quand Hélène n'entendait plus, Léo restait assise sur le lit de son amie, lui tenant la main et lui parlant, pendant des heures. Puis elle est retournée bien tristement dans sa maison de retraite. Mais il lui a été impossible de s'habituer à la solitude ; elle n'avait plus ni son « double » ni sa « famille », notre groupe qui lui manquait trop. Elle est donc revenue à la maison, où elle est restée quatre ans encore. C'était la bonne grand-mère des enfants. Léo n'était vraiment pas riche, mais Hélène avait prévu pour elle un petit pécule à toucher après sa mort. Léo en profitait pour gâter les enfants en cachette et aider les gens en détresse. Nous ne l'avons su qu'après son décès. Pour Noël, elle avait commandé un tas de cadeaux et distribué l'argent à certaines œuvres, toujours sans nous le dire. Nous la grondions parce que nous voulions qu'elle pense un peu à elle. Jugez de notre émotion lorsque sont arrivés les cadeaux, après son « départ » ! Léo était si généreuse et sa foi si profonde qu'elle oubliait de penser à elle.

A son décès, deux phénomènes se sont produits.

Léo avait une peur panique des « perfusions ». Pour elle, ce n'était qu'un moyen de prolonger la vie et elle nous faisait jurer de ne jamais lui imposer ça. « Surtout pas de réanimation ! nous disait-elle. Je l'interdis ! Pensez donc à mon âge ! »

Au fond, elle avait sûrement envie de rejoindre Etty et sa mère. Elle est tombée malade brutalement, comme une lampe qui baisse et va s'éteindre. Lorsque le médecin a pris la décision de la réhydrater par perfusion, je lui ai fait part de la peur de Léo, de son refus. Mais, pour l'aider, nous avons tout de même décidé de le faire. Mais quand l'infirmière est arrivée, toutes les veines piquées ont éclaté les unes après les

143

autres. Impossible de poser la perfusion ! Et — c'était le soir — toutes les lampes se sont éteintes sans raison.

Léo est morte comme elle avait vécu, petite souris silencieuse. Comme nous l'avons pleurée ! Il est humain de pleurer son parent, son ami... même si nous ne pleurons alors que sur nous-même, sur la perte de l'être aimé. Mais Léo était un être joyeux qui avait horreur des larmes et répandait la gaieté autour d'elle. A sa mort même, elle nous a joué un drôle de tour.

Nous avions décidé de faire une veillée de prières pour l'accompagner. Son cercueil, déposé sur des tréteaux, dans notre grand sous-sol qui nous servait depuis longtemps de garage et de salle de réunion, nous trouvait tous réunis. Tous les membres du groupe étaient là, en prière. Lorsque, soudain, Léo se manifeste et nous raconte une histoire fort drôle. Était-ce la détente après l'émotion trop forte, la joie de l'entendre égale à elle-même, de l'autre côté, malicieuse, ravie ? Tout le monde se mit à rire, à rire, à gorge déployée ! En levant la tête, à cet instant, j'aperçois à la porte le fleuriste qui livrait des gerbes, la bouche ouverte, les yeux fixes, qui contemple cet étrange spectacle : cent cinquante personnes riant aux éclats devant un cercueil ! Évidemment, devant sa tête, les rires ont redoublé... Comment voulez-vous après cela que les bruits les plus bizarres ne circulent pas sur notre compte ?

Mais ceux qui sont « là-haut » nous changent, nous transforment, inévitablement. On ne peut vivre cette expérience exceptionnelle sans que toutes nos valeurs, nos idées sur le monde, sur la vie, sur notre destin en soient profondément ébranlées.

Delphine est vraiment représentative de cette mutation que la connaissance spirituelle peut entraîner.

Delphine, jeune femme gâtée par la vie, était surtout

occupée d'elle-même et très égoïste. Amenée au groupe par son mari, qu'elle avait bien voulu suivre, elle prit conscience du vide de son existence. « D'un seul coup d'un seul, nous dit-elle, j'ai réalisé qu'il fallait que je vive avec les autres, que j'apprenne à les écouter mais j'ai surtout compris qu'il faut sortir de soi, se dépasser et que nous avions en nous-même des possibilités extraordinaires. »

Un jour, elle dit à Etty : « Je ne veux plus vivre comme ça ; je veux apporter, donner ! » Et elle s'entendit répondre : « Donner est bien, encore faut-il savoir donner ! »

Cette seule petite phrase d'Etty a constitué le choc nécessaire. « Je n'étais pas assez riche dans mon cœur pour donner vraiment, sans arrière-pensée, anonymement, comme on doit le faire ! » nous confessa-t-elle.

Pendant quelques années, le groupe lui a été nécessaire ; c'était sa famille, son oxygène, je dirais presque : sa drogue. Puis elle a évolué et trouvé son autonomie. D'assistée, elle est devenue « locomotive ». Elle fait maintenant partie des piliers du groupe.

Elle me dit un jour : « Le groupe a été mon rayon de soleil ; je suis devenue tolérante et, si un jour je rencontre l'épreuve, je saurai encaisser. Mais je sais que je ne serai pas seule. Dans cette chaîne dont je fais partie, l'amour des autres sera là ! »

Etty avait une camarade de promotion, Émilie, qui s'était activement occupée d'Hélène, la maman d'Etty, depuis la disparition de celle-ci. Elle avait essayé de la rejoindre à la grotte de la Luire au moment des événements, mais les Allemands occupaient le col du Rousset et elle n'avait pas pu passer. Elle avait ainsi eu la vie sauve.

Quand Hélène a fait notre connaissance, Émilie,

forte personnalité, occupait un poste hospitalier important dans le midi de la France et a été scandalisée que nous puissions perturber cette femme âgée avec nos « sornettes ». Elle m'écrivit une lettre très dure : « Pourquoi troubler cette pauvre maman qui a tant souffert ? Pourquoi, en reparlant d'Etty, raviver sa douleur ? Je ne suis pas d'accord avec vous ; ce sont des procédés indignes ! »

Comme toujours en cas de difficulté, je demande à Etty ce que je dois faire. « Rien, dit-elle ; surtout ne discute pas ; elle est intelligente ; elle viendra d'elle-même. »

Je n'ai donc pas répondu. Quelques mois ont passé et l'été suivant, pendant le séjour de Léo et d'Hélène aux Eymes, Emilie est arrivée un jour à l'improviste, pour voir ses amies, « en passant »... Nous nous sommes observées toute la journée, avons parlé de tout et de rien et le lendemain une bonne camaraderie nous unissait ; elle s'est vite transformée en amitié. Très rapidement, Etty est « venue lui parler ». Je revois la scène. Nous étions en prière, à 20 h 30 comme tous les jours. Daniel entre en transe et dit d'une voix claire et forte : « Bonjour ! Hé oui, c'est moi, bien moi, Malolo... »

Emilie, blanche comme un linge, a sauté en l'air car, à part elle-même et Etty, personne ne savait, et surtout pas nous, qu'elle appelait toujours Etty « Malolo ».

Ce contact a été décisif. Comme toujours en pareil cas, Emilie est devenue notre amie. Il fallait faire vite : elle était déjà malade et l'ignorait. Elle est venue me seconder pendant les derniers instants sur terre de notre amie Hélène, en la veillant tour à tour. Un jour, me prenant dans ses bras, penchée sur Hélène, elle lui dit : « Voici vos deux filles ; il en faut bien deux pour

146

remplacer Etty. Bénissez-nous ! » J'ai vu ce jour-là des larmes sur les joues d'Hélène qui ne pleurait jamais... depuis qu'elle en avait tant versé.

Lorsque la terrible maladie s'est déclarée, quelques années plus tard, elle est venue vers nous immédiatement. Nous savions l'une et l'autre que le compte à rebours était commencé pour elle. Elle est venue plusieurs fois se reposer, se faire traiter, chercher des forces spirituelles et énergétiques puis elle est partie rejoindre Etty.

J'ai perdu une amie sur la terre mais j'en ai gagné une au ciel...

Etty, un soir, nous a transmis un grand message...

Après son arrestation, elle avait été transférée à Lyon et reçue par Barbie, le chef de la Gestapo. Lorsque celui-ci a été arrêté et transféré en France, un soir, j'ai demandé à Etty son avis sur cet événement. Mais dès que le nom de Barbie a été prononcé, Daniel a été agité de tremblements si violents qu'il n'a pu conserver l'incorporation d'Etty. Mais elle s'est vite ressaisie. Elle m'expliqua que certains noms étaient chargés de radiations si intenses qu'ils étaient insupportables à entendre.

J'ai fait, à la Sorbonne, une conférence sur Etty, expliquant notre histoire. Cette causerie a été filmée et une vidéocassette en a été tirée. C'est une preuve de la survie après la mort. Etty a accepté que s'étale sa vie en public pour diverses raisons. Voici ce qu'elle-même nous a précisé : « Laissez-moi vous dire ce soir, pour l'apaisement de vos consciences, que ceux qui ont été nos tortionnaires, où qu'ils soient, d'où qu'ils viennent, quoi qu'ils fassent, à l'heure actuelle nous importent peu.

« Personnellement, je pense qu'il vaut mieux laisser

leur liberté à ces êtres pour que nous soyons tous libérés nous-mêmes. Quelle importance peut avoir la vengeance ? Chez nous, elle n'existe pas. La vengeance entraîne le remords ; laissons-le du côté de l'attaquant plutôt que du côté de l'attaqué.

« Il vaut mieux être du côté de celui qui a subi que de celui qui a commis le crime. Si l'indifférence fait place à la rancœur, si le pardon fait place à la haine, la conscience de chacun détermine sa punition ou sa joie. La purification vient ainsi, l'évolution se fait de la sorte.

« Cette attitude n'est pas facile mais nécessaire pour qu'un jour des liens de camaraderie naissent, pour que, peut-être, se nouent des liens amicaux que rien ne viendra détruire.

« Il faut marcher ensemble, progresser ensemble vers le même but. Nous ne serons jamais seuls. Nous arriverons ensemble.

« Je suis très émue d'être citée en exemple et j'accepte au nom de tous les autres, de tous ceux qui sont partis, comme moi, victimes de l'ignorance des hommes.

« Pour un lendemain meilleur, que notre témoignage puisse être un message d'espérance, de liberté pour chaque homme. La certitude d'une vie après la vie terrestre, la certitude qu'une immense chaîne relie nos deux mondes, le visible et l'invisible, pour que demain la terre connaisse plus d'amour, de tolérance et de liberté... »

Troisième partie

LES MALADES

La maladie est un dysfonctionnement, un déséquilibre, un manque d'harmonie. Je pense, pour ma part, que toutes les maladies — ou presque — naissent dans le corps éthérique ou astral, mais certaines peuvent venir de l'âme, ou corps spirituel.

Le corps physique est le véhicule, le support des autres corps. En cas de conflit, les énergies sont bloquées et peuvent entraîner la maladie physique. J'ai souvent vu des gens bien portants, apparemment en pleine forme, foudroyés par un très gros ennui, incapables de surmonter le choc. La maladie grave s'ensuit.

Un soir, des amis de Grenoble me téléphonent, me demandant d'aller les voir immédiatement pour raison grave. La dernière de leurs enfants, Jocelyne, seize ans, avait été emmenée au commissariat de police. Surprise en train de voler dans un magasin, elle était complètement droguée et les parents découvraient avec stupeur ce dont ils n'avaient pas le moindre soupçon : Jocelyne, enfant brillante, ne travaillait plus en classe depuis quelques mois, leur échappait et les déroutait, il est vrai, mais ils étaient loin d'imaginer qu'elle se droguait. En partant, devant l'effondrement de cet homme qui adorait ses enfants, je dis à Daniel : « Lucien est si choqué qu'il ne s'en remettra pas, j'en ai peur. » Six mois plus tard, un cancer foudroyant se déclarait et dix-huit mois après, il était enterré.

Un autre exemple, un peu différent dans la forme mais non dans le fond, illustrera mon propos. Juliette, mariée, heureuse, part pour l'Angleterre avec des amis. Son mari, très « courageusement », en profite pour lui annoncer par téléphone qu'elle peut rester où elle est si elle en a envie et qu'il part, pour refaire sa vie avec une autre femme. Juliette ne se doutait de rien. Le choc fut si fort qu'elle devint aphone sur-le-champ. Plusieurs médecins consultés ayant dit qu'ils ne pouvaient rien pour elle, elle atterrit chez moi et retrouva sa voix après trois séances de magnétisme. Bien entendu, dans les affections psychosomatiques, le guérisseur a des moyens d'action privilégiés.

A quelque temps de là, Juliette reçoit une lettre anonyme lui disant que sa bronchite récente était un cancer et qu'elle allait mourir. L'année suivante, un cancer se déclara et personne ne put rien pour elle. Elle n'avait, il faut le dire, plus aucune envie de vivre, à quarante-cinq ans... Elle avait perdu toute foi, toute espérance.

Dans ces deux exemples, la répercussion du choc moral a été irréversible. Il en est souvent ainsi chez des êtres très sensibles et insuffisamment armés devant les épreuves. Le choc crée un blocage énergétique tel que le corps physique est atteint, les vibrations ralentissent. Il faut donc que le traitement, quel qu'il soit, rétablisse la fréquence normale de ces vibrations pour que disparaisse le blocage.

Je pense qu'il existe deux sortes de magnétismes : le physique et le spirituel. Dans la guérison spirituelle, le magnétisme physique est utilisé, mais il ne constitue pas l'essentiel. Les phénomènes magnétiques sont des phénomènes vibratoires.

Depuis l'époque de Mesmer, qui croyait au magnétisme, fluide universel dont l'homme s'imprègne sans le produire, des découvertes ont été faites et le magnétisme émis par l'être humain est confirmé. Les magnétiseurs s'en servent pour aider, soulager et parfois guérir le malade. Seul l'Ordre des médecins ne le reconnaît pas.

Tous les êtres humains possèdent un peu de magnétisme, comme tous peuvent chanter ou danser... sans devenir des professionnels pour autant. Le geste de la mère qui pose sa main sur le front de son enfant souffrant fait appel, tout naturellement, au magnétisme. Parfois, des gens qui ont un jour soulagé une rage de dents, une migraine ou une douleur pensent pouvoir « soigner des malades ». Hélas, ça ne suffit pas pour se dire guérisseur et, bien souvent, cette prétention conduit à la catastrophe.

Pendant mes dix années d'initiation, Mamy, mon premier guide, avec l'aide des « médecins de l'au-delà », m'a appris à canaliser certaines sources d'énergie, à éliminer les phénomènes perturbateurs pour rétablir les fréquences brisées. Mais le magnétisme a ses limites et un malade doit toujours suivre parallèlement un traitement médical.

Il ne devrait pas y avoir clivage entre le médecin traitant et le guérisseur pour le malade qui désire recevoir cette aide supplémentaire. Pour stimuler ses défenses et l'aider à mieux profiter du traitement, le magnétisme constitue un apport indéniable.

J'ai vu des centaines de fois un traitement médical inopérant agir, comme par miracle, dès que le malade le complète par quelques séances de magnétisme.

On désigne donc par ce mot une propriété radioactive de l'individu. Le magnétisme équilibrant, tonique, régularise et stimule les fonctions organiques, accélère les réactions, les harmonise. Il apporte au malade des forces fraîches. Il réconforte et parvient, le plus souvent, à reconstituer les phénomènes vibratoires nécessaires à la guérison.

J'ai souvent comparé le rayon magnétique au rayon solaire. Si l'un baigne l'homme d'énergies, l'autre apporte la vie à la fleur, à l'arbre, à toute la création. Le traitement médical agit sur le physique, le magnétisme sur le psychosomatique. Le malade est soigné « corps et âme ».

Ce même magnétisme, accompagné par la force de la prière et de la pensée pratiquées en groupe, devient force de guérison spirituelle. Chaque individu présent émet des vibrations. Ce sont elles, captées par les médecins du ciel, qui sont présentes, « transcendées », projetées sur le malade comme une manne céleste énergétique.

« Tout est vibration », disait déjà Hermès. Plus les vibrations sont rapides et éthérées, plus elles sont efficaces. Cette méthode de guérison était déjà connue dans l'Antiquité. Dans toutes les religions, on a guéri par la prière, et Jésus qui guérissait au nom du Père, par imposition des mains, a été le plus grand guérisseur spirituel de tous les temps !

Dans le cas du magnétisme spirituel, le magnétiseur n'est plus qu'un instrument par lequel le courant passe. Il doit être le plus neutre possible, se mettre à la disposition des forces divines qui nous entourent et qui nous aident. Il est un poste récepteur-émetteur.

Le malade a fait une première démarche en venant à nous. Très vite, il comprend qu'il doit participer, se prendre en charge, ne pas subir passivement. L'effet de masse de notre groupe, par exemple, l'impressionne, le met en confiance. Il sent et voit des gens qui prient pour lui, qui ne sont là que pour sa guérison, en toute gratuité et en toute générosité. Il n'est plus seul, enfin, retrouve l'espoir et prie avec nous. Il s'associe activement à sa guérison.

Quelle que soit l'issue du traitement — et qui ne nous appartient pas —, nous parvenons toujours à remplacer la révolte par la paix, l'angoisse par l'acceptation. Et si l'épreuve doit être affrontée, la réaction face à elle est totalement différente quand la connaissance et l'amour sont partagés !

Je voudrais que dans chaque ville, chaque village, un groupe de prière soit constitué autour des malades. L'important n'est jamais l'ampleur du discours, mais le choc, efficace et positif. Et que la force-prière, jointe à la force-amour, puisse apporter la guérison de l'âme, qui guérira à son tour le corps.

A Grenoble, c'est cela que nous pratiquons tous ensemble.

On peut classer dans le cadre de la guérison spirituelle l'opération sur le corps astral.

Pour bien comprendre cela, il faut savoir que nous avons plusieurs corps : corps physique, corps éthérique qui constitue l'enveloppe du corps spirituel mais qui apporte énergie et vitalité au corps physique, si j'ai bien assimilé les leçons des médecins de l'au-delà. Ce corps-là se compose d'un « tissu d'énergies », de lignes de lumière.

Le corps éthérique est aussi physique, en quelque sorte, bien que sa substance soit trop subtile pour être visible à nos yeux, mais je pense que c'est lui que nous apercevons dans certaines apparitions.

Le thérapeute qu'est le magnétiseur va agir au niveau des centres énergétiques. Dans l'opération sur corps éthérique, Daniel, en transe, change complètement de personnage et même d'aspect et j'ai parfois sous les yeux un chirurgien qui travaille en salle d'opération ! Toutefois, cela se passe à quelques centimètres au-dessus du corps physique, sans jamais toucher celui-ci. C'est une technique complètement différente d'une séance de magnétisme par imposition des mains. J'ai l'impression que les mains sont « immergées dans le corps éthérique ».

Il faut que ces interventions soient préparées d'avance. Une importante « matière première » est nécessaire aux médecins du ciel qui s'en servent comme outil indispensable (prières, méditations, etc.). Il faut aussi que les conditions climatiques le permettent et aussi notre forme physique à tous les deux car, dans ces cas-là, nous dépensons l'un et l'autre une grande quantité d'énergie, surtout Daniel. Je l'ai vu parfois si épuisé qu'il lui fallait plusieurs jours pour réparer ses forces, selon la gravité des cas évidemment. Mais je dois dire que les « transferts » sont encore plus épuisants pour lui.

Nous avions dans notre groupe une petite fille née avec une anomalie des yeux. Le spécialiste a dit aux parents qu'elle serait aveugle. Impossible de soigner une telle anomalie par magnétisme. Etty nous dit : « C'est trop triste ; nous allons tenter une opération spirituelle. » Pendant des mois, nous avons attendu le « feu vert ».

La maman a dû prendre son bébé nu sur sa poitrine et prier de toute son âme. Une grande fatigue s'est abattue sur elle et nous avons bien ressenti qu'on puisait également de l'énergie en elle.

Cécile a maintenant neuf ans. Elle porte des lunettes teintées, a quelques problèmes de vision, mais elle suit une scolarité normale, dans une école normale, et je l'ai vue un jour « courir après une fourmi » !

L'opération « psy » la plus étonnante dont j'ai été témoin est celle de Lucie. Cette jeune femme avait eu de gros problèmes de santé après une césarienne : une fièvre élevée et persistante pendant trois semaines et un abcès à un rein. Elle souffrait beaucoup. Le chirurgien lyonnais m'a autorisée à la ramener, sachant que j'avais des médecins dans mon entourage et que son moral serait meilleur chez elle.

Une radiographie du rein est ordonnée et le chirurgien qui la voit à Grenoble décide d'opérer, d'enlever ce rein, source d'infection. Mais, chose excessivement rare, Etty s'y oppose, précisant que, vu son état de faiblesse et sa tension très basse, l'opération serait dangereuse ; elle décide de tenter une intervention « psy ».

Le temps, là-haut, n'existe pas et nous avons attendu dans l'angoisse, en pratiquant chaque jour des séances de magnétisme et en faisant surveiller cette jeune femme par nos amis médecins. Enfin, le grand jour arriva. Je vois encore Lucie, pliée en deux, monter avec difficulté sur une table... et en redescendre droite comme un I une demi-heure après !

Elle avait perdu tout appétit. Le lendemain, comme chaque jour, je lui demande ce qu'elle souhaiterait manger à l'heure du déjeuner. Agacée, elle me répond : « Du lapin aux morilles et une glace au citron ! » Daniel fait tout Grenoble pour trouver des morilles et lorsqu'elle vit sur son plateau arriver le lapin aux morilles et la glace au citron, elle fut si ébahie qu'elle mangea tout !

Bien des années ont passé depuis. Lucie n'a plus jamais été malade et elle a conservé ses deux reins !

Parmi les médecins du ciel qui sont venus m'assister dans les soins spirituels, traitant les maladies psychosomatiques comme l'asthme ou l'eczéma, apparut un jour le Dr Laënnec.

Il m'a expliqué que certaines maladies de peau chez le nourrisson, apparemment difficiles à guérir, avaient une origine karmique. Il y a dans ce cas lésion du corps éthérique qui projette la lésion sur le corps physique.

Ainsi, dans l'histoire de Julie, trois mois, qui souffrait d'un grave eczéma. Deux traitements classiques ne l'avaient pas améliorée. L'enfant hurlait la nuit. En posant la main sur elle, je reçois un flash : c'est une lésion du corps éthérique. J'explique alors à ma fille Françoise, qui m'assiste, que ce bébé dans sa dernière vie a dû mourir très brutalement.

Pour la guérir, il faut à la fois l'adresser à un dermatologue qui s'occupera des soins de peau, pratiquer parallèlement le magnétisme pour apporter l'énergie nécessaire à la guérison du corps subtil, magnétiser au niveau du plexus solaire. A ces mots, les parents bouleversés se mettent à pleurer. Ils ont très bien compris mes paroles. La maman, quelque temps avant son accouchement, a eu une vision. Elle accouchait, dans une autre vie ; des hommes l'écartelaient, tiraient son bébé à coups de couteau et la tuaient ensuite. Elle était poursuivie par cette vision et croyait à la réincarnation. De plus, Julie avait deux grosses taches sur le plexus solaire.

Lorsque les êtres ont déjà certaines connaissances, il est plus facile de les soigner car le courant passe plus rapidement. La participation du malade ou de sa famille facilite le contact avec le médecin du ciel, surtout s'il s'agit d'un bébé.

Il nous arrivait souvent de prendre des amis malades pour qu'ils se reposent à la maison. Ils partageaient notre vie familiale et recouvraient un équilibre souvent compromis, dans cette espèce de ruche joyeuse où nous vivions. Ils voyaient tant d'exemples heureux, donnaient un coup de main quand ils le pouvaient et guérissaient insensiblement, parfois sans se rendre compte de ce que, pris dans notre rythme, ils n'avaient plus le temps de s'apitoyer sur leurs malheurs. Ils participaient aux courses, à défaut de pouvoir payer une pension !

Ils habitaient loin et ne pouvaient s'offrir l'hôtel... Parfois, nous recevions aussi les amis de nos amis. Notre façon de vivre était pour eux une espèce d'électrochoc moral. Nous parlions de nos travaux, de nos contacts spirituels. Beaucoup, avec la guérison, trouvaient la foi.

Un soir arrive un jeune homme tout essoufflé qui sonne et me dit, précipitamment : « Où est la magnétiseuse ? Je voudrais bien voir la g... qu'elle a, je n'en ai jamais vu ! » Quand, moqueuse à mon tour, je réponds : « C'est moi ! » il a eu l'air ahuri... J'étais jeune à cette époque, avec de longs cheveux, et ne devais pas répondre aux critères qu'il s'était forgés d'une « magnétiseuse » ! Colette, sa femme, était dans un triste état, dépressive, couverte d'eczéma, de furonculose rebelle à toute thérapie médicale. Et, en prime, elle souffrait d'asthme. Elle ne s'était pas remise de l'accouchement, difficile, de jumeaux. J'étais un peu contrariée à cause de la furonculose, craignant la contagion pour les enfants, et j'ai vécu pendant des semaines avec une bouteille d'eau de Javel à la main.

Le médecin de l'au-delà qui l'a prise sous son aile me demanda trois mois de soins, un pour chaque maladie, et m'a expliqué exactement ce que je devais faire pour elle. Mais avant tout, elle devait faire un séjour en clinique pour inciser et traiter un anthrax sous le bras dont elle souffrait énormément.

Elle n'a pu demeurer que deux mois avec nous. Elle est partie guérie de ses maladies de peau, mais a conservé son asthme. Elle ne croyait en rien et avait été élevée par une tante qu'elle aimait passionnément et qui venait de mourir, ce qui évidemment n'arrangeait pas son état. Un soir de prières, elle nous dit : « J'ai déposé un objet dans la main de ma tante et elle l'a emporté dans la tombe. Si un guide peut me dire ce que c'est, je croirai car moi seule le sais. »

Nous avons souri en expliquant que nous n'étions pas voyants et que ce genre de devinette ne nous intéressait pas mais, au bout d'un moment, alors que nous bavardions, je vis Daniel se trémousser puis dire : « Mais vous ne sentez rien ? » et il se met à éternuer, à éternuer pour expulser de son nez du « tabac à priser » ! Nous étions tous éberlués. Et Daniel de s'exclamer en riant : « Je crois bien que l'objet en question est une tabatière ! » Alors Colette, toute droite, se lève et dit : « Je crois ! »

Ces phénomènes ne nous ont jamais intéressés et, pour être tout à fait honnête, ils se sont produits très rarement. Mais il faut croire qu'il est si important d'amener une âme sur le chemin de l'évolution que nos guides, parfois, ne reculent pas devant de petits moyens !

Pourtant, il m'est arrivé, de temps en temps, d'avoir des flashes et d'en éprouver une sorte de malaise.

La première fois que cela s'est produit — c'était très

peu de temps avant que Mamy nous laisse entre d'autres « mains » —, j'étais debout sur mon perron et regardais une voiture arriver sur le parking. Un monsieur, que je n'avais jamais vu, en descend, bute et tombe face en avant. Une certitude me submerge : cet homme a une tumeur cérébrale et je ne peux rien pour lui.

Après quelques questions, ma certitude se renforce, bien qu'il ait été traité pour dépression nerveuse. Il était aussi suivi par un ophtalmologiste pour troubles de la vue, et sa femme me précisa que les médicaments le fatiguaient, qu'il tombait souvent. Je n'ai jamais posé de diagnostic à un malade, surtout dans un cas aussi grave, et lui conseillai de faire un bilan au Centre neurologique de Lyon. Hélas, je ne m'étais pas trompée et, trois mois plus tard, cet homme décédait.

Le phénomène s'est reproduit depuis. Comme un film très rapide, très précis, que je ne peux pas expliquer et dont je me garde bien de parler... surtout depuis une certaine soirée en Italie, chez des amis. La jeune fille de la maison me présente son fiancé qui parlait très bien notre langue, très flambeur, beau parleur, sachant tout, connaissant tout, le plus beau, le plus fort, le meilleur... Il m'explique son séjour à Paris et toutes les prouesses qu'il y avait accomplies, lorsque, d'un seul coup, le flash crépite et je ne peux m'empêcher de le tancer vertement en lui rappelant qu'il s'était comporté tout autrement à Paris, et sûrement pas comme un enfant de chœur... Imaginez ma gêne, lorsque je réalise ce que je viens de dire, dans le silence de mort qui m'entoure, le garçon blême, les yeux fixés sur moi !

Une autre fois, une dame vient me voir — je la soignais de temps en temps pour insomnie —, accompagnée de son mari. « Je vous en prie, entrez, monsieur », lui dis-je en insistant. « Mais je ne suis pas malade, me répond-il, j'accompagne ma femme. » Furieuse contre moi-même, gênée par ce sentiment de malaise, je me serais giflée. J'ai revu cette dame quinze jours plus tard, toute de noir vêtue. Son mari était mort, trois jours après leur visite, d'une crise cardiaque foudroyante.

Très fréquemment, lorsque je rencontre un malade pour la première fois, je sais s'il va guérir ou non et souvent mes limites me sont immédiatement évidentes. Pourtant je ne suis pas du tout voyante. Je ne vois rien. Il s'agit d'autre chose.

Le phénomène n'est pas constant et je ne peux le provoquer volontairement. Souvent, il m'arrive de prier très fort pour quelqu'un et de ne rien sentir. De toute façon, il vaut mieux se contrôler, mobiliser toutes ses énergies ; en pareil cas, je n'entends plus quand on me parle, du moins pendant quelques minutes ; je suis tout à fait absente... et c'est ainsi que j'ai acquis la réputation d'être dans la lune... ou ailleurs...

C'est surtout avec les bébés que le flash m'arrive, surtout ceux qui sont atteints d'asthme, d'anorexie ou d'eczéma. L'important n'est pas de parler, ce qui ne sert à rien, mais de soigner, à mon niveau, en apportant un peu de cette énergie cosmique et en dirigeant l'intéressé vers le médecin spécialisé.

En revanche, si les parents croient à la réincarnation et que l'on puisse discuter, ils prient avec moi, participent et souvent la guérison est plus rapide.

J'ajouterai que je n'ai jamais tenu compte d'un « diagnostic » de cette nature sans le faire vérifier médicalement. On n'est jamais assez prudent : il ne s'agit pas d'un jeu, mais de la santé ou de la vie d'un être humain.

Parmi les histoires heureuses que nous avons partagées, il en est une qui nous a permis de faire, en outre, une « recrue de qualité » !

Jacques, très croyant, avait rêvé d'être prêtre. Pour diverses raisons, et peut-être parce qu'il n'était pas vraiment appelé ou que sa mission spirituelle se situait ailleurs, il n'a pas réalisé son désir. Il voulut alors être médecin, mais cela fut tout aussi impossible. Son envie d'être utile le taraudait toujours. Que faire ? Il devint chirurgien-dentiste.

Très avenant, établissant un contact amical avec ses clients, son cabinet marcha bien. Il se maria, eut deux beaux enfants et, comme pour beaucoup d'autres, les soucis suivirent : la construction d'une maison, les traites à payer, les impôts, etc. Jacques, très sensible, très vulnérable, commença à vivre dans un stress permanent.

Certains font en pareil cas un ulcère ou un infarctus. Lui, ce fut, brutalement, un cancer testiculaire en 1976. Opéré à l'hôpital de Grenoble, il subit une radiothérapie, puis une chimiothérapie, pour éviter, lui dit-on, une récidive ultérieure. Il était très jeune, courageux et ne pouvait imager, ne serait-ce qu'une seconde, autre chose qu'une guérison.

Pendant cette période éprouvante, il a continué son travail. Il subissait les rayons à 7 h 30 le matin et commençait à son cabinet à 8 h 30, toujours irréprochable, au service de ses clients qui ignoraient tout.

Le professeur du service hospitalier lui avait dit que 90 % des cancers comme le sien guérissaient. Il était donc confiant, croyant naïvement à ce qu'on lui disait. Il avait vingt-huit ans, deux enfants de cinq et deux ans : il avait demandé la vérité aux médecins qui avaient promis la guérison.

Il allait bien et subissait tous les six mois les classiques radios de contrôle. En 1978, son médecin lui annonça qu'il n'aurait plus besoin de radio et d'examen qu'une fois par an, puisqu'il allait bien. Pour lui, c'était la guérison ! Heureux comme on imagine, il décide, en plus de son cabinet, d'agrandir sa maison devenue trop étroite. Et un jour, en brouettant de la terre, il ressent une violente douleur dans les côtes, comme un coup de poignard. Il pense à un faux mouvement. Mais son médecin lui dit : « Si cette douleur reparaît, vu vos antécédents, passez immédiatement une radio pulmonaire, je ne veux pas prendre de risque. »

Il revoit son médecin en juin, avant les vacances. La douleur n'est pas revenue, tout va bien. Il décide de faire un stage de tennis. Pendant un match, un jour, il ressent une violente douleur à l'épaule. A l'automne, en rentrant, il est de plus en plus essoufflé, a du mal à faire son jardin mais, toujours inconscient, il ne consulte pas puisque son prochain bilan médical devait se faire en décembre 1979 à l'hôpital.

Le radiologue, qui le connaissait bien, pâlit en voyant une tache à chaque poumon, de la grosseur d'une mandarine. Il y avait sans aucun doute métastase pulmonaire.

Le soir de Noël 1979, il entre à l'hôpital. Un lourd désespoir s'abat sur la famille. Pour lui, l'horreur recommence : opération, chimiothérapie, radiothérapie, etc. Il maigrit terriblement, ses cheveux tombent, il est désespéré. Il « monte » à Paris voir un cancérologue réputé qui avoue ne rien pouvoir faire de plus pour lui et lui assure qu'il est très bien soigné à Grenoble.

Il ne peut plus assumer son travail. Il ne peut plus que lire, aller de son lit à son fauteuil, et surtout réfléchir et prier. Pourquoi moi ? Pourquoi ?

Une amie de sa femme venait souvent le voir, lui apportant des livres, notamment sur la réincarnation. Il y trouvait des réponses à ses questions. Pour lui, les notions de karma, de vie après la mort, constituaient des évidences. Un chemin se fit en lui. Il se disait : mais tu vas mourir ! Si tu n'as pas eu le temps de faire grand-chose dans cette vie, tu pourras revenir et achever le travail. Cela l'a beaucoup soutenu.

A force de réfléchir, des décisions furent prises. L'amie de sa femme appartenait à notre groupe de prière et parla de nous à Jacques. Un soir, sa femme elle-même me téléphona : « Madame, mon mari se meurt d'un cancer, il est jeune, nous avons deux très jeunes enfants ! » Toujours sur mes gardes, je lui explique que notre rôle n'est que spirituel, que, si nous prenons son mari dans notre groupe, il ne doit en aucun cas quitter ses médecins ou son traitement et que parfois la « guérison » n'est pas celle que l'on espère...

Jacques est venu me voir un jour à la maison et les « médecins » se trouvaient là, comme par hasard... Ils lui ont expliqué que, même si nous le prenions en charge, il devrait continuer son traitement. Il avait pris la décision de continuer avec la médecine douce, d'autres thérapies ; à ce moment-là, il ne croyait plus en l'efficacité du traitement classique. Il nous a avoué, bien plus tard, que lors de sa dernière séance de chimiothérapie, lorsqu'il avait dit qu'il ne reviendrait plus, on l'avait accusé de chantage au suicide. Il en avait été très peiné, voulant guérir pour les siens et pour lui-même.

Il avait bien fait de ne pas m'avoir avoué qu'il abandonnait les soins hospitaliers car je n'aurais jamais accepté cette responsabilité et ne l'aurais pas pris au groupe. Des médecins l'ont prise ; ce n'est pas mon rôle.

Son entrée dans notre assemblée de prière a constitué pour lui un choc puissant. Il a ressenti la force énergétique du groupe et y a participé avec son âme et son cœur. Il m'a dit un jour : « J'ai complètement basculé dans une autre dimension. J'étais sûr de guérir ; plus une minute, plus une seconde, je n'ai pensé à la mort. »

Nous avons traité Jacques pendant dix-huit mois de cette façon. Il reprenait du poids et des activités. Il a appris la sculpture sur bois et, petit à petit, il est devenu un véritable artiste. Un jour, en allant voir un ami à l'hôpital, il rencontra le médecin qui l'avait suivi : « Comment allez-vous ? » lui demanda ce dernier. « Très bien, dit Jacques, je suis guéri. » Et l'autre de rétorquer : « Comment pouvez-vous dire que vous êtes guéri, sans faire un bilan complet, d'un cancer métastasé des poumons ? »

« D'accord, dit Jacques. Je veux bien le faire ! » Et le bilan constata la guérison.

Jacques a repris ses activités, mais il tient à être le vivant témoignage d'une guérison spirituelle. C'est à sa demande que je relate son histoire.

Jacques nous aide à accompagner les gros malades, car tous n'ont pas sa chance, tous ne guérissent pas « physiquement ». Jacques est vraiment convaincu que certaines maladies cancéreuses naissent dans le mental, mais qu'une autre optique, une autre forme de pensée, de façon de vivre, la prière et la foi en Dieu peuvent précipiter les victimes de toutes ces agressions de la vie quotidienne dans cette autre dimension où l'on vit en harmonie avec la présence divine...

La première fois que je suis allée soigner à l'hôpital

de Grenoble, il y a bien des années de cela, j'ai failli provoquer une révolution !

La maman de Jean, quatorze ans, vint me supplier de m'occuper de son enfant encéphalique, hospitalisé dans un pavillon d'épidémie. Il était comateux et les examens sur l'activité cérébrale ne laissaient guère d'espoir. Les médecins reconnurent que, s'il s'en sortait physiquement, il souffrirait d'énormes séquelles cérébrales. Impossible d'espérer un retour à une vie intellectuelle normale !

La maman, affolée, me suppliait d'aller voir son enfant ; je ne savais que faire. Un médecin du ciel, consulté, me donna ses instructions : « Tu vas demander au médecin-chef l'autorisation de soigner l'enfant à l'hôpital ; s'il accepte, tu iras et tu surveilleras bien Daniel dans les heures qui suivront. Pour sauver cet enfant, il peut y avoir un " transfert " qui le fatiguera. »

Ainsi fut fait. Le médecin consulté accorda une autorisation écrite. Il admit devant la maman qu'en pareil cas on n'avait pas le droit de ne pas tout tenter. Je suis allée deux fois à l'hôpital, j'enfilai la blouse blanche et, au départ, je me désinfectai les mains (j'avais des enfants à la maison...).

Jean, dans le coma, agité de spasmes terribles, a obéi à ma voix. Je suis repartie, l'espoir au cœur. La deuxième fois, il était plus calme. Mais lorsque, rentrée chez moi, j'ai raconté à Daniel ce que j'avais fait, il s'est retrouvé en quelques secondes couché, très pâle, agité des mêmes contractures, pris par la même symptomatologie que l'enfant sur son lit d'hôpital. Les minutes, dans ces cas, sont terriblement longues.

Nous avions vécu notre premier « transfert ».

Le lendemain, Jean a récupéré peu à peu et un mois après il reprenait ses études là où il les avait laissées.

Je revis aujourd'hui cette vieille histoire avec émotion. C'étaient nos débuts et la première fois qu'on me laissait soigner à l'hôpital. Il y en a eu beaucoup d'autres depuis et toujours avec l'accord des médecins. J'ai trouvé chez eux, toujours, une grande tolérance, un intérêt et un amour de leur métier qui font leur valeur : tous ceux que j'ai rencontrés n'avaient qu'un désir : aider leurs malades, par tous les moyens.

Un matin à 11 heures, Etty me contacte pour m'apprendre qu'un enfant, Alex, était au plus mal et allait mourir si on ne l'opérait pas dans la journée. C'était le petit-fils d'amis à moi. Je leur téléphone et ils m'apprennent qu'Alex est en clinique pour une banale opération de l'appendicite, mais qu'il n'allait pas très bien et présentait des symptômes d'occlusion intestinale. Je file à la clinique et devant l'état, très grave, de l'enfant, j'essaie de rencontrer le chirurgien que je ne connaissais pas du tout.

La mère, agenouillée, essayait de calmer le petit... L'enfant était livide, le ventre énorme, gonflé.

J'appelle un de mes amis chirurgiens, qui est au courant de mes contacts avec les médecins du ciel et ne s'en moque pas. Il lui explique la situation. Il pense qu'il vaut mieux opérer l'enfant sur place, mais que, si le chirurgien n'est pas d'accord avec la famille, il l'opérera lui-même après un transport en ambulance. Le chirurgien me reçoit vertement, furieux, me demandant de me mêler de ce qui me regarde, mais je vois qu'il est ébranlé et, une demi-heure plus tard, il opère.

Je revois cette chambre de clinique, où tous ensemble, Daniel, la famille et moi, nous avons prié Dieu de toutes nos forces. Lorsque l'enfant est revenu, à son teint j'ai su qu'il était sauvé.

Par le plus grand des hasards, j'ai appris plus tard

qu'un enfant de cinq ans était mort quelques jours avant, pendant la deuxième intervention, d'un choc opératoire. A l'époque, les cliniques n'étaient pas aussi bien équipées et la loi des séries avait joué. Ce chirurgien, encore sous le choc émotionnel de ce qui venait de se produire, hésitait à opérer. Quoi de plus humain ? Mais il était écrit qu'Alex devait vivre.

Je donne ici la place à une maman qui a rédigé elle-même ce témoignage sur la guérison de sa petite fille, Annelise, qui a aujourd'hui trois ans :

« La naissance d'Annelise, le 7 août 1983, vient combler de joie son grand frère de quatre ans qui l'attendait avec impatience et, bien sûr, ses parents. Dès les premiers temps, bébé s'avère très sage, dort bien, mange bien, se développe de même et ne semble poser aucun problème. A l'âge de six mois, une toux rauque apparaît et je la conduis chez le médecin qui pense à une rhinopharyngite. Mais la toux persiste et je m'inquiète. Pourtant je suis infirmière et il ne s'agit pas là de notre premier enfant. Mais j'ai comme un pressentiment et j'insiste, je la ramène plusieurs fois chez le médecin. Intrigué par l'apparition d'un problème oculaire, il nous adresse à l'hôpital pour des examens qui révéleront une tumeur d'origine embryonnaire se prolongeant dans la moelle épinière et des métastases en " lâcher de ballons " dans les deux poumons et le foie.

« Le traitement chimiothérapique commence immédiatement. Nous sommes complètement abattus et révoltés. Pourquoi cela nous arrive-t-il à nous et pourquoi notre enfant, si mignonne, si gentille ?

« Nous nous ressaisissons au plus vite pour reprendre espoir dans les traitements hospitaliers et les paroles de réconfort des médecins, tous très dévoués, qui la soignent.

« Parallèlement, une de mes collègues de travail commence à me parler de Maguy qu'elle connaît depuis longtemps, de ses soins, et je raconte chaque jour à mon mari ce qu'elle m'apprend. Nous sommes perplexes ; nous découvrons un monde qui bouscule notre solide cartésianisme, mais le temps passe, les traitements se succèdent, toujours plus décevants, éprouvants, sans résultat aucun. En effet, quatre séances de trois jours de chimiothérapie, puis une autre sorte de chimiothérapie, deux séances en deux jours, sont suivies d'une augmentation du volume tumoral. Puis arrive la radio-thérapie hépatique... et toujours rien.

« Du côté affectif, ça ne marche pas non plus bien fort : la journée, je suis seule avec notre fille, j'évite les endroits trop fréquentés à cause des risques d'infection liés au traitement. Nos amis se font totalement silencieux. Que peut-on dire devant le cancer d'un enfant ?

« Alors, personne ne se manifeste plus et nous nous retrouvons seuls, entourés de nos parents qui sont aussi abattus et angoissés que nous.

« C'est alors que nous rencontrons Maguy et un médecin de son entourage qui nous apporte le concours de ses médecines dites parallèles. Ce sont les seules personnes qui ne nous ont rien promis et qui se refusent à donner espoir. Alors, pour cela même, nous nous sommes mis à y croire.

« Et puis, avec Maguy, nous rencontrons l'amitié dans un groupe de prière. L'amitié de gens qui ne nous connaissent pas mais qui nous apportent leur prière, leur soutien, leur amour dans ce monde d'aujourd'hui où pourtant rien n'est gratuit et où nos propres amis s'étaient dérobés.

« Petit à petit, alors que tout allait si mal, grâce aux bons soins de tous et de Maguy et à toutes les prières de tous les amis du groupe, celles du prêtre qui l'avait baptisée et de ses fidèles, notre Annelise a commencé à s'acheminer tout doucement vers la guérison, confirmée par une toute petite régression radiologique et par une amélioration de son état général. En effet, elle était à cette époque alimentée par une sonde vingt-trois heures sur vingt-quatre.

« A cette période, une première opération est envisagée au niveau de la moelle épinière. Maguy nous demande d'obtenir un délai, que nous obtenons et après lequel l'intervention n'a plus lieu d'être, la tumeur ayant suffisamment diminué pour que l'on puisse passer au deuxième stade envisagé : l'ablation de la tumeur pulmonaire principale. L'opération se passe bien. Douze jours plus tard, notre fille sort de l'hôpital.

« Elle marche ; mange par la bouche, choses qu'elle ne faisait plus depuis quatre mois (elle en a treize). Ensuite, les progrès continuent, jusqu'au retour à la normale et la guérison reconnue.

« Nous avons retiré de cette dure épreuve beaucoup de choses. Nous avons redécouvert la foi, nous avons appris la prière en famille, nous qui n'aurions pas pensé prier un jour ensemble : nous vivions heureux sans nous poser de questions.

« Nous avons compris le pourquoi de la maladie de notre enfant, nécessaire pour notre évolution, pour nous remettre en question et bousculer nos vies. Nous avons compris le sens de la mort et dépassé notre peur. Nous espérons pouvoir un jour rendre un peu de tout ce qui nous a été apporté par Maguy, grâce à son groupe de soin et de prière, et à tous ceux qui nous ont aidés. »

Hélas, il ne nous est pas toujours donné de guérir, de

sauver un enfant qui nous est confié. Mais parfois, lorsque l'épreuve est comprise, acceptée, quelque chose de très positif peut aussi en surgir.

Voici un autre témoignage, rédigé par mes vieux amis, fidèles et précieux, qui depuis près de trente ans partagent notre route.

« Grenoble, troisième mardi du mois, 21 heures.

« Face aux quatre cents membres du groupe dont les huit cents mains sont unies dans une immense chaîne, dans le plus profond silence, Maguy entame la longue liste des intentions de prières.

« Et le groupe va se concentrer comme un laser de prière en direction de chaque destinataire. Nous frémissons au premier nom, comme à chaque fois : depuis vingt-huit ans, c'est celui de notre fils Bruno, et c'est comme un mélange d'émotion et de paix qui nous envahit...

« Bruno a été un splendide et ravissant bébé. A l'âge d'un an, une très grave toxicose l'a rendu définitivement débile mental.

« Nous consultons de tous côtés. Les médecins haussent les épaules. Nous faisons alors connaissance de Maguy et Daniel qui prennent Bruno chez eux, en séjour, plusieurs fois par an, pendant des années, d'abord à Corenc, ensuite aux Eymes.

« Voilà donc notre Bruno " pris en charge " par le groupe qui, à ce moment-là, ne comptait que quelques dizaines de personnes.

« Maguy ne nous promet pas de guérison, loin de là, mais aide à lui apporter du calme, et surtout à développer son immense besoin et son immense capacité d'affection.

« Maguy ainsi, peu à peu, nous éclaire, nous les parents meurtris, à comprendre, puis à accepter que

Bruno vit une étape particulièrement dure de sa trajectoire, conséquence d'autres actes, d'autres choix, et prélude, peut-être, à une nouvelle vie.

« Quelque temps plus tard, la Providence, encore, nous met sur la route de merveilleux éducateurs et thérapeutes suisses, qui appliquent ou, mieux, qui vivent la doctrine de Rudolf Steiner, si proche des enseignements reçus par Maguy, et transmis par elle à ceux qui ont une souffrance à assumer.

« Pour nous, il s'agit de comprendre et d'accepter ce " malheur innocent " selon l'expression de Georges Hourdin, père d'une mongolienne.

« Bruno vit maintenant depuis vingt ans, en Suisse, dans la montagne, mais sa relation avec Maguy, qui est devenue pour nous une amie très chère, reste toujours aussi fraîche.

« Et nous, nous savons que Bruno et sa famille seront toujours aidés par le groupe. A son tour, sans le savoir, il apporte aux autres, avec ses joies et ses peines déchirantes de jeune enfant de trente et un ans, le message qu'avec ses éducateurs d'aujourd'hui il répète à chaque repas :

« " Dans chaque bouchée de pain, le chaud soleil a mûri chaque petit grain de blé.

« " Dans chaque bouchée de pain, pense à tes frères alentour, affamés, sans foyer, ô toi ! que Dieu a comblé, ne crains pas avec ton pain de donner ton amour. " »

Malou souffrait depuis l'enfance d'un asthme rebelle à toute thérapeutique. Son mari vint un jour me demander si je pouvais la soulager. Il avait une fille de douze ans qui n'avait jamais, depuis sa naissance, vu sa mère debout un seul jour de Noël. Cures, cortisone et parfois oxygène, rien n'était efficace.

Mon guide me dit : « Prends-la chez toi. Cette dame, toute sa vie, a cherché la lumière. En la trouvant, elle accédera peut-être à la guérison. »

Malou est restée trois mois à la maison, à Corenc, partageant avec joie la vie intense de la famille, me donnant un coup de main pour la cuisine. Bonne cuisinière, elle savait faire un tas de choses dont j'étais bien incapable. Son mari, Claude, était passionné de pêche. Il avait acheté des étangs dans les forêts de mon enfance, à mon grand bonheur, et nous partions tous avec le pique-nique au bord de l'eau. A cette époque de vaches maigres, un repas au restaurant nous était interdit, vu notre nombre... Nous ne pouvions pas nous déplacer tous en même temps mais à tour de rôle. Claude allumait un feu de bois et les poissons grillés faisaient nos délices.

Malou et moi sommes devenues des sœurs, puis des « jumelles ». Cette fraternité dure encore aujourd'hui, tant d'années après. Malou et Claude font partie des pionniers du groupe et Claude, qui passait toujours ses vacances à pêcher en Bretagne, emmenait souvent quelques enfants pour nous décharger.

C'est avec eux que nous avons vécu cette étrange histoire. Liliane était partie mal en point et nous étions très inquiets pour sa santé, aussi, répartissant nos enfants parmi nos amis déjà nombreux, nous sommes partis les rejoindre quelques jours.

En visitant Carnac, lieu inspiré s'il en est en France, nous nous asseyons en rond près des dolmens pour prier. Nous avons eu alors la joie de recevoir la « visite » d'un druide qui nous a parlé de la vie à l'époque. Chaque pierre, nous dit-il, était à l'image de son propriétaire et nous nous réunissions ici pour tous les événements importants de la vie. C'était passion-

174

nant. Ensuite, un médecin du ciel nous a donné des conseils très précis pour Liliane qui, ce soir-là, a fait un grand pas vers la guérison.

Parmi les cas difficiles que nous avons rencontrés, il y a celui de Fernand.

Celui-ci vint me trouver après un accident de voiture. Il sortait de l'hôpital : une fracture de la deuxième cervicale l'avait obligé à y séjourner et il était condamné à porter une minerve pendant trois mois. Il souffrait de troubles musculaires, avec fasciculations sur tout le corps, mais particulièrement à gauche, et présentait une atrophie des muscles de la cuisse et du bras gauche.

On l'envoie bientôt en neurologie où on lui prescrit un traitement à base de tranquillisants que son médecin traitant lui déconseille de prendre. Il subit toutes sortes d'examens, peu concluants, puis on lui annonce qu'il a un rétrécissement du canal rachidien d'origine congénitale. Le patron lui propose une intervention chirurgicale sans rien lui promettre. S'il n'accepte pas, il est sûr d'aboutir dans un fauteuil roulant, à plus ou moins brève échéance.

Là-dessus, Fernand subit un très gros choc : sa sœur se tue dans un accident de la route et laisse deux petits enfants. L'état de Fernand empire. Sa mère est désespérée : elle a enterré son mari, sa fille vient de se tuer et son fils est bien malade. Une de ses amies qui me connaît donne mon adresse.

Devant la gravité de l'état de Fernand, je refuse de le soigner, mais mon amie fait pression sur moi, m'explique la détresse de cette famille et me dit qu'il est honteux de refuser sans même avoir essayé. Quoi qu'il arrive, le groupe pourra apporter un réconfort à Fernand et à sa mère... J'accepte, nous allons tenter quelque chose, mais à une condition : je tiens à ce qu'on demande au médecin hospitalier si l'intervention chirurgicale peut être retardée de trois mois.

Celui-ci accepte, vu le deuil, « mais pas plus ». Et Fernand vient se faire traiter au groupe. A la première séance de magnétisme, j'ai eu l'impression de toucher du « bois mort », un organisme privé de vie. Mais lui dut ressentir des picotements, une impression de bien-être et surtout, dit-il, une détente morale. J'étais, dit-il en sortant, plein de lumière. Fernand qui ne croyait en rien venait d'être touché par la main de Dieu, l'espérance habitait son âme.

Nous l'avons donc soigné spirituellement. Il lui semblait revivre, mais il « marchait bien », priait avec nous, s'intégrait très rapidement. Il tomba même amoureux d'une jeune fille de chez nous.

Au bout des trois mois, les médecins du ciel nous disent que tout est prêt pour tenter une « intervention sur corps astral ». Il faut préparer celle-ci avec soin, choisir le jour où les conditions climatologiques le permettent, ni trop chaud ni trop froid, pas d'orage, etc. Il faut, surtout, une grosse « somme de prières », matériel indispensable aux intervenants de là-haut.

Puis Fernand est monté sur la table, Daniel sans un mot a « travaillé » au niveau de la nuque, sur le corps éthérique, vingt minutes environ, puis Fernand est reparti en pleine forme.

Il allait si bien dans tous les domaines, physique et moral, que le temps passant et que prise par bien d'autres soucis je n'ai plus trop pensé à lui. Il a repris son travail à l'usine comme manutentionnaire, portant des poids lourds. Son bras, sa jambe avaient repris un aspect normal. Il s'est marié — belle occasion pour nous de faire la fête ! Les mariés ont dansé toute la nuit, c'est dire s'il allait bien et si le bonheur donne des ailes. Dix-huit mois plus tard, personne ne pensait plus à la maladie de ce garçon.

Un soir, je me trouve dans un dîner à côté du médecin qui s'était occupé de Fernand. La conversation vient sur le magnétisme et je vois le sourire sceptique du médecin : « Pour croire, je voudrais voir », dit-il. « Justement, lui rétorquai-je, je connais un de vos patients dont je me suis occupé, qui est guéri, le jeune Fernand X... »

« Mais je me rappelle très bien ce garçon, il est impossible qu'il soit guéri », et devant l'affirmation d'autres médecins présents et qui faisaient partie du groupe, il demeure songeur mais incapable de les croire. Je lui propose alors de conduire mon « patient » dans son service pour qu'il vérifie. Il accepte très gentiment et nous nous sommes retrouvés tous les trois un matin à l'hôpital. Lorsque les examens ont été terminés, le médecin, assis à son bureau, sort un gros dossier d'un tiroir et me dit : « Venez voir, madame Lebrun. » Sur la première page, sous le nom de Fernand, je lis avec surprise : myélite évolutive.

Je suis restée sans voix car la myélite est une maladie incurable. Ce médecin m'a dit : « Je constate la guérison. » Vivement intéressé, il a posé des tas de questions ; comme tous les grands médecins il a interrogé avec une gentillesse et une humilité qui caractérisent bien souvent ces vrais hommes de science.

Quant à Fernand, depuis dix ans, il continue son travail à l'usine. Il est père de deux enfants et n'a plus eu de problèmes de santé.

Quelques jours plus tard, Etty m'a dit : « Nous nous sommes bien gardés de t'avertir de la gravité de la maladie ; tu n'aurais pas cru en la guérison et c'était pour nous un obstacle impossible à franchir ! »

Lorsque Josette fut amenée chez moi, elle pesait 32 kilos pour 1,68 m, à quarante ans ! Les médecins avaient diagnostiqué une anorexie mentale grave : dérèglement glandulaire, dépression nerveuse... Elle m'explique qu'elle est seule toute la journée, son mari rentre tard le soir, pas d'enfants, pas d'amis, pas d'idéal. Mais elle était croyante.

Après plusieurs séjours à l'hôpital, les perfusions alimentaient son organisme quelque temps, puis elle redescendait toujours plus bas. Sur les conseils d'Etty, j'ai été obligée de la prendre à la maison pour démarrer son traitement de magnétisme spirituel car elle habitait très loin de Grenoble et ne pouvait supporter les voyages.

Les premiers jours, collée à moi, elle me suivait partout en me disant qu'une « force » l'attirait vers moi et qu'elle se sentait mieux dans mon « rayonnement ». Puis les larmes sont venues, elle a pleuré plusieurs jours, plusieurs nuits, comme si des vannes ouvertes laissaient couler son désespoir.

La première réunion de prière fut pour elle un électrochoc : elle voyait des gens s'oublier pour penser aux autres ; c'était, disait-elle, comme si tous ces gens ne faisaient qu'un.

Au bout d'un mois, Josette, qui se réalimentait doucement, me dit : « J'ai l'impression d'être une autre femme, quelque chose en moi est " réincarné " comme si j'avais quitté mon corps et qu'on m'en ait donné un autre. Je veux oublier le passé, je veux guérir, je veux servir et rester avec vous, vous aider à mon tour pour d'autres. »

Elle a repris du poids, ne se reconnaissait plus elle-même dans une glace. Même ses voisins, à son retour chez elle, doutaient que ce fût bien elle ! Josette est guérie depuis des années, mais dans la gravité de son état, si le groupe et si les médecins du ciel ont fait merveille en complétant le traitement officiel, inopérant avant notre intervention — parce qu'elle le refusait —, c'est aussi parce que, avec nous, elle a participé, cru en eux et en nous.

Parfois, nous intervenons aussi avec succès dans les problèmes plus spécifiquement psychiques. Ainsi dans l'histoire de Mariette, petite étudiante qui arrivait d'Orient en France, très traumatisée par une peur intense : elle redoutait les « vampires ». Elle me conta son calvaire : « Le noir me terrifie. Chaque nuit, je dors toute lumière allumée ; j'ai peur qu'ils n'en " profitent ". Je me réveille en proie à d'horribles cauchemars, toujours des vampires qui me jettent dans le noir, je cherche en vain la lumière qui me délivrerait. Je suis épuisée. Je sens une présence dans mon dos. Pour pouvoir étudier, même aux cours, il faut que je sois le dos au mur. »

Le médecin du ciel qui la prend en charge m'explique qu'elle a été terrifiée dans son enfance par des histoires de revenants et que, là où elle vivait, on parlait très facilement avec les « morts ». Il fallait la rassurer, la traiter par magnétisme.

Dès que Mariette a compris l'importance de la prière, les vampires disparurent à tout jamais. Elle a fait de bonnes études et elle est aujourd'hui magistrat, parfaitement équilibrée, et mère de famille sans problème. Elle sait qu'il faut faire attention à ce qu'on raconte devant les enfants !

Voici un autre cas d'anorexie mentale, dans lequel nos traitements ont eu des résultats totalement positifs.

Sylvette était traitée dans un hôpital psychiatrique de Grenoble pour une très grave anorexie mentale. A quinze ans, elle venait de faire sa troisième tentative de suicide, avait subi plusieurs cures de sommeil. Dès qu'elle allait un peu mieux et que les médecins la rendaient à ses parents, elle rechutait. Les parents ne s'entendaient pas, et Sylvette ne pouvait plus supporter la vie familiale, mais le mal était bien plus profond : elle n'avait pas envie de vivre. Nous avons soigné de nombreux cas d'anorexie, mais aucun n'a été aussi grave.

Sylvette était réduite à l'état de squelette, toutes ses dents étaient cariées, elle perdait ses cheveux. Elle avait le profil d'un petit animal sauvage et apeuré... Il a fallu l'apprivoiser. Sans arrêt, elle posait des questions : « A quoi sert la vie ? Pourquoi vient-on sur terre ? Pourquoi certains n'ont aucune chance ? etc. »

L'intégration s'est faite difficilement, mais petit à petit, entraînée par les autres adolescents de la maison, elle s'est adaptée. Il a fallu soigner ses dents, ses cheveux, mais aussi son mal de vivre et les déchirures de l'âme. A mesure que les kilos revenaient, le sourire réapparaissait.

Nous avons découvert un petit être infiniment précieux, intelligent et plein de délicatesse. Sylvette a repris ses études, mais elle est restée encore quelques années près de nous, terrifiée à l'idée de rechuter si elle nous quittait. Elle a passé ses examens et s'est enfin envolée pour entrer dans le monde du travail. Elle s'est mariée, a habité longtemps à Montpellier, a eu plusieurs enfants puis, par un coup de chance, elle a trouvé un poste de secrétaire de direction dans une usine de Grenoble où son mari travaille également. Ainsi, ils peuvent tous deux continuer d'évoluer au sein du groupe. Sylvette vit normalement et n'a plus jamais été malade, mais elle essaie aujourd'hui de répandre autour

d'elle ce qu'elle a reçu. Sylvette, souvent, me disait :
« Sans vous, sans le groupe, sans cette immense chaîne
d'amour, où en serais-je ? Que serais-je devenue ? Je ne
pouvais plus respirer ! »

En général, Etty n'intervient pas dans les soins
donnés ici-bas par les médecins qui ont pris en charge
un malade, mais il arrive, de loin en loin, qu'elle
m'avertisse d'un danger, comme elle l'a fait pour Alex,
ou comme elle le fit ce jour-là pour David.

Depuis toujours, il m'est interdit de soigner à distance ou sur photo. Comme toujours, j'obéis aux
médecins du ciel. Cependant, lorsqu'un membre du
groupe est loin de nous, dans la détresse, il n'est jamais
abandonné. Pour les médecins de là-haut, la distance
pas plus que le temps n'existent.

Le petit David habitait Palerme. Un jour, il fit une
chute dans sa baignoire et perdit connaissance. Transport à l'hôpital, aussitôt. Puis coup de téléphone de la
mère qui a appartenu au groupe de Grenoble et qui est
folle d'inquiétude. Pendant trois jours, rien. Le quatrième jour, Etty — qui est souvent le porte-parole de
l'équipe médicale céleste — me dit : « Je suis un peu
gênée de ce que je vais te dire, mais l'hôpital où est
David n'est pas très bien équipé pour ce genre de chose
[c'était le cas à l'époque] : dis à ses parents de le
ramener chez eux, de le laisser dans l'obscurité totale,
de couper le téléphone et la sonnette, de continuer le
traitement médical et de prier ; joignez vos prières aux
leurs. David guérira. »

J'appelle aussitôt Palerme, après ce message à
2 heures du matin. J'apprends que l'enfant a retrouvé
sa conscience, mais ne marche pas. Dans un acte de foi
total, les parents obéissent à Etty, sans une ombre
d'hésitation... et cela d'autant plus que les médecins

avaient décidé de transporter David dans un autre hôpital du nord de l'Italie.

Trois jours plus tard, David marchait. Il n'a gardé aucune séquelle de sa mésaventure.

Parfois, c'est un malade, guéri de cette façon « miraculeuse », qui nous vaut l'entrée d'un médecin dans notre groupe. C'est ce qui s'est passé avec Frédéric.

Il faisait une chaleur torride à Fréjus où Frédéric était en vacances avec sa grand-mère. Un soir d'août, sans que rien le laisse prévoir, il verdit et hurle de douleur. Quelques minutes passent, tout rentre dans l'ordre. Mais les épisodes douloureux se répètent et se rapprochent. Inquiète, la grand-mère montre Frédéric au médecin. « Ce n'est rien, dit-il, un petit traitement antispasmodique, un calmant, un régime alimentaire léger et tout ira bien. »

Aucun résultat. On modifie le traitement, sans plus de succès. Alors les parents viennent rechercher l'enfant pour faire pratiquer des examens à Grenoble. Nouveau médecin, nouveau traitement, nouvel échec.

Entre-temps, Daniel et moi étions partis en vacances à Fréjus. Pendant les jours qui suivent, l'état de Frédéric s'aggrave, il vomit tout ce qu'il ingurgite et les parents affolés nous téléphonent. Que faire de si loin ! Comme d'habitude, en pareil cas, les parents de Frédéric appartenant à notre groupe de prière, nous décidons de faire une petite réunion. Il était très exactement 17 heures. Et à ce moment-là, à trois cent cinquante kilomètres de là, l'enfant et la mère se trouvaient chez un médecin. Brusquement, l'enfant a cessé de vomir, a réclamé à boire et à manger. Sa mère a compris que nous avions « travaillé pour lui ».

Psychothérapie... à distance, sur un enfant de deux

ans ? Coïncidence ? Mais le « hasard » fait bien les choses, tout de même !

Pour le médecin, ami de la famille, l'aventure commençait. Il vint me voir. Comme il est bon de ne plus être seul face à son malade, de pouvoir dire, paraphrasant un médecin célèbre : « Je l'ai soigné, Ils l'ont guéri... » Très vite, ce médecin a compris que ce n'était pas nous, Daniel et moi, qui avions guéri l'enfant, mais une force, une puissance qui ne connaissent pas les distances. Il comprit que nous n'étions que des instruments, des détonateurs, que l'astral peut agir sur le physique, mais aussi que le miracle ne peut pas se faire tout seul. Les médecins de l'espace puisent dans le réservoir d'énergies spirituelles et psychiques que constitue le groupe. Dans cette histoire, la grand-mère, les parents faisaient partie du groupe et tout s'est joué, bien évidemment, en dehors de la volonté de l'enfant. Il n'y a pas eu suggestion.

Ce médecin ami est rentré dans notre groupe de prière et, depuis bien des années, il nous apporte, en plus de son talent, sa gentillesse et sa disponibilité, chaque fois qu'un malade a besoin de lui.

Parfois, nous avons affaire à de bien étranges maladies... Celle de Lionel nous a tous troublés.

Jusqu'à deux ans, Lionel a poussé sans problème. Bel enfant éveillé, intelligent, il faisait la joie de sa famille. Ses parents, parisiens d'origine, habitaient Grenoble depuis leur mariage, choisissant de vivre près de nous et du groupe. Bien que sans religion, ils étaient croyants. Le groupe leur permettait de « faire quelque chose pour les autres ».

Un jour, Lionel fit une espèce de syncope. L'enfant était calme et sans problème apparent... L'incident était mystérieux. On le transporta à l'hôpital ; bilans, examens, tout était négatif. Mais les syncopes se reproduisaient et nous avons commencé à le traiter par magnétisme. Sans résultats. Il dormait même encore moins bien. Puis les terreurs nocturnes ont fait leur apparition. Il nous raconta, avec beaucoup de détails, qu'une dame venait le voir la nuit et qu'elle lui faisait très peur. Il nous décrivit sa robe longue, ample, son chapeau avec un ruban... un portrait du siècle passé, très précis, alors que Lionel n'avait que quatre ans. Puis Lionel échappa de justesse à deux accidents consécutifs. Alors nous décidâmes, avec les parents et le groupe, de faire une séance de prières spéciale pour Lionel et essayer d'y voir un peu plus clair. Un médecin de l'espace vint alors et nous expliqua que Lionel, dans sa dernière vie, était mort enfant et que sa mère, toujours dans cette autre vie, n'avait pas accepté la mort de son fils. Elle s'était suicidée. L'ayant retrouvé vivant, elle le « parasitait » pour essayer de le reprendre, de le « récupérer ».

Il est intéressant, dans cette histoire heureusement assez rare, de constater que nous n'avons rien pu faire pendant plusieurs années et que rien n'a été expliqué avant la fin du drame. « Il a fallu beaucoup d'amour et de prières, a dit ce médecin du ciel, pour que cette entité comprenne et accepte. C'est fait maintenant : vous avez gagné ; elle demande pardon aux parents de Lionel et ne tentera plus jamais rien. »

De ce jour, l'enfant fut guéri ; il va partir pour le service militaire ; les années passent et attestent d'une guérison sans rechute. La prière, c'est la force qui abat les plus solides barrières.

La prière, à elle seule, peut guérir et... renverser les montagnes.

La première fois que je vis Anna, elle était étudiante et se préparait à passer son examen de propédeutique lorsqu'une douleur violente au genou la fit terriblement souffrir. Sa mère me connaissait... mais on ne va pas chez une « magnétiseuse » quand on est une jeune intellectuelle nourrie de cartésianisme. Pourtant, le soir, souffrant horriblement, elle demanda à sa mère de l'emmener chez sa « sorcière ». Quand on a mal, on est déjà plus près de tout tenter, même les méthodes les plus irrationnelles !

Je fis alors une imposition des mains sur son genou et lui demandai de prier Dieu avec moi. Plus tard, elle confessa avoir éprouvé une sensation bizarre, non pas au niveau du genou mais un contact spirituel étrange qui lui ôta toute envie de rire ou de se moquer. Ce contact l'avait remplie de bonheur; elle ne cherchait plus à comprendre, à analyser. Le genou était guéri.

Quelques années plus tard, Anna tomba malade : une grave néphrite avec albuminurie tenace. Elle ne pensa pas à venir me voir tout de suite, mais devant la sévérité de son état, elle s'y résolut. Je décidai de la montrer au médecin X (un médecin du ciel, « rencontré » avant que nous connaissions Etty). A travers Daniel, toujours, il passa longuement les doigts à un centimètre environ de la colonne vertébrale. Anna lui dit ressentir une impression de chaleur et de force. Il lui conseilla, en plus du traitement normal qu'elle suivait, d'aller voir un urologue. Celui-ci précisa qu'il s'agissait d'une néphrite cicatricielle et qu'elle risquait d'avoir, à vie, une albuminurie chronique. Le Dr X lui avait également suggéré d'aller consulter un spécialiste de la gorge qui découvrit des foyers d'infection sur des cicatrices d'amygdales antérieures.

Anna était très ennuyée. Elle devait se marier un peu plus tard et quitter la France. Elle accepta alors de subir, en plus des traitements médicaux classiques, une

185

cure de magnétisme accélérée qui dura plusieurs mois, jusqu'à son mariage en juillet. Il s'agissait de régénérer les cellules malades. Petit à petit, Anna retrouva santé et dynamisme. A son mariage, tous les examens étaient négatifs et il n'y avait plus la moindre trace d'albumine.

Certaines maladies ont une forme particulière ; nous les appelons maladies karmiques, directement liées à des événements survenus dans une vie antérieure, comme dans le cas de Lionel. Il s'agit, cette fois, de Denise, qui était abrutie de tranquillisants pour névrose obsessionnelle et faisait peine à voir. Je l'avais connue rayonnante, très belle, mannequin. C'était aujourd'hui une « loque ». Qu'était-il arrivé ? Elle me fit le récit suivant : « Je suis allée en vacances en Italie et tout allait bien. Un jour, assise sur la plage, je vois un homme qui me tournait le dos ; une sensation bizarre m'envahit. Je sentis des frissons partout et, quand il me regarda fixement, je tombai amoureuse de lui sur-le-champ. Nous avons vécu un amour-passion extraordinaire, mais je n'étais jamais tout à fait à l'aise, comme si une sonnette d'alarme résonnait dans ma tête. Il était musulman. Très vite, il s'est montré dominateur, m'entraînant dans un sillage qui m'était néfaste. Je subissais une extraordinaire fascination, mais quand il me demanda de me convertir à la religion musulmane, d'abandonner ma famille, ma fille née d'un premier mariage et de le suivre dans son pays, j'ai tout de même refusé. Mon bel amour s'est transformé en tragédie. Je suis rentrée chez moi ayant perdu le sommeil et l'appétit. J'ai perdu, avec mon travail, toute joie de vivre, et, toujours en moi, cette dualité, cette lutte ; je pense sans cesse à lui et j'ai peur de lui. »

Mon guide me dit : « Explique à Denise qu'elle a déjà connu et vécu avec cet homme dans une vie passée.

Ils se sont détruits mutuellement et, cette fois, elle l'a échappé belle. Les mêmes circonstances ont été réunies, mais elle a été plus forte. Elle guérira complètement avec la volonté, la prière et les forces énergétiques que tu lui donnes. Elle sera libérée de sa souffrance actuelle qui est entretenue par la pensée et le regret de cet amour. »

A ma surprise, Denise croyait à la réincarnation. Savoir l'a aidée à comprendre et à guérir, n'est-ce pas l'essentiel ?

Certains coups de foudre sont le point de départ de constructions heureuses, d'autres de pures catastrophes. N'oublions jamais que nous récoltons ce que nous avons semé et payons toute entorse à la loi.

Une infirmière du groupe nous demanda un jour de prendre en charge un jeune homme dans le coma depuis quatre ans. Paul et Marie n'avaient eu que deux années de vie heureuse. Marie, sa femme, attendait un enfant lorsque l'accident est arrivé. Un interne de l'hôpital s'était trompé de produit et Paul était entré dans le coma. Marie, courageuse, ramène son mari chez elle et, malgré la déchéance du corps mutilé, fait l'impossible pour soigner et aider son malade. Elle met au monde un fils et, sans se décourager, espère que Paul reviendra à lui, reprendra conscience. Elle lui lit le journal tous les jours, espérant qu'il entendra, mais elle s'épuise et la situation se détériore.

Nous essayons de débloquer la situation par la prière et à tour de rôle une équipe va prier, à 20 h 30, autour de Paul, chaque soir. Et, un soir, par l'intermédiaire de Daniel, Paul parle à sa femme, la remercie de tout ce qu'elle fait, lui demande pardon devant tout le groupe, bouleversé et en larmes. Etty vint ensuite : « La médecine ne peut rien, dit-elle, contre ce qui a été voulu et décidé par une âme. Rien de ce qui est accepté par Dieu n'est hasard ; tout répond à des règles strictes, précises, immuables dans leurs effets. Que vos prières soient totalement concentrées pour aider l'âme de Paul qui flotte au-dessus de cet amas mutilé. Il a compris, accepté et retrouvé la raison première pour laquelle il vit cela. Bientôt un éclair de lumière l'emportera, loin de ce lieu où il expia et effaça la grande tache qui avait été faite sur la page précédente. »

Un mois plus tard, Paul est mort. Marie, qui était prête, a accepté avec son immense courage. Elle est retournée dans son pays où elle a créé un groupe de prière, pour aider à son tour et répandre ce qu'elle avait reçu.

Quatrième partie

LES MÉDECINS

Les médecins qui m'entourent deviennent parfois un peu mes enfants et viennent me confier leur souffrance. Cette souffrance est toujours liée à leur impuissance face à certaines maladies meurtrières, impitoyables.

Un jour, sans un mot, le Dr Michel vint me trouver, en larmes. Il venait de recevoir les examens condamnant une malade pour laquelle il s'était battu depuis trois ans.

Une autre fois, il a fait irruption au sein d'une réunion de prière parce qu'une jeune maman était en train de mourir et qu'il était épuisé, physiquement et moralement. Pour elle, nous avons prié avec lui et il est aussitôt reparti au chevet de sa malade pour recueillir son dernier soupir, pour qu'elle meure dans ses bras.

Un autre médecin me téléphone un soir, en colère, en pleine crise. Il s'était battu pour un enfant qui se mourait. « Je ne veux plus être médecin, me dit-il, je préfère garder les moutons ! » J'ai dû lui rappeler toutes les fois où il avait été efficace, où il avait sauvé des enfants, et le consoler.

Les médecins sont parfois des hommes très seuls, un peu comme le prêtre devant la maladie et la mort. Beaucoup de ceux qui m'entourent sont sensibles et ne s'habituent pas à ces tragédies quotidiennes. De temps à autre, ils ont besoin, eux aussi, d'un peu de compréhension et de réconfort. La prière salvatrice aide ceux qui croient, mais le médecin n'est pas un magicien et, malgré son art, il doit assumer ce qui à ses propres yeux apparaît comme un échec, alors que ce n'est parfois que le destin d'un homme, le choix d'une âme. L'homme est un exilé sur terre et cet exil peut durer trois jours, trois mois, trois ans, trente ou quatre-vingts... Qui le sait à l'avance ?

Au fur et à mesure qu'une maladie « incurable » est vaincue, une autre apparaît. Grâce aux travaux des savants, des chercheurs en tout genre, les grandes épidémies ont pratiquement disparu. La variole, la lèpre, la peste, la tuberculose — terreur du siècle passé — sont neutralisées ou maîtrisées ; et aujourd'hui, où les progrès considérables accomplis dans ce domaine peuvent faire espérer une régression du cancer, apparaît le sida, peste des temps modernes. Tout est à recommencer ; la médecine, encore impuissante devant le fléau, doit reprendre les recherches, et vaincre.

Pourquoi cette maladie terrifiante ?

Les médecins du ciel disent : « Tant que les lois de Dieu seront bafouées, des maladies graves, la déchéance des corps, conséquence de la déchéance des âmes, ne pourront disparaître de la terre et souvent les innnocents les paient de leur vie. La loi cosmique n'étant pas respectée, les hommes sont victimes de leurs abus et de leurs erreurs. »

Pourquoi l'enfant innocent paie-t-il pour les autres ? Nous avons du mal à l'accepter. Mais il peut faire partie de ceux qui ont décidé de « donner leur vie » pour que le monde prenne conscience et se réveille.

Souvent, un événement, une rencontre, une lecture,

un « hasard » font basculer notre vie sur la route de l'évolution. Mais tous les hommes sont libres et il est souvent plus facile de choisir la route qui descend que le chemin étroit qui monte...

Au Dr V., médecin gynécologue chirurgien, je voudrais consacrer une partie de ce livre. Il a été le premier à me faire confiance, le premier, après m'avoir sauvé la vie à la suite de mon infarctus, à m'aider. Je l'ai connu bien avant Daniel. Il n'était pas croyant, ne voulait pas penser qu'il pût y avoir une survie de l'âme, disant en riant qu'il ne l'avait jamais trouvée au bout de son bistouri, mais qu'il était très heureux si je me trouvais dans la salle d'opération lors d'une intervention délicate « parce que ça lui portait bonheur » et que tout allait bien.

Il ne croyait pas en Dieu, mais Dieu était en lui.

Un jour que j'accompagnais une malade à la clinique, je vois une jeune femme qui pleurait dans le lit voisin. Elle s'était trouvée mal en passant devant la clinique et des gens compatissants l'avaient transportée, en pleine hémorragie, à l'intérieur, et le Dr V. l'avait opérée d'urgence. Elle allait bien mais, « sans argent, elle ne pouvait payer. Il aurait fallu qu'elle aille à l'hôpital... » Averti, le Dr V. me dit : « Elle a eu la vie sauve et je suis bien payé. »

Une jeune maman espagnole, après six naissances et plusieurs fausses couches, devait se faire obturer les trompes car, la dernière fois, elle avait failli mourir. Mais pas d'argent ni de possibilités dans son pays. Je l'ai fait venir chez moi et le Dr V. l'a opérée gratuitement. Je pourrais raconter sans fin des faits de ce genre. Mais il n'en parlait jamais.

Avant la loi autorisant l'IVG en France, il m'a souvent adressé des jeunes femmes enceintes, se trouvant parfois dans des situations dramatiques. Il était très heureux lorsqu'elles s'en sortaient, soit en gardant leur bébé, soit en le faisant adopter. Souvent il est intervenu personnellement pour aider à trouver un travail, donner un coup de pouce et, dans ces cas-là, il faisait l'accouchement gratuitement.

Il est mort il y a quelques années. Il sait maintenant que la vie après la mort existe et fait partie de notre équipe de « médecins du ciel ».

Je suis très honorée d'avoir été, de nombreuses années, à ses côtés. Il a cru au magnétisme, m'a toujours épaulée dans ma vie sociale et dans mon travail sur les malades.

Je crois bien que les deux hommes que j'ai le plus admirés sont le Dr V., en tant que médecin, et Roger Masse-Navette en tant que magistrat. L'un comme l'autre ont toujours su prendre des risques et foncer lorsqu'il s'agissait de sauver un enfant.

La coopération entre les médecins d'ici-bas et notre groupe est essentielle. Il faut qu'il y ait accord entre le médecin traitant, les parents et nous-mêmes, que les choses soient très claires, ne prêtent jamais à confusion.

Un soir, une réunion de prière exceptionnelle est décidée. Nous devons prendre en charge une petite leucémique. Nous disposons de peu de temps car elle est hospitalisée pour son traitement médical. Nous allons obtenir sa prise en charge par les médecins du ciel. Elle sera ainsi « rechargée » énergétiquement et fera face à la maladie avec plus de moyens. Les médecins de l'hôpital ont donné leur accord.

Il importe de préciser que nous n'influençons jamais le malade ou la famille sur le choix des thérapies : médecine traditionnelle, médecine douce, allopathie, homéopathie, etc. Ce n'est pas notre problème. Je me refuse à donner mon avis. Chacun agit selon sa conscience ou sa conviction et doit faire librement son choix. Les magnétiseurs, comme les médecins du ciel, ne sont que les guérisseurs de l'âme. A chacun son domaine.

Les médecins du ciel ne peuvent, comme les médecins de la terre, aider un malade que dans la mesure où s'établit un contact direct. Ils utilisent donc les instruments que sont les magnétiseurs et les médecins. Il faut que les guérisseurs du groupe puissent voir et toucher le malade directement. En revanche, il nous est possible de prendre un témoin, un proche parent, si le malade est intransportable ou hospitalisé, dans la mesure où nous l'avons traité au préalable et si ce témoin appartient au groupe.

Dans la journée, comme tous les jours, je note quelques appels de détresse ainsi que le nom des malades pour les inscrire sur une liste de prières, mais il nous est impossible de soigner à distance. Il est inutile de m'envoyer des photos. Comme il est difficile d'expliquer cela et de refuser ceux qui voudraient faire soigner un proche, un ami !

Le Dr V. n'est pas le seul de nos médecins de là-haut que j'ai connu de son vivant.

Ainsi le Dr René, qui s'occupe particulièrement des enfants. Son conseil est toujours judicieux. Il lui est souvent arrivé d'intervenir, avant même qu'un enfant ait un problème de santé, pour essayer de prévenir le mal. Ainsi il me dit un jour : « Dis aux parents du petit Bernard de faire attention à sa nourriture ; cet enfant mange mal ; il absorbe beaucoup trop de sucreries, pas assez de fruits et de légumes. » Je l'ignorais, mais je vérifiai très vite l'exactitude des faits.

J'ai connu René de son vivant. Il était pédiatre.

C'était un être lumineux qui respirait la bonté, l'amour des enfants et se présentait comme un ascète. Il était passionné par l'histoire des Templiers et possédait une collection d'objets d'art leur ayant appartenu. Il était aussi radioamateur et passait des heures, la nuit, à capter le monde et parfois il recevait des appels de détresse auxquels il essayait de faire face. Dès qu'un de mes enfants était fatigué, je faisais appel à lui. Il a traité et suivi tous mes petits.

Il avait connu sa femme pendant la Résistance. C'était, et c'est encore, une de mes amies. Il était recherché par la Gestapo et avait trouvé refuge dans la cave de Solange. C'est ainsi que je l'ai connu.

Nous nous fréquentions beaucoup, passions ensemble de nombreux dimanches. Un soir où nous étions à table tous les quatre, Daniel se trouva subitement mal à l'aise, très pâle, et se leva pour aller respirer l'air pur. J'étais affolée car ces malaises se produisaient de temps en temps lorsque nous parlions spiritualité. Il s'agissait sans doute des premières manifestations de sa médiumnité, mais à l'époque nous l'ignorions tous les deux.

Après l'avoir bien observé, René me dit : « Ne t'inquiète pas, ce n'est rien ; tu comprendras peut-être plus tard. » Il avait très certainement perçu quelque chose, compris la sensibilité si particulière de Daniel. René n'était pas soucieux pour mon mari et connaissait son équilibre et sa résistance, mais il devait « savoir » que les choses n'en resteraient pas là...

Je n'ai jamais oublié ses dernières paroles. C'était la veille de son départ en vacances. Il aimait passionnément la montagne, l'ascension, et me disait : « Je voudrais que Dieu m'accorde la grâce de mourir dans cette splendeur ! »

Nous avions déjeuné ensemble et je partais aussi

pour la Bretagne rejoindre Malou et son mari, qui avaient emmené Liliane après son accident. René a couru après notre voiture qui démarrait : « Nous serons tous deux en pleine forme quand nous nous reverrons ! » me dit-il. Je ne l'ai jamais revu en ce monde. Quatre jours plus tard, encordé pour faire une ascension au pied du mont Blanc, au milieu de ces neiges éternelles qu'il aimait tant, il est parti, foudroyé par une crise cardiaque, à quarante ans !

Mais, bien sûr, l'histoire de René ne s'arrête pas là, puisque tout continue. Très vite, il a pu nous contacter et faire partie de l'équipe des médecins du ciel qui nous entoure.

Son intervention ne se limite pas aux soins. Solange et lui n'avaient pas d'enfants. Après un très profond chagrin, et après que nous avons tenté de la soutenir, Solange s'est remariée quelques années plus tard et a eu un fils, Matthieu.

Dès sa petite enfance, Matthieu s'est passionné pour la vie de René. Il l'appelait « mon copain » et cueillait des fleurs dans les champs, qu'il plaçait sous la photo de René... Fils unique et quelque peu gâté, Matthieu a eu une adolescence tumultueuse, puis il glissa insensiblement sur une pente dangereuse. Alors René me demanda d'intervenir, et vite, avant qu'il soit trop tard. A ma surprise, le gamin, que je connaissais à peine, la vie ayant séparé sa mère et notre famille, écouta attentivement mes paroles, accepta, sur les conseils de René, de quitter ses parents et de venir passer une année chez un de mes fils. Et cet adolescent de dix-sept ans, terrible et violent avec ses parents, qui commençait à fumer de l'herbe et passait ses nuits dehors, ayant même eu quelques ennuis avec la police, accepta de travailler et de s'assagir. Nous l'avons pris au groupe comme on prend un malade... Mais Matthieu trouva la foi. Il n'est certes pas devenu un ange pour autant et les difficultés familiales subsistent, mais plus aucun acte de délinquance.

Malgré la grande distance qui nous sépare, Matthieu vient souvent chez nous et j'espère que jusqu'à sa majorité nous lui servirons de garde-fou. Sur ce sujet rebelle, René, habitant d'un autre monde, a exercé son influence. Jamais Matthieu, qui rejetait tout en bloc, n'a douté ni discuté ce qui lui était transmis par René.

Les médecins de l'espace nous suivent, participent à leur manière, nous soutiennent plus que nous ne pourrons jamais l'imaginer.

Un matin, mon amie Malou m'appelle. Claude, son mari, est au plus mal. Nous sommes restés autour de lui. Il est calme, respire difficilement. Le médecin, un ami, est présent. Vers 17 heures, il entre, si je puis dire, paisiblement, dans l'inconscience. Je vois encore la scène : Malou, courageuse, qui prie. Daniel, très pâle, assis, captant l'esprit de Claude qui « part » et commence à nous parler avec la voix de Claude : « Je suis sur un pont... Je balance... Je suis bien... Tout est lumière... Je suis sur un pont... »

Quelques instants encore et tout est fini. Notre ami venait de rejoindre l'autre rive dans la paix, dans la sérénité. Un enterrement civil est décidé car nos amis ne pratiquaient aucune religion, mais les membres du groupe accompagnent son corps. Au cimetière, nous avons, main dans la main, prié pour lui et Etty, le lendemain, nous a dit : « Nous étions tous là, vos amis invisibles, avec vous, mêlant nos prières aux vôtres. La fusion a été telle que notre ami est parti dans une gerbe d'étincelles de lumière. »

Pendant plusieurs jours, un pigeon est venu percher

sur sa maison, sur ses arbres, sur les nôtres, a roucoulé chaque matin... Étrange comportement des oiseaux, souvent observé par ceux qui savent ; il y aurait beaucoup à apprendre d'eux...

La maison de Claude, comme par hasard, abrite maintenant un excellent généraliste qui n'a pas hésité à habiter à côté d'une « sorcière ». Ce jeune médecin a très vite compris que nos domaines étaient très différents. S'il soigne les corps, et fort bien d'ailleurs, moi, je ne m'occupe que des âmes... Ainsi notre collaboration ne peut-elle être que pacifique et heureuse.

Mamy était encore auprès de moi — pendant mon initiation —, mais l'équipe de médecins du ciel déjà bien constituée, le groupe en pleine expansion. Les médecins de Grenoble commençaient à s'intéresser à notre travail, lorsque nous nous sommes aperçus qu'un nouveau médecin astral était parmi nous. Nous l'appelions le Dr X. Sa rapidité à venir et à partir nous stupéfiait. Daniel, souvent, tombait brutalement et, un jour, il se cogna même la tête après son départ. « Ce doit être un Chinois, me dit-il un jour, j'ai l'impression d'avoir des mains très fines. » Il se trompait...

Ce médecin devint très vite la « coqueluche » du groupe. Nous n'étions pas aussi nombreux qu'aujourd'hui et, dès que l'un de nous avait un problème, il voulait consulter le Dr X. Ses conseils étaient bons et les malades, très rapidement dirigés vers les spécialistes compétents, ne perdaient pas de temps.

Une de mes amies avait sa maman impotente et très lourde. Elle avait de gros problèmes de colonne vertébrale et un jour, en soulevant sa mère, elle resta pliée en deux par une sciatique fulgurante. Son médecin était absent. Impossible, en période de vacances, d'avoir un rendez-vous tout de suite chez un confrère. Elle souf-

frait énormément. Elle arriva chez moi, mais que faire ?
Je suis incapable de manipuler une colonne vertébrale.

Nous demandons au Dr X de nous aider. Lorsque je
vois Daniel changer de tête et dire d'une voix brève :
« Allonge-toi, déshabille-toi ! » et se mettre à masser
mon amie, à genoux, puis me dire : « Magnétise un
morceau de coton, passe-le ici et bande très fort ton
amie. » En quelques minutes, tout était terminé. Mon
amie se redresse, le mal s'était envolé !

Il y a plus de vingt ans de cela. Elle n'a plus jamais eu
mal aux reins ou souffert de sciatique. Le Dr X avait
guéri plus rapidement qu'il ne m'avait fallu de temps
pour fermer la porte d'entrée, décrocher le téléphone,
faire le silence et prier pour que tout aille bien !

A partir de cette époque, qui a duré environ sept
années, notre travail de groupe a beaucoup progressé ;
les entrées furent nombreuses et les médecins, autour
de nous, de plus en plus présents.

Le corps médical est très prudent — et à juste titre —
face à ces phénomènes et, pendant des années, je
suppose que j'ai été « en observation ».

J'ai toujours évité d'empiéter sur leur domaine et,
petit à petit, les barrières sont tombées et, aujourd'hui,
je puis dire que de très nombreux médecins sont
devenus mes amis. Certains d'entre eux font partie du
groupe et travaillent en collaboration avec les « médecins du ciel » ; ils n'hésitent pas à m'accompagner dans
les conférences et à expliquer leur chemin, à dire
publiquement comment de médecins ou chirurgiens
traditionnels ils sont aussi devenus des « médecins
spirituels ».

Plusieurs parmi eux ont des dons de magnétisme et
les ont développés. C'est très précieux pour l'exercice
de leur art et important également pour les malades du

groupe. L'appel aux médecins du ciel, la prière font désormais partie de leur vie quotidienne. Ils ont vu, touché du doigt, et ils ont la foi.

Pour la plupart, ils m'ont connue à travers leurs malades. Ils ont été intrigués par un mieux subit et souvent inexplicable ; ou bien encore, un traitement pratiquement inefficace s'est mis à bien « marcher ». Le comportement du patient aussi changeait. Ceux qui avaient perdu toute foi la retrouvaient et, avec elle, le sourire et l'espérance.

D'autres sont venus vers moi par la « rumeur publique », parce qu'ils avaient discuté avec d'autres médecins. Certains, parfois, d'une façon plus originale...

Ainsi le Dr S., professeur de médecine et titulaire d'autres titres, est un scientifique pur. Je l'ai rencontré chez des amis communs. En tant que chercheur passionné, il était très curieux de ce que je faisais. Je lui ai fait attendre longtemps son entrée dans le groupe, me demandant s'il ne venait pas un peu pour nous « disséquer » tous !

Je regrette d'avoir eu de telles pensées à son endroit, car je ne connais pas d'être plus gentil, plus simple et plus dévoué que lui. Il y a près de douze ans maintenant qu'il est à mes côtés et nous ne nous quitterons plus. Il est la serviabilité incarnée, toujours présent, totalement humble.

Un jour d'août, des amis habitant à plus d'une heure de Grenoble me demandent d'aller les voir. Depuis dix jours, un homme souffrait d'une fièvre très élevée, rebelle à tout traitement. Tous les examens pratiqués étaient négatifs et les médecins appelés ne savaient plus que faire. Il avait déjà perdu cinq kilos. De temps en temps, les médecins sont désarmés devant certaines maladies étranges et non répertoriées...

Je ne suis pas du tout certaine que le magnétisme agira. S'il y a fièvre, c'est qu'il y a infection. Je décide donc d'emmener avec moi un médecin du groupe. Tous partis, sauf le Dr S. qui se trouve là par hasard. Il accepte de m'accompagner et je suis d'autant plus ravie qu'il a une voiture de sport ! Et nous voilà partis.

Après avoir examiné le malade, regardé tous les examens, téléphoné au médecin traitant, il avoue sa perplexité, comme les autres. Alors, je fais sortir tout le monde de la chambre, prie avec le malade et fais une imposition des mains. Une heure après, la fièvre commençait à baisser, et le lendemain, il avait 37°.

Des mois plus tard, nous apprenons que mes clients racontaient ainsi l'histoire : « Maguy est venue avec un grand docteur, elle lui a dit : va-t'en, sors-toi de là. Elle a soigné le malade, il a guéri ! »

Nous avons bien ri, mais j'ai quand même pensé qu'il était réellement bien gentil d'en rire alors qu'il avait fait, à ses frais, cent quatre-vingts kilomètres et pas touché un sou ! Mais ce sont des actes de cette sorte qui font la grandeur des médecins.

Un jour, le Dr S., fervent skieur, a un petit accident et se retrouve à l'hôpital en état de choc. Il a un numéro de téléphone dans la tête, qu'il répète inlassablement, comme un leitmotiv : le mien ! L'hôpital prend contact avec moi pour me demander si je fais partie de la famille. Oui, bien sûr... de sa famille spirituelle, n'est-ce pas ? Et mon mari part pour l'hôpital avec un autre ami médecin pour le récupérer mais, le soir, nous appelons tout de même deux médecins à la maison, pour examens.

Je vous laisse imaginer leur tête en constatant que celui qui leur avait donné des cours pendant leurs études de médecine n'était pas à l'hôpital, mais chez une magnétiseuse, pour se faire traiter !

Un autre médecin, généraliste, traitait une vieille dame cardiaque qui séjournait à la maison et cela tout au début, lorsque je commençais à pratiquer le magnétisme.

Un dimanche matin, elle fit une crise grave et, en attendant l'arrivée du médecin, je me hâtai de faire du magnétisme, tandis que tous les habitants de la maison en prière essayaient de m'aider en projetant ainsi toutes leurs forces.

Lorsque le Dr C. arriva, la vieille dame allait bien. Elle avait passé le cap mais il dut s'occuper de moi. J'étais épuisée et, à cette époque, je n'étais pas encore complètement développée ; il m'arrivait de « capter » le mal, ce qui m'envoyait au lit ! Le médecin est reparti... rêveur...

A quelque temps de là, un ami arrive avec sa sœur qui était en pleine crise de colique néphrétique et souffrait atrocement. Elle devait rentrer en clinique le lendemain pour extraire un calcul qui provoquait ces crises. Il me demanda de la soigner par magnétisme avant son admission en clinique.

« D'accord, lui dis-je, je vais essayer de la calmer, mais j'appelle le docteur pour qu'il lui donne un sédatif, en cas de besoin, pour son retour. » Elle habitait en effet à plus d'une heure de voiture et il n'était pas pensable de la laisser souffrir comme ça !

Une heure après, lorsque le Dr C. arriva, la crise était calmée... et il a examiné le beau caillou rejeté en urinant. A partir de ce jour, il ne fallait plus dire devant lui que le magnétisme, ça n'était que du vent ou de l'autosuggestion !

Il est devenu, lui aussi, un ami. Il fut un de ceux qui

m'ont aidée à garder des enfants que les mères croyaient ne plus vouloir, à éviter qu'ils ne soient tués.

Un jour, j'eus la visite du Dr M., psychiatre dans un hôpital, mais il se garda bien de me donner son titre. Il était couvert d'eczéma.

Il est jeune, sympathique, et le contact entre nous fut immédiatement excellent. Je décèle chez lui une dualité très forte, un conflit intérieur, et je pense que cet homme n'est pas du tout à sa place.

A la troisième séance, je lui explique ce que je ressens. Il me fait l'aveu de son métier et en même temps des scrupules qui le torturent. Il est convaincu que les malades, bourrés à haute dose de médicaments puissants, n'ont pas beaucoup de chance de s'en sortir au mieux et que ces thérapies les transforment en zombies sans volonté. Il pense un peu comme moi que le psychiatre remplace parfois Dieu et le médicament avalé la prière...

Il vient d'être nommé chef de service dans un autre hôpital psychiatrique, d'où la crise intérieure violente qui se traduit par un superbe eczéma. Je lui parle du groupe, de nos travaux, et lui dis qu'à mon avis il ne peut pas faire vraiment du bon travail s'il n'est pas en accord avec ce qu'il fait.

Après quelques hésitations, il abandonne tout, ouvre un cabinet privé en ville et traite ses malades par psychothérapie. Il est très vite ravi du résultat. Et moi donc ! Car il peut m'aider lorsqu'un malade désire se prendre en charge et refuse de se laisser « droguer » ou pense que les médicaments ne sont pas la panacée. Bien évidemment, cette décision ne peut être prise que par le malade, seul libre de son choix, car une désintoxication médicamenteuse ne peut être entreprise que sous la responsabilité d'un médecin compétent.

Depuis des années maintenant, le Dr M. est mon ami ; il est croyant et ensemble, parfois, nous collaborons, chacun à sa juste place.

Je vais maintenant laisser la parole à quelques-uns des médecins qui ont accepté de travailler avec nous. Tous, avec une extraordinaire gentillesse, voulaient apporter leur témoignage. Je n'en ai retenu que quelques-uns, suffisamment différents les uns des autres.

Je ne puis ici que tous les remercier, du fond du cœur, sachant ce qu'ils m'apportent et la crédibilité qu'ils m'assurent...

Voici le témoignage d'un cancérologue (traitant par médecines différentes *).

« Quand nous étions étudiants, il nous est arrivé souvent de travailler la nuit, les dimanches et jours de fête. Un seul objectif : réussir l'examen afin d'obtenir le diplôme qui nous ouvrait la porte sur une nouvelle vie. Si l'on nous avait dit : travaillez, passez vos examens, mais cela ne changera rien pour vous, pas de diplôme... aurions-nous travaillé autant ?

« Voyez-vous où je veux en venir ? L'homme écoute la radio : c'est Tchernobyl ; ouvre le journal : c'est le terrorisme ; va au marché : c'est la pollution ; écoute les jeunes : c'est le chômage ; puis il tombe malade ou découvre un cancer chez un proche.

« Alors, pourquoi se lever chaque matin, pourquoi avancer, pourquoi lutter contre la maladie ? Y a-t-il un diplôme en fin de vie qui nous ouvre sur une nouvelle vie ou bien celle-ci est-elle un accident, un hasard ou une erreur ? On ne peut connaître la vie si l'on ne connaît pas la mort et, médecin, je ne pouvais soigner la

---

* *De l'homme-cancer à l'homme Dieu*, Dr B. Woestlandt, éd. Dervy.

vie sans en découvrir le sens. Je ne pouvais avoir d'autorité sur elle si elle n'était pas en moi.

« Comment parler de ce que l'on ne connaît pas ? Comment soigner ce qui nous échappe ?

« J'étais médecin ou du moins je croyais l'être et je soignais ou du moins j'essayais de soigner. Devant la mort, devant la souffrance, devant la peur, je pris conscience que j'étais aveugle et que, si je me vantais de guérir, je me lavais les mains, comme Ponce Pilate, des maladies dites " incurables "… puisqu'elles étaient dénommées " incurables ". Je n'avais pas de mots pour éclairer les mères de handicapés ni d'explications pour les mort-nés ou les jeunes cancéreux. J'ai donc cherché et j'ai changé d'alimentation et de rythme de vie, j'ai pratiqué la pensée positive et, connaissant l'allopathie, l'homéopathie, l'acupuncture, j'assistais à de nombreux congrès et colloques. Je cherchais le " savoir " et j'étais impuissant face à la mort ou à la déchirure des êtres qui s'aiment.

« Alors, que peut bien faire un médecin avec Maguy Lebrun ?

« Une femme qui communique avec des forces dites de l' " invisible " et qu'elle appelle des " guides " ; une femme qui a passé sa vie à secourir et élever des enfants ; une femme qui prie et qui nous demande de prier pour guérir des malades ?

« Oui, que peut bien faire un médecin avec Maguy Lebrun ?

« Le " hasard " me l'a fait rencontrer lors d'une conférence où je me suis retrouvé comme figé sur mon siège. Heureux… Béat… Ses propos n'étaient pas de l'intellectualisme de haut niveau ni du scientisme rationaliste. Non. Ses propos étaient tout simples et ceux-ci résonnaient en moi. Ce n'était pas du bavardage ; ce n'était pas *Les Femmes savantes* de Molière, mais c'était du cœur à cœur et, d'un seul coup, la vie s'éveillait en moi... J'avais l'impression de savoir tout ce qu'elle disait et, pourtant, je l'entendais pour·la première fois.

« Je me rendis compte par la suite que je n'étais pas le seul à avoir soif et, dans deux autres conférences auxquelles je me rendis, j'assistai à un spectacle étonnant : les hommes et les femmes restaient assis comme si quelque chose allait se passer, attendant dans le silence le plus total. Pas de question... Rien... Le silence... Le vide, ou plutôt la plénitude.

« Allez, vous devez partir ! Croyez-vous que quelque chose va se produire, que l'extraordinaire va apparaître ou qu'un ange sur un cheval ailé va descendre ?

« Non. Rien de tout cela... L'extraordinaire est en vous, dans votre cœur, et le temps n'aura plus de prise sur lui. Vous venez de renaître, vous venez de sentir, d'apercevoir, de goûter une petite parcelle de cet amour que le monde ne connaît pas encore mais qu'il a en lui.

« Mon témoignage est sans preuve et sans artifice, c'est le témoignage du cœur et du bon sens, de la vie.

« Je suis témoin de ce qui existe en moi et a toujours existé. Témoignage de cette force qui nous fait lever chaque matin, témoignage de l'amour, le vrai, celui que l'on ne peut définir ou découper, celui qui est.

« Je sais maintenant de quoi parler à mes malades. Je sais trouver les mots qu'il faut, quand il faut.

« Alors, Maguy, qu'importe en fait ce que tu dis, qu'importent les mots que tu utilises, qu'importe si tes histoires sont vraies ou fausses, qu'importe si la preuve est faite ou pas. L'important est que ton cœur parle et que le mien ait attendu cette eau-de-vie.

« La vie continue. La vie a un sens. La vie est liberté. La vie est amour. La vie est humilité.

« Merci, Maguy. »

Le Dr Woestlandt avait intitulé son témoignage :
« Le cœur a ses raisons que la raison ne connaît pas... »
Voici maintenant celui du Dr M. Gallien, qu'il a
intitulé, lui : « Au risque de se perdre ! »

« Diplômé de la faculté de médecine de Grenoble en
1967, admis au certificat d'études spécialisées en der-
mato-vénérologie en juillet 1969, je m'installai comme
médecin spécialiste, en janvier 1970, à Grenoble.

« J'étais alors père de trois enfants et notre dernier-
né, Luc, avait seulement quelques mois puisqu'il était
né le 29 avril 1969.

« Lors de ma première année d'installation, Dominique vint compléter la famille en octobre 1970, à côté de
Jean-Marc qui avait alors cinq ans et Pierre quatre ; et,
pour s'occuper de ce monde turbulent, Mireille.

« Imbu de ma science toute neuve et puissante,
j'exerçais mes fonctions avec une rigueur toute scientifique et n'acceptais pas d'autre médecine qu'allopathi-
que. Je partageais alors mes occupations entre mon
cabinet médical, des vacations au Centre hospitalier
universitaire de Grenoble, au Centre psychiatrique
de Saint-Égrève dont j'avais la charge, du départe-
ment de dermatologie, et à la maison d'arrêt de
Grenoble.

« Lorsque Luc fut âgé de trois ans, les premiers
signes de sa maladie se révélèrent et, en octobre 1972,
le couperet de la guillotine : le diagnostic et le pronostic
de sa maladie nous furent annoncés. Il avait une
myopathie de Duchenne de Boulogne et son espérance
de vie ne devait pas dépasser seize à vingt ans avec une
évolution inexorable vers l'atrophie et la paralysie des
muscles. La Faculté ne me laissa aucun espoir.

« En tant que parents, une telle réalité n'est pas acceptable ; en tant que médecin, c'était la dure réalité d'un constat d'échec de la toute-puissante science médicale que l'on m'avait enseignée ; en tant que père, de formation catholique, c'était la révolte contre Dieu et les hommes, révolte contre la souffrance de l'enfant. " Pourquoi, mon Dieu, cela existe-t-il ? "

« Cette révolte était encore plus forte parce qu'à seize ans j'avais décidé de faire médecine à la suite du décès brutal et inexpliqué de mon frère, à vingt ans, durant son service militaire, et de mon père, emporté par un cancer de la gorge après une douloureuse évolution.

« Le choc passé, nous avons décidé d'élever Luc comme les autres enfants et de lui donner le maximum que nous puissions lui accorder et, par conséquent, notre regard se tourna vers d'autres possibilités de guérison.

« J'avais alors, par l'intermédiaire d'une amie, entendu parler d'une magnétiseuse qui, par surcroît, habitait le même village, de l'autre côté de la route. Elle accepta, un soir, de venir partager notre repas et, lorsque je vis cette charmante personne avec sa crinière de lionne, je me suis dit que cette sorcière avait une bien jolie tête. Elle me promit de prendre Luc en charge et, toutes les semaines, elle le voyait et le traitait et elle l'a fait durant plus de dix ans. Ce serait lui faire injure que de taire qu'elle ne m'a jamais demandé un centime. Le cœur de Maguy n'a pas de limites.

« Maguy n'était pas seule. Daniel, son mari, ses enfants multiples et son groupe de prière se sont ouverts à notre famille et ont pris en charge notre fils.

« L'amitié entre nous grandit et, un jour, nous partîmes en voyage au Maroc. Nous descendîmes d'avion à Rabat et, le soir, après avoir bu une bière, je fus pris pour la première fois d'une crise de colique néphrétique. Nous avions essayé d'avoir un médecin, mais en vain. Et alors, en désespoir de cause, je me suis retourné vers Maguy en l'implorant de me soulager.

« Allongé sur mon lit, lorsqu'elle me magnétisa, je me mis à trembler, à claquer des dents, à avoir des frissons. La crise disparut jusqu'au lendemain matin où un nouvel épisode douloureux se déclencha, mais je pus alors avoir un médecin " qui avait fait ses études à Grenoble " et qui me soulagea définitivement. A la suite de cet événement, Maguy me dit que j'avais moi-même du magnétisme et que je ne devais pas priver mes patients de cette façon de soulager. Elle accepta de me former dans ce domaine et de m'initier mais, aujourd'hui, " l'élève est encore loin du maître ".

« Juste retour des choses, il y a quelques années, soignant sa fille Françoise au cours d'un séjour en Espagne, je disais à Maguy que sa fille avait hérité de son don. Elle ne me crut pas tout d'abord, m'assurant que c'était impossible. Aujourd'hui, Françoise est en train de devenir une grande magnétiseuse et ses dons se développent à une vitesse vertigineuse.

« Durant les dix ans qui s'écoulèrent par la suite, Luc grandit pour devenir un magnifique enfant. Ses jambes et ses bras s'affaiblissaient ; les nôtres se substituaient aux siens, ses frères le portaient, le poussaient ou le tiraient dans sa chaise roulante, jusqu'à le monter en téléphérique jusqu'à la Croix Chamrousse et le descendre dans son fauteuil. N'est-il pas monté à l'aiguille du Midi, allé en Sicile en avion, n'a-t-il pas fait du bateau pneumatique en Espagne !

« Toutes les personnes qui ont connu Luc sont devenues ses amis et vinrent le voir assidûment. Caroline, petite-fille de Maguy et fille de Françoise, fut son amie de cœur et elle le sera pour toujours. Catherine, étudiante à cette époque, échangera avec Luc un secret qu'il emporta avec lui. La liste serait trop longue pour les citer tous. Il avait cependant une affection particulière pour Solange qu'il aimait comme sa deuxième mère. Lorsqu'il nous quitta, l'église de Saint-Nazaire fut bien trop petite pour accueillir tous ses amis.

« Un jour, Daniel, au cours d'une séance de médiumnité, nous dit que Luc allait guérir ; je n'y croyais pas et me disais qu'il était fou. C'est fort longtemps après que je compris où était la guérison de Luc. Cet enfant avait eu une évolution spirituelle extraordinaire et, lors des dernières années de sa jeune vie, son esprit dominait son corps comme s'il s'en était déjà libéré.

« Les années ont passé, le rayonnement de Luc auprès de nous tous, parents et amis, fut d'une force prodigieuse.

« Un jour, cependant, le 1er juin 1983, jour de mon anniversaire, Luc nous offrit sa vie et j'eus le privilège de recueillir, main dans la main, son dernier souffle.

« La séparation physique fut pour nous tous dure et brutale ; il a maintenant revêtu son habit de lumière et, libéré de son corps physique, il continue l'œuvre qu'il avait commencée.

« Il m'assiste tous les jours dans mes fonctions de médecin et il est, pour notre groupe de prière, un médecin de l'espace, un médecin sans diplôme mais qui nous aide à soulager corps et âmes.

« Je tenais à porter ce témoignage en remerciement à Maguy, à Daniel et à tous ceux qui nous ont entourés mais surtout pour dire à ceux qui souffrent que la guérison n'est pas toujours où l'on voudrait qu'elle soit mais que, si nous le voulons, elle est à notre portée, si nous sommes capables de partager avec notre prochain un peu d'amour. »

Je dois ajouter ici que le Dr Gallien est trop modeste et que j'ai rarement vu plus doué que lui en matière de magnétisme. Non seulement il m'a rapidement égalée, mais, dans certains cas, dépassée. Après la mort de son fils, ses dons de médiumnité se sont encore développés et il travaille, sans aucun problème, avec les forces divines qui nous entourent.

Il nous raconta un jour qu'une amie l'appela pour sa fille qui avait mal au ventre. On craignait une crise d'appendicite. Lorsque, en la soignant, il « prend mal à un ovaire »... Elle avait effectivement un kyste à l'ovaire. Pas banal pour un médecin de sexe masculin, n'est-ce pas ?

Parmi nos médecins, il y a aussi un psychiatre, et Marc Maronne a tenu, lui aussi, à apporter ici son témoignage.

« On pourrait s'étonner de la collaboration d'un psychiatre avec une magnétiseuse. Le plus souvent, ce sont là des gens qui ne se rencontrent pas, ne font pas partie du même milieu.

« Si l'on voulait chercher les raisons de cette rencontre, on en trouverait sûrement des tas, toutes aussi bonnes les unes que les autres, mais je dirai simplement : parce que j'ai été malade. J'ai consulté Maguy pour un eczéma généralisé, sur les conseils d'une amie qui m'en disait grand bien car Maguy avait guéri l'eczéma de son jeune enfant.

« Vous savez tous que les cordonniers sont souvent les plus mal chaussés, c'est une vérité connue dans toutes les chaumières. Vous ne serez donc pas surpris si je vous dis que, bien que psychiatre, je n'ai pas été foutu de m'apercevoir que je souffrais bien plus que d'un eczéma. Il s'agissait bel et bien d'un état de dépréciation de soi qu'on nomme généralement " dépression ".

« Maguy m'a beaucoup aidé. Par le magnétisme, elle m'a insufflé un souffle de vie. C'était comme une douche intense, bienfaisante comme un baume. Maguy m'a fait réentendre les paroles qui parlent au cœur, encouragent. Je peux dire qu'elle m'a guéri d'une peur qui venait de très loin dans mon histoire et qui ne s'était pas apaisée avec le temps, mais au contraire accrue par les circonstances défavorables du moment. D'ailleurs, par la suite, j'ai demandé l'aide d'un psychanalyste pour élucider cette peur. C'était bien la moindre des choses, pour un homme qui doit s'occuper de la maladie mentale, que de connaître la sienne, me direz-vous, et vous auriez raison.

« Ma collaboration avec Maguy s'est faite parce qu'elle ne se veut pas omnipotente. Quand une personne ne se trouve pas améliorée par le magnétisme, que sa maladie n'évolue pas, elle sait admettre les limites de son traitement, ce qui est une grande qualité chez un thérapeute. Il lui est donc arrivé de m'adresser des malades lorsqu'elle pressent qu'il s'agit essentiellement d'une souffrance psychologique, qu'il faut les aider à comprendre leur vie, et c'est souvent une longue histoire à écouter. Maguy n'aurait pas le temps pour cela, les malades affluant vers elle.

« Elle se donne beaucoup et, le soir, après sa journée de soins, je l'ai vue épuisée, mais sereine.

« Elle m'a fait la faveur de m'accepter dans le groupe de prière pour la guérison des malades et répète souvent : Seul, on ne peut pas grand-chose, à plusieurs, nous sommes très forts !

« J'ajouterai tout de même qu'elle fait partie des êtres dont la prière est assez puissante pour être suivie d'exaucement ! D'ailleurs, de nombreuses personnes lui demandent de prier pour elles ou leurs proches mais, pour le nombre des orants moyens dont je fais partie, mieux vaut s'associer à d'autres pour pouvoir se prononcer sur l'efficience de la prière ; et nous prions ensemble, très nombreux, pour demander la guérison des malades. Quelqu'un, qui en connaissait un brin sur la question, a dit : " Ta foi t'a guéri. " C'est dire qu'il faut de la part du malade une volonté de guérir très affirmée, tenace, sur laquelle s'appuiera la force du groupe de prière.

« Voilà brièvement ce dont je voulais témoigner.

« J'ai été surpris de ne pas m'être laissé trop tenter par le plaisir qu'il y a à parler de quelqu'un que l'on admire, mais je vais quand même le faire un peu : je voudrais vous entretenir de l'aide que Maguy apporte aux mourants en les accompagnant jusqu'à la mort, ayant à cœur qu'ils s'en aillent en paix. C'est à mon tour de reconnaître mes limites, parce que, là, je suis écrasé par la grandeur de l'acte.

« Quand j'ajouterai que son secours va aussi aux proches du mourant et ensuite aux endeuillés, je suppose que vous mesurerez l'ampleur de la tâche et la dimension du travail accompli ! »

Dans le groupe, des médecins ont trouvé un soutien, une chaleur et souvent, aussi, une réponse aux questions qu'ils ne manquent pas de se poser. Le témoignage du Dr Barnola, médecin ostéopathe, le confirme avec beaucoup de sensibilité et d'humilité.

« Quand on me demande quel est mon mode d'exercice de la médecine et que je dis que je travaille, entre autres, dans des établissements d'enfants et d'adultes handicapés mentaux, débiles profonds, il y a très souvent un instant de flottement, d'hésitation... " Oui, bien sûr, il faut des gens pour s'occuper d'eux et les soigner... mais... vous avez bien du mérite et du courage... "

« Du mérite ? Du courage ? Au fond, peut-être faut-il pour surmonter le malaise que l'on éprouve volontiers vis-à-vis des handicapés, pour se mettre à leur école et accepter leur leçon, peut-être faut-il passer par une " initiation ". Pour certains, il s'agit d'une expérience familiale douloureuse mais qui, comme toutes les épreuves acceptées et non subies, devient une source d'enrichissement. Pour moi comme pour d'autres, c'est le " hasard ", qui fait si bien les choses, qui mit Michel sur ma route.

« C'était au début de mes études médicales.

« Je débarquai, en novembre, dans une famille chez qui je devais prendre pension. Leur histoire était tristement banale : une veuve avec six enfants. Des gens qui avaient été aisés. Le mari, industriel dans le Nord, était allé au printemps 1940 faire une cure à Vichy avec sa famille. Il y était mort durant la débâcle. Mme Lerat s'était retrouvée seule en zone libre, sans ressources, avec sa nichée.

« Il y avait Thérèse qui commençait ses études de secrétariat, Philippe, Alain, Paul, René, qui tous avaient plus ou moins terminé leurs études secondaires... et Michel. Michel qui était né et demeuré " comme ça ". Michel avec son corps torturé, son parler semblable au cours d'un torrent incontrôlé, saccadé et brutal, son besoin d'aimer démesuré...

215

« Durant les jours heureux, il y avait eu à la maison, dans le Nord, de jeunes étrangères au pair. Elles s'occupaient de Michel, enseignaient leur langue aux autres enfants, faisaient un peu de ménage. L'une d'elles avait trouvé commode de faire faire à Michel les tâches ménagères, et comme personne ne s'en plaignait, Mme Lerat avait laissé faire.

« Lorsque était venue l'infortune, elle avait su profiter des pions que la providence avait placés aux bons endroits sur l'échiquier de leur histoire. Elle avait loué une grande maison pour loger sa famille et quelques pensionnaires qui comme moi, quelques années plus tard, arrondiraient les fins de mois. Par relations, elle avait pu utiliser son diplôme de dame de la Croix-Rouge en travaillant comme infirmière dans une usine tandis que Michel assurait la marche de la maison-hôtel, tant bien que mal — plutôt mal en vérité, mais qu'importe ! L'ambiance était chaleureuse et on se sentait tous embarqués sur la même galère avec Michel pour capitaine ! Michel qui ne savait ni lire ni écrire, pas même déchiffrer l'heure à la pendule de la cuisine, mais qui nous accueillait toujours avec un mot gentil dans un grand sourire.

« Thérèse, Philippe, Alain, René, qui êtes devenus juriste, banquier, médecin, ingénieur, pensez-vous quelquefois que c'est à Michel, l'idiot de la famille, que vous le devez en grande partie ?

« Cette histoire ne serait qu'un conte pour s'attendrir le soir à la veillée si l'enseignement dispensé dans le groupe ne nous amenait à une réflexion sur un autre plan. Notre vie actuelle, dans cette optique, ne constitue que la partie apparente de l'iceberg, un " moment " de conscience dans la double spirale de l'involution-évolution de notre trajectoire. Alors tout s'explique,

216

tout ce qui peut sembler monstrueux dans le monde... Y a-t-il plus grand scandale que la souffrance, la maladie, la mort d'un enfant !

« Que dire de ces emmurés vivants que sont les handicapés mentaux et leur famille ? Pourquoi Michel, Evelyne, Patrick... vous tous qui êtes passés depuis vingt ans dans mon cœur, qui êtes peut-être comme de grands virtuoses dont l'instrument serait désaccordé, Marie, André, Joseph... les traditions anciennes auraient fait de vous des envoyés du ciel, des porte-bonheur ou des boucs émissaires... Quel message nous envoyez-vous ? Pourquoi êtes-vous venus parmi nous ? Êtes-vous notre dernier luxe dans un monde dominé par l'argent, l'efficacité, la quête du rendement maximal ? Voulez-vous nous donner une leçon d'amour, développer en nous l'intuition, la communication de cœur à cœur, de votre âme à notre âme ? Quel est votre karma ? Que payez-vous ou pour qui payez-vous ? Ou que rachetez-vous, qu'achetez-vous ?

« "Jésus vit en passant un aveugle de naissance. Maître, lui demandèrent ses disciples, est-ce que cet homme a péché, ou ses parents, pour qu'il soit né aveugle ? Jésus répondit : Ni lui ni ses parents n'ont péché mais c'est afin que les œuvres de Dieu soient manifestées en lui... "

« Dans le groupe, j'ai trouvé une démarche attentive, un respect pour tous les déshérités : grands malades dont la douleur rend parfois l'esprit confus, souffrants, handicapés ; pour tous ceux dont on dit couramment " qu'ils n'ont pas tiré le bon numéro ", pures étincelles d'esprit dont l'éclat est obscurci provisoirement pour Dieu sait quelle raison. Comme nous, boules d'un billard fantastique dont on ne verrait pas les bandes, vous nous heurtons. Nous faisons, parfois, un bout de chemin ensemble et puis nous disparaissons dans la zone invisible, au-delà de nos sens terrestres. Nous nous retrouverons peut-être plus tard, au milieu du tapis, dans une autre combinaison...

« A une époque où la matière se transforme en énergie, où les certitudes les plus absolues de la physique deviennent aléatoires, les particules " charmées " et les résultats d'une expérience variables, selon le psychisme de l'expérimentateur, la médecine ne pouvait demeurer stable sur son roc d'anatomie, physiologie, expérimentations princeps reproductibles à l'infini et molécules chimiques...

« Dans son domaine aussi, l'Esprit s'est introduit par la petite brèche que fit la psychosomatique.

« Pour nous, médecins, le groupe est une ouverture merveilleuse sur l'autre dimension de l'être et du monde. Accepter de devenir le canal diffusant les énergies que nous transmettent les médecins de l'espace, accepter cette collaboration entre le visible et l'invisible (car ainsi qu'ils nous le " disaient " un jour : sans nous vous ne pourriez rien faire mais sans vous nous ne pourrions agir car nous avons besoin des prières du groupe, de votre recherche diagnostique, de votre matière pour pouvoir travailler dans la matière), se mettre humblement, simplement, à la disposition des uns pour le service des autres, tout en gardant la tête froide (il y a danger, bien sûr, du côté de la " gamberge "!), c'est une aventure passionnante et combien réconfortante. Car alors s'explique tout ce qui peut sembler monstrueux dans le monde. »

Voici encore un témoignage, celui du Dr S. Stebler, cette fois, qui est oto-rhino-laryngologiste...

« La sagesse populaire reconnaît, de longue date,

l'influence de l'état psychologique et moral sur l'apparition et l'évolution des maladies, mais n'est-ce pas faire preuve de conceptions rétrogrades, voire d'obscurantisme, que d'évoquer la possibilité de guérison spirituelle à l'heure où la médecine déploie sa toute-puissance scientifique et technologique ? Pourtant, naguère encore, mes maîtres privilégiaient le " colloque singulier " avec le malade, conscients d'exercer un art et non pas d'appliquer une technique, aussi sophistiquée soit-elle.

« Nous avons tous constaté l'importance de l'environnement aux heures critiques et observé le rôle joué dans le soulagement ou la guérison par un membre de la famille ou de l'équipe soignante, quelle que soit sa qualification, mais capable d'établir une relation avec celui qui souffre, par un regard affectueux, une pression de la main ou une écoute attentive.

« L'essentiel réside bien dans la prise en compte de la totalité des besoins de l'homme, physiques, affectifs, spirituels, au moment surtout où se pose l'inévitable question de la " destinée ". Mais, de nos jours, le médecin n'y est guère préparé par ses études et il lui est certainement de plus en plus difficile de descendre de son " piédestal scientifique " pour rencontrer son malade d'homme à homme et partager avec lui un instant de réflexion. Aussi l'aide qu'apportent Maguy et le groupe qu'elle anime à ceux qui souffrent, éclatés entre leurs douleurs physiques et leurs angoisses, peut leur permettre, grâce à une méditation commune et une relation humaine authentique, de retrouver l'harmonie en eux avec l'autre et par-delà, de prendre conscience de " la dimension qui passe infiniment l'homme ", qu'on l'appelle inconscient collectif, énergie cosmique ou, plus simplement, Dieu. »

Les médecins en recherche, les médecins qui s'interrogent sont précisément ceux qui viennent à nous. Et c'est sans doute aussi pour cela qu'ils comprennent si bien notre action et nous demeurent si merveilleusement fidèles. Tous ne sont pas touchés par le même message, ne l'expriment pas, en tout cas, avec les mêmes mots. Les plus croyants adhèrent évidemment plus vite ; les autres reconnaissent que la disponibilité des membres du groupe, les élans désintéressés, la mobilisation des énergies et de la bonne volonté de tous peuvent constituer, par eux-mêmes, un facteur de guérison.

Voici le témoignage du Dr Serraz, généraliste, qui, comme les autres, fut un jour amené à remettre en question sa pratique, à en reconnaître les limites :

« J'ai été de moins en moins satisfait, au cours de mes dix années de médecine généraliste, de l'étiquette " psychosomatique " utilisée un peu trop complaisamment par le médecin et la médecine pour voiler, voire cacher, de façon culpabilisante pour le malade, leur ignorance. Cette situation n'apporte aucune solution, même en utilisant les traitements psychologiques.

« J'avais donc décidé pour le malade, qui n'avait aucune amélioration de son état et qui avait pourtant été traité, après un bilan hospitalier spécialisé, d'observer la façon dont il réagissait aux techniques différentes ou " parallèles " utilisées et j'essayai de centraliser le plus objectivement possible les résultats.

« En gros, c'est presque toujours la même chose : certains cas de guérisons tout à fait extraordinaires qui posent tout de même une énorme question, et certains malades subissant, selon les thérapies choisies, d'énormes dégâts inacceptables.

« Certains patients m'ont parlé de Maguy Lebrun qui pratiquait une sorte de magnétisme spirituel et donnait des conférences sur le thème " Médecine et guérison spirituelles ".

« Je décide de m'y rendre, espérant apprendre quelque chose sur le magnétisme et me faire une opinion. Est-ce valable ? Utilisable ? Dans quel cas ? Comment ça marche ?

« Je suis resté sur ma faim, car il ne s'agissait pas à proprement parler de magnétisme, mais bien de guérison spirituelle, et peut-être de guérison par l'esprit.

« J'ai été très impressionné par la présence de Maguy, sa gentillesse ; ému par son action ; que tant d'êtres autour d'elle puissent se mobiliser pour en secourir d'autres. J'ai réalisé qu'un choc spirituel pouvait entraîner un " revirement " de l'âme, capable, éventuellement, d'entraîner des guérisons physiques impalpables...

« La soirée passée quelque temps après avec le couple Lebrun, d'autres médecins et leurs femmes a été pour moi mémorable. J'ai appris en une soirée ce que vous avez lu dans ce livre. Avec ces émouvantes histoires d'enfants et quelques révélations sur Etty, j'ai réalisé l'importance du groupe de prière, l'aide aux malades, aux mourants, la communion de pensée, à 20 h 30, pour les malades et la paix dans le monde.

« Lorsque, plus tard, Béatrice vint me confier qu'à cinq mois et demi de grossesse elle partait faire un avortement en Angleterre, n'ayant aucune possibilité de garder l'enfant et refusant énergiquement de s'adresser à une œuvre ou à la DASS, j'ai demandé à Maguy de bien vouloir l'aider, celle-ci n'a ménagé ni sa peine ni son amour, s'occupant des démarches administratives si difficiles, si pénibles, et que je n'avais même pas imaginées. Béatrice a été heureuse de faire un cadeau à une mère stérile, au lieu de pratiquer un acte de mort.

« L'éternelle gentillesse de Maguy donne à chacun le sentiment qu'il est important, responsable et, dans ce cas, il y a plusieurs heureux. Pour Béatrice, il aurait pu y avoir des conséquences graves, vu la grossesse très avancée, et un goût de cendre, pour longtemps. Et ce fut pour elle un grand moment. Mais qui peut comprendre la profondeur d'un tel don gratuit ?

« Lorsque Bruno, après une opération de l'estomac à la suite d'une épouvantable maladie ulcéreuse, est venu à mon cabinet, j'étais catastrophé. Je l'avais envoyé à l'hôpital pour une grave anémie sans saignement, avec hémoglobine à 6 grammes (pour 12 maximum) et qui baissait rapidement. Son prochain rendez-vous était dans un mois et demi, le médecin-chef de clinique étant parti pour un congrès, Bruno n'avait pas reçu de sang mais un traitement à base de fer ! Il était furieux, désespéré, ne voulait plus entendre parler de l'hôpital ni des soins et préférait mourir... Je décidai alors de le confier à Maguy qui lui proposa un rendez-vous avec un groupe composé de nombreux médecins qu'elle réunissait, à ce que j'ai compris, dans les cas graves. Il y avait là deux médecins que je connaissais et estimais beaucoup pour leur compétence et leur dévouement.

« Je me demandais ce qui allait se passer. Y aurait-il des " révélations médiumniques " ? Eh non ! Rien de tout cela. Chacun s'est assis autour de Bruno, a observé un profond silence plein de pensées d'amour et de visualisation de guérison, de prières...

« J'étais stupéfait, et en particulier en voyant ce médecin, débordé de travail, de rendez-vous à deux mois, que je qualifiais de " grand médecin ", bloquer une soirée simplement pour ça, venir humblement prier alors qu'il ne connaissait pas Bruno et moi, à peine !

« Quelques jours plus tard, Bruno acceptait les soins et je pus lui transfuser un peu de sang par une mauvaise veine du poignet — elles étaient imprenables. Je rappelle aussitôt le gastro-entérologue qui le suivait ; il me dit au téléphone, avant hospitalisation : " Je sais par fibroscopie et ma colescopie que le saignement ne peut venir que de l'intestin grêle, je propose une intervention chirurgicale, etc. " Ô miracle ! Bruno accepte. L'intervention a très bien réussi, extirpant un angiome saignotant du grêle. Quand il est rentré à la clinique, Bruno avait une hémoglobine à 4 grammes alors que personne ne peut survivre à moins de 3 grammes !

« J'ai commencé à comprendre que j'étais un médecin bien heureux d'avoir connu Maguy et son groupe, capables d'insuffler le courage, de soutenir ceux qui souffrent, les aider à accepter, comme cela, sans poser de questions ou réclamer une contrepartie.

« Pour nous médecins, cette aide a, de plus, l'avantage de nous pousser, de nous accrocher, de nous inciter à pratiquer notre métier avec un supplément de conscience et de perfection... s'il est possible !

« Je me demande parfois si ce groupe n'est pas aussi pour quelque chose dans la bonne ambiance qui règne entre les médecins de la vallée de Grésivaudan où vit Maguy, qui fustigent pourtant les guérisseurs et autres rebouteux. Et je me suis aperçu que, si les médecins du pays ne parlent pas de Maguy, dès que l'on parle d'elle, pratiquement tous la connaissent bien... et la respectent. »

Voici maintenant le témoignage du Pr Simon Edelman. Il enseigne, entre autres choses, la physiologie animale à l'université scientifique de Grenoble. L'ouverture d'esprit de ce grand savant est, à mes yeux, remarquable, et j'avoue être particulièrement touchée par la gentillesse et la spontanéité avec lesquelles il m'a apporté ces quelques pages...

« Cela fait plus de treize ans que je fais partie du groupe de prière de Maguy et si j'y ai acquis une certitude, celle du rayonnement de Maguy, de son pouvoir d'amour, de son charisme, comme on dit maintenant, de son efficacité aussi vis-à-vis de sès malades et de ses amis, je me sens encore un peu martien (ou un humain étonné*, au sens étymologique du terme) à l'égard de l'extraordinaire climat spirituel dans lequel elle vit, évolue, dirige, coordonne, guérit et accompagne vivants et mourants.

« Dès l'âge de treize ans, je voulais faire des études de médecine afin de chercher et de découvrir la solution du cancer. A cette fin, j'ai suivi une carrière médicale puis scientifique, qui m'a conduit à la suite de tribulations multiples à faire de la recherche sur plusieurs sujets (sauf le cancer !) et à devenir enseignant en faculté de sciences.

« Psychologiquement, j'ai toujours vécu le paradoxe d'être un sujet rationnel à tous crins, mais attiré par le parapsychologique, le surnaturel, le merveilleux. J'aime le western et la science-fiction. Bref, je suis un Poissons (ascendant Vierge), ce qui ne surprendra pas ceux qui croient à l'astrologie.

« Si je me suis ainsi décrit sommairement, ce n'est

---

* Se reporter au *Petit Robert* :
Étonné : 1°) ébranlé, étourdi, hébété ; 2°) troublé par une violente admiration ; 3°) surpris par quelque chose d'inattendu, d'extraordinaire.

pas par égocentrisme mais pour mieux faire comprendre les motivations qui m'ont fait entrer, puis rester, dans le groupe de Maguy. Moi qui étais sceptique à l'égard même de l'homéopathie et de l'acupuncture (j'attendais une démonstration scientifique de leur mécanisme, plus encore que de leur efficacité), j'étais brutalement plongé dans un bain de magnétisme et de spiritualité, bain dans lequel Maguy naviguait comme un poisson dans l'eau. J'en étais surpris, amusé, et presque déçu, tellement la réunion de prière se passait de façon presque naturelle. Aucune étincelle apparente ne sortait des mains de Maguy, le médium en transe n'avait rien d'effrayant, il parlait comme vous et moi et ne présentait même pas de manifestations hystériques.

« Je n'avais pas encore compris, à cette époque, que le merveilleux n'est pas à l'extérieur, mais à l'intérieur de nous-même.

« Je ne sais toujours pas ce que c'est que le magnétisme du guérisseur ni comment il agit. Pourtant, pendant ces treize années, notre connaissance et notre acceptation de ces nouvelles thérapeutiques ont beaucoup évolué. On parle beaucoup de ces médecines parallèles, ou médecines douces, que le Pr Escande préfère appeler médecines différentes et dont il ne pense pas que l'engouement actuel ne soit qu'un effet de mode amplifié par les médias. La médecine change car les malades et les médecins aussi.

« Les maladies ont changé grâce aux extraordinaires progrès de la médecine moderne : quasi-disparition des grandes épidémies qui, plus encore que les guerres, ravageaient les populations. La tuberculose, fléau numéro un de mon enfance et des livres de sciences naturelles de mon adolescence, n'est plus, dans les pays développés, qu'un souvenir télégénique (cf. *La Dame aux camélias* ou *La Traviata*). Éradication de la variole qui a disparu de la surface du globe, grâce à la vaccination systématique. En fin de compte, grâce aux antibiotiques, à l'abaissement de la mortalité infantile et des gens âgés, l'espérance de vie est passé à près de quatre-vingts ans actuellement. Vieillissement de la population qui favorise au contraire les maladies dégénératives, le cancer, les accidents cardio-vasculaires *.

« Les malades ont changé, peut-être déçus de constater que, malgré ces progrès, la médecine n'a pas tout guéri, et par exemple, pas encore le cancer, bien que celui-ci soit maintenant guéri dans près de 50 % des cas. Mais cela fait tout de même 131 000 décès en France en 1982. Les malades ont changé aussi. Pour les médecins, ils présentent souvent des maladies nouvelles (les autres étant rapidement guéries), maladies qui, auparavant, étaient encore très rares, ou encore ignorées (tel le sida).

« Enfin, les médecins ont changé, car la médecine moderne, hypermécanisée, hypersophistiquée, hyperspécialisée, a tué le médecin de famille. Le remboursement par la Sécurité sociale dont le bénéfice ne peut et ne doit être remis en question (mais nous sommes un pays privilégié de l'avoir institué, voyez le régime en vigueur en Allemagne ou aux États-Unis), a poussé à une amplification de la consommation en actes médicaux et en médicaments (d'où une augmentation des maladies iatrogènes, c'est-à-dire provoquées par les médicaments, soit près de 15 % des malades qui

---

* Si nous vivions plus sainement, en mangeant moins et des aliments moins pollués, en respirant un air moins vicié, on devrait même pouvoir atteindre cent vingt ans (Roy Walford).

consultent un généraliste!) et le médecin débordé, malgré des tentatives comme celles des groupes Balint, a perdu le contact psychoaffectif avec le malade et ne l'écoute plus.

« D'où le succès des médecines différentes dont la nature un peu merveilleuse inspire l'espoir qu'elle pourra faire mieux que la médecine traditionnelle (cas de l'acupuncture, de l'homéopathie, des pratiques dites sacrées : africaines, tibétaines, philippines, etc.) ou bien dont le thérapeute s'investit plus complètement (guérisseur, magnétiseur) dans la relation avec le malade, ou encore dont la thérapie au moins apparaît moins toxique, si au pis elle ne s'avère pas efficace — en quoi le patient se trompe parfois —, comme c'est le cas avec les plantes, l'homéopathie ou l'acupuncture (j'en sais quelque chose pour avoir été couvert d'une éruption érythémateuse après avoir pris Sulfur 15 CH).

« Que penser du magnétisme en général, et de celui de Maguy en particulier? En janvier 1984, le Pr Yves Rocard, père de Michel et de la première bombe atomique française, écrivait qu'on ne peut plus refuser à l'homme une sensibilité magnétique ni nier à quel degré les magnétiseurs en sont doués. D'après lui, l'homme est capable de percevoir une variation dont l'intensité correspond à $1/5\,000^e$ du champ magnétique terrestre et on a observé des structures contenant des cristaux d'oxyde de fer, aussi bien chez des bactéries que chez les papillons, les dauphins, les chauves-souris et au niveau des arcades sourcilières de l'homme, cristaux qui pourraient constituer les récepteurs des variations du champ magnétique. Et pour le Pr Rocard, l'homme serait non seulement capable de recevoir, mais aussi d'émettre, un champ qui, pour des sujets doués, peut

atteindre 50 gauss, soit cent fois le magnétisme terrestre.

« Certains sujets que Maguy magnétise ressentent
des sensations qui sont souvent citées par les malades
soignés par des magnétiseurs : frissons, impression que
de l'eau coule le long du dos, tremblements. Il ne
semble pas y avoir de relation entre l'intensité de ces
symptômes et l'efficacité du magnétiseur. De toute
façon, il faut distinguer le magnétisme physique où le
champ est créé non par l'homme mais par des aimants
(c'est celui pratiqué par le Dr Baron à l'hôpital Sainte-
Anne, pour soigner), et le magnétisme du guérisseur,
moins objectif et dont on peut se demander d'abord s'il
est réel (il y a certainement de nombreux charlatans qui
ne sont doués que pour l'escroquerie) et ensuite s'il agit
par lui-même, ou par effet psychosomatique, ou quelque autre mécanisme.

« On connaît depuis longtemps l'existence des effets
psychosomatiques (effet du psychisme, c'est-à-dire des
pensées ou des sentiments sur les fonctions organiques),
mais on entrevoit depuis quelques années seulement
que l'importance de ces effets dépasse l'imagination du
clinicien le plus averti. Classiquement, ces effets psychosomatiques étaient considérés comme conséquence
d'un stress, d'un choc émotif par exemple, et se
résumaient à des troubles digestifs ou cardio-vasculaires, chez l'homme surtout, cutanés, gynécologiques
chez la femme. Ulcères, migraines, hypertension arté-
rielle, eczéma, arrêt ou troubles des règles, etc. Pratiquement, le pouvoir du psychisme sur l'organique
dépasse l'entendement. C'est l'exemple de l'asthmatique qui fait une crise à la vue d'une fleur artificielle ! Et
la conviction qui se développe chez les cancérologues de

l'influence du psychisme sur le développement du cancer (cf. Pr Jasmin, Pr Schwartzenberg).

« Ce que le psychisme peut favoriser, le psychisme peut aussi sans doute contribuer à le guérir...

« Des recherches récentes constituent une approche d'explication de ces phénomènes qui démontrent les relations étroites entre le système nerveux, le système des glandes endocrines et notre système immunitaire qui nous défend contre les agressions externes et internes.

« Alors, qu'est-ce qui fait que Maguy guérit certains malades ? Est-ce son magnétisme, est-ce le rayonnement contagieux de sa foi ou les effets de la prière collective ? Ne serait-ce pas plutôt tout cela à la fois qui fait de cette femme une thérapeute exceptionnelle ?

« Le magnétisme de Maguy, c'est une action d'amour où le moi du magnétiseur s'efface dans un désir d'écoute et de compréhension. C'est une prière en action. Par une écoute des besoins affectifs et spirituels de ses malades, Maguy aide les gens à supporter leur mal, à se supporter, à guérir et parfois même, car c'est cela aussi une action thérapeutique spirituelle, elle les aide à mourir.

« Mais Maguy ne prend pas en charge un malade sans que le diagnostic ait été posé par un médecin et sans que celui-ci ou ceux-ci aient essayé avec les moyens dont ils disposent, et dans l'état relationnel qui les caractérise, une ou plusieurs thérapeutiques. Bien sûr, ceux qui viennent voir Maguy le font parce que ces thérapeutiques ont été inefficaces ou insuffisantes. Et ils attendent d'elle qu'elle les guérisse, comme un messie.

« Avec cet espoir dans le merveilleux que nous avons tous, si rationnels que nous soyons. L'espoir d'être guéri, mais pas nécessairement, pas généralement, une recherche spirituelle. Ce climat spirituel, il vient après, au contact de Maguy, au contact du groupe. C'est une ouverture vers la possibilité d'un autre monde que le monde matériel ou intellectuel, un monde où les énergies qui nous animent ne disparaîtraient pas avec notre corps psychoaffectif.

« Des énergies que le guérisseur, volontairement ou non, consciemment ou non, est capable de canaliser. Pour lesquelles il n'est qu'un humble outil.

« Il faut voir le sourire, l'affection, la reconnaissance que témoignent ses patients à Maguy. Je n'ai pas pratiqué dans un cabinet, mais j'ai fait de nombreux remplacements de médecins généralistes, et malgré l'écoute que j'essayais d'avoir avec mes malades, jamais je ne les ai sentis comme ils sont avec Maguy. Je les enviais même un peu d'être ainsi, de cette confiance qu'ils manifestaient à leur thérapeute, comme un enfant avec sa mère.

« Alors, bien sûr, cette médecine différente ne s'oppose pas à la médecine classique. Elle ne la rejette pas, et la médecine classique ne devrait pas la rejeter car elle ajoute une autre dimension à la relation médecin-malade. »

Un autre médecin, généraliste, tente à son tour une autre explication du phénomène magnétique : le Dr Michel Roussel.

« Ces quelques lignes sont écrites avec joie, mais aussi avec émotion. Saurai-je transmettre ce que je ressens ? Ma rencontre avec Maguy est trop récente pour être taxée de partisane, mais suffisamment proche pour conserver son intensité intérieure. En fait, le problème est posé : on ne parle pas de Maguy, on la rencontre.

« J'ai entendu parler d'elle il y a environ une dizaine d'années par une personne habitant loin de Grenoble et qui regrettait de ne pouvoir s'y rendre afin de faire soigner sa fille. Ce nom est resté gravé dans ma mémoire comme quelque chose d'important mais qui devait attendre. Je me souviens avoir, à cette époque, composé le numéro de téléphone de Maguy et raccroché sans attendre. Depuis, très régulièrement, des personnes ou des circonstances me parlaient d'elle. Et enfin, il n'y a pas loin d'un an, j'ai su que le moment était venu. Au premier appel, Maguy m'a répondu : " Venez. " Et ainsi la boucle était bouclée.

« La rencontre avec Maguy ne s'effectue pas avec la tête mais avec le cœur, et j'ai tout de suite été séduit. Son accueil, sa chaleur ont eu un profond écho en moi et j'ai su que j'étais un privilégié.

« Que fait donc Maguy pour faire courir les foules et même les médecins ?

« Nous pourrions dire que c'est une magnétiseuse puisant sa force dans le monde spirituel. Nous pourrions affirmer qu'elle possède au plus haut point le don de guérir, don qui a toujours été présent en quelques rares personnes tout au long de l'histoire de l'humanité. Maguy a même réussi à amplifier ce don en créant ce groupe de guérison spirituelle où environ trois cents personnes participent à une intense prière désintéressée dans le seul but d'aider des personnes gravement malades. Cette intense prière crée une force extraordinaire et il suffit d'être présent pour le ressentir. Et, bien sûr, cette immense et totale foi déplace les montagnes, et des guérisons scientifiquement inexpliquées se produisent.

« Quant aux échecs, ils sont parfaitement acceptés, les familles concernées recevant toute l'aide morale nécessaire. D'ailleurs, elles reviennent dans le groupe pour, à leur tour, aider les autres. Je voudrais insister sur la qualité et l'intensité de l'aide aux malades apportées par ces réunions fraternelles. Il faut y participer pour ressentir la force émise.

« Je suis tenté d'établir une relation entre la remarquable efficacité des réunions de prière et les explications fournies par C. Louis Kervran à propos des transmutations biologiques à faible énergie.

« Pour cet auteur, il existe une possibilité de dématérialisation de l'énergie, des électrons se transformant en " neutrinos ". Inversement les " neutrinos " se retransforment en électrons, donc en énergie. Ainsi le groupe serait un accumulateur-émetteur d'énergie, émission très courte mais très puissante, orientée vers un récepteur, c'est-à-dire le malade. Celui-ci capte par son hypothalamus les " neutrinos " et reçoit de l'énergie. Ces différents stades existent également dans les phénomènes de transmission de pensée. L'efficacité maximale est obtenue avec un groupe bien entraîné et motivé, émettant donc de façon très intense, et un receveur très réceptif, sans barrière mentale ou autre. C'est pourquoi il doit être présent. Des recherches viendront étayer la théorie, l'homme agissant non seulement par ce qu'il fait, mais aussi par ce qu'il est.

« En fait, peu importe une telle explication pour cet homme gravement malade, pour cet enfant mourant, pour cette famille désespérée ; ils viennent chercher, bien sûr, la guérison, mais surtout l'amour. Pour moi, Maguy agit car elle a ce don d'amour, elle donne et ces êtres qui attendent, qui cherchent, reçoivent cet amour en leur cœur. »

Après tous ces témoignages que ces amis médecins ont tenu à m'apporter et à signer de leur nom — ce dont je les remercie infiniment —, je voudrais tout de même raconter les effets imprévus du procès qui m'a été intenté en 1963, pour finir ce chapitre sur une note quelque peu humoristique !

L'Ordre des médecins avait relevé noms et adresses des guérisseurs au ministère des Finances. Ainsi seuls ont échappé au procès les guérisseurs clandestins et les charlatans...

Ce procès constitue pour moi un excellent souvenir ! J'ai mesuré le nombre de mes amis et combien j'étais estimée à Grenoble, ce qui fait toujours plaisir. De nombreux médecins sont venus témoigner spontanément en ma faveur, certains ont écrit à mon avocat, d'autres au tribunal et, parmi eux, des patrons d'hôpitaux. Ils n'ont pas hésité à déclarer qu'ils m'adressaient des malades et se portaient garants de mon honorabilité.

La directrice d'un grand lycée de Grenoble a dit à la barre qu'elle avait personnellement fait beaucoup de « social » dans sa vie, mais qu'elle se sentait « toute petite à côté du travail que nous avions accompli » !

J'ai été relaxée (le conseil de l'Ordre ne s'était pas porté partie civile) et condamnée à un franc symbolique. C'est tout ce que ce procès m'a coûté : mon avocat, un ami, n'a pas voulu un sou !

A la sortie, une foule m'attendait avec des fleurs. Depuis, pour éviter tout ennui, j'ai fermé le petit cabinet que j'avais à Grenoble et j'exerce dans le cadre du groupe.

Conséquence inattendue, ce procès m'a fait une immense publicité. A partir de là, de nombreux médecins sont venus se faire traiter par magnétisme, mais aussi de nombreux magistrats et leurs familles !

Les procès faits aux guérisseurs ne résolvent rien. Une législation devrait les reconnaître et les tester pour qu'ils puissent régulariser leur situation et être contrôlés par des médecins.

Il serait naïf de croire que la clientèle d'un magnétiseur se compose de « débiles mentaux ». Toutes les classes de la société se retrouvent dans leurs salles d'attente, aussi bien des médecins que des prêtres, des hommes politiques que des artistes et, je l'ai dit, même des magistrats... car lorsque la science est impuissante, tout être humain souffrant accepte de se tourner vers d'autres forces, celles de l'invisible...

Cinquième partie

LA MORT

Elle avait une cinquantaine d'années. C'était une femme très dynamique, rieuse, qui aimait les oiseaux, la montagne, le soleil, regarder la pluie tomber et le vent jouer dans les arbres.

Lorsqu'elle a su qu'elle avait un cancer généralisé, elle a refusé d'aller mourir à l'hôpital ; son père, sa mère, son frère y étaient morts dans d'atroces souffrances. Elle a su très tard, bien trop tard, qu'elle était atteinte. Elle étouffait la nuit et pensait qu'elle était trop nerveuse parce qu'elle avait vu un médecin, en vacances, qui lui avait parlé de troubles nerveux lorsque les premiers problèmes étaient apparus.

Dès que je l'ai vue, je l'ai adressée à un spécialiste mais ses poumons, à cause de l'ascite, ne pouvaient être soulagés que par des ponctions.

Elle m'a demandé si j'accepterais de l'aider à mourir. Elle avait une vie très active, une petite sœur qu'elle adorait. Qu'il est difficile de tout quitter ! Elle s'est acheté un Mobilhom qu'elle a fait mettre dans notre jardin. Un médecin a accepté de venir tous les jours de Grenoble, après la fermeture de son cabinet. Le bon père Godel, curé de notre commune, lui a apporté le secours de sa religion car elle était catholique. Elle est restée trois semaines près de nous, dans le décor qu'elle aimait. C'étaient les vacances de Pâques... mais nous ne sommes pas partis pour l'assister jusqu'au bout.

Ces trois semaines ont été pleines de tendresse, de foi, de sérénité. Nous avons beaucoup prié ensemble, beaucoup parlé. Gisèle est morte un jour, vers 17 heures, après avoir eu une seule piqûre calmante le matin, à 11 heures.

Elle est partie comme elle l'avait voulu, avec les oiseaux, le soleil, la montagne, et avec la tendresse de tous ceux du groupe qu'elle avait connus.

Deux heures après sa mort, elle a pu « venir » nous dire au revoir, dans un éclat de rire : « Merci, nous dit-elle, merci ! Je suis heureuse, je me suis retrouvée dans la lumière et dans l'harmonie ; c'est l'étincelle de votre regard qui m'a conduite ! »

Gisèle a été la première malade en phase finale que nous avons accompagnée et qui n'appartenait pas au groupe et c'est elle qui nous a donné l'idée de nous occuper de grands malades.

En effet, nous trouvons naturelle la mort de ceux du groupe, tels que ma mère ; M. C., notre président ; Claude, le mari de Malou et bien d'autres par la suite, puisqu'ils avaient la foi et une certaine conscience. Ils savaient tous que la mort n'existe pas puisqu'ils entendaient, à travers Daniel, la voix de nos guides, de nos médecins du ciel qui sont bien des morts, des morts authentiques qui ont vécu sur terre, tout comme les apôtres, Jésus, Marie, etc., mais si ceux qui n'appartenaient pas à notre groupe ou à nos réunions de prière pouvaient être accompagnés et partir dans la paix, pourquoi ne pas continuer, aller plus loin ?

Quelque chose d'immense se présentait à nous. Gisèle avait ouvert une porte, nous avait appris à tenir la main d'un mourant, lui éviter la souffrance dans la mesure où Dieu le permet, de lui éviter la peur, l'angoisse. Les remplacer par la prière, l'acceptation, la sérénité, voire la joie, n'est-ce pas la plus magnifique des guérisons, la guérison spirituelle totale ?

Nous discutions tous ensemble de cette possibilité lorsque la sœur de Gisèle vint nous voir. Elle nous était très reconnaissante de ce que nous avions fait pour Gisèle, mais elle ne comprenait pas très bien ce qui lui arrivait. Elle venait parce qu'elle avait fait un rêve — nous ne lui avions pas dit, pour ne pas la bouleverser, que nous avions eu tout de suite un contact avec sa sœur, avant son envol. Ce rêve lui paraissait étrange tant il était fort « comme si j'avais été en état de veille », me dit-elle.

Elle a vu Gisèle en bas du petit chemin qui monte à la maison, lui faisant signe de la suivre, et marcher rapidement tout en se retournant et, toujours en l'appelant, venir jusqu'à notre porte « fermée » et lui demander de taper à celle-ci, en riant aux éclats. Elle n'a pas compris et nous n'avons rien fait pour lui expliquer car nous sommes convaincus que chacun doit faire sa route lorsque le moment est venu. Rien ne sert de « faire passer » ce qui ne peut être compris.

Il est certain que Gisèle était un être peu ordinaire, courageuse et si attachante ! L'exemple qu'elle nous a donné, ce qu'elle nous a fait partager, a été pour nous une première marche sur l'escalier à gravir. Ainsi, après quelques hésitations, parce qu'il y a autour de nous beaucoup d'enfants et d'adolescents que nous craignions de « traumatiser », nous avons décidé de continuer.

Il n'y a jamais eu, en fait, le moindre problème avec les enfants. Leurs petites mains jointes aux nôtres constituent une participation sans égale. Qu'elle est belle l'offrande de ces petits qui tracent déjà leur sillon sur la terre ! Dieu les écoute, les entend, et parfois, s'il permet une guérison, si nous, les adultes, sommes encore bouleversés, pour les enfants, quoi de plus naturel !

Ainsi Gisèle avait ouvert une porte.

Nous commencions à réaliser que nous détenions, tous ensemble, une force considérable qui, bien dirigée, pouvait remplacer, en certains cas, la souffrance par la sérénité, l'angoisse et la peur par l'acceptation et la paix. Car, dans notre monde moderne, la mort a été évacuée de nos consciences. Nous avons tendance à ne plus croire en la mort.

J'ai été surprise, toujours, par cette immense peur des croyants devant la mort, et il m'est difficile de ne pas y voir une faillite des religions, du moins en Occident. Si nous croyons à l'éternité de l'esprit et de l'âme, pourquoi trembler ?

Bien sûr, nous perdons notre corps physique, mais il devient, avec l'âge et la maladie, si diminué, si pitoyable, que la perte n'est pas bien grande !

Si nous réalisons que nous sommes faits de plusieurs corps et que seul le corps physique, le plus grossier, est détruit, que les autres subsistent, je pense que ce corps ingrat est avantageusement remplacé par un corps de gloire, c'est-à-dire un corps éthérique dont nous nous servons alors, visible dans certaines apparitions.

La vie terrestre est bien souvent semée d'embûches, de pièges, de souffrances. Quitter cette « vallée de larmes », c'est aller vers une autre vie dans une autre dimension et cela devrait tenter tous les croyants de la terre lorsque l'heure est venue. La mort fait partie d'une loi cosmique naturelle, conséquence toute simple

240

de la naissance. Il importe de connaître les lois cosmiques car ce sont les lois divines...

Nous sommes tous des particules d'énergie, de vibration, tantôt incarnées, tantôt désincarnées, jusqu'à notre « paradis » final où, enfin libérés, nous n'aurons plus besoin de revenir. Il n'y a rien de triste ni de morbide à parler de la mort ; il faut démystifier cette angoisse, absolument, puisque la mort, encore une fois, n'existe pas.

Ces dernières années, des médecins se sont penchés sur ces problèmes. Le Dr Elisabeth Kübler-Ross, en Suisse, qui accompagne des mourants, a parlé de renaissances, tout comme le Dr Moody, médecin américain, auteur de *La Vie après la vie* *. Lorsque j'ai lu son livre, j'ai été bouleversée par les témoignages des malades qui ont subi un coma dépassé. Ils ont tous dit, exactement, ce que m'avaient dit ceux que nous avions perdus et qui, eux, n'étaient pas revenus. Ce sont les mêmes témoignages, les mêmes mots. Depuis, d'ailleurs, d'autres recherches ont confirmé les premiers récits.

C'est toujours ·la même description de la grande lumière, ou de l'être de lumière, qui les attend ; toujours la sensation de bonheur, de liberté, de libération.

Peu après son « départ », ma mère me disait : « Tu me pleures, mais, mon petit, c'est moi qui pleure de te laisser. Je suis si bien, si heureuse, c'est comme si j'étais dans un nuage d'or et je te laisse dans la souffrance ! »

De plus en plus, des médecins se penchent sur ces phénomènes.

———————

* Laffont éd.

Ainsi, à Grenoble, le professeur Scherer a créé une association : « Accompagner la vie jusqu'à la mort ». C'est, je pense, le commencement de l'assistance logique que nous devons à nos grands malades et c'est peut-être le début d'une dédramatisation plus qu'urgente et nécessaire.

La médecine va peut-être réussir là où la religion a échoué...

Quant à nous, nous essayons, là aussi, d'être des intermédiaires, des « passeurs d'âmes »...

Une dame, un jour, vint me trouver : « Ma sœur a un cancer, elle est très mal et souffre beaucoup, mais elle l'ignore, la famille et les médecins lui ont caché la vérité. Elle veut absolument venir vous voir ; elle pense que vous ne traitez que les maladies nerveuses et psychosomatiques. Si vous refusez, elle va comprendre qu'elle est perdue. Acceptez, par pitié, de la voir. »

« Bien, lui dis-je, amenez-la une fois et je lui expliquerai que je ne peux rien pour elle, sous un prétexte quelconque. »

Madame G. vint me voir le lendemain ; elle ferma soigneusement la porte de la petite pièce où je pratique le magnétisme et me dit : « Madame Lebrun, j'ai un cancer métastasé des poumons, je vais mourir et j'ai très peur, bien que je sois croyante. Pouvez-vous m'aider à mourir ? Il y a quatre ans, ma petite-fille hospitalisée pour une maladie grave allait mourir ; j'ai offert au Seigneur ma vie contre la sienne, ce qui m'arrive est donc normal puisqu'elle est guérie, mais je souffre. Pouvez-vous me soulager ? »

Bouleversée par cette histoire d'amour d'une Mamie (grand-mère moi-même), j'accepte immédiatement de la prendre au groupe. Elle a assisté à une réunion de prière puis a été hospitalisée pour une chimiothérapie qui s'est passée beaucoup mieux que les précédentes, soutenue par les énergies et prières de tous, elle a assisté à une deuxième réunion. A la sortie, elle m'a prise par le cou, m'a embrassée en me disant : « Maguy, merci, je n'ai plus peur ! »

Elle est partie paisiblement trois jours après ; elle avait demandé qu'une quête soit faite à l'église et remise à notre groupe, somme qui a été envoyée immédiatement à la recherche pour le cancer.

Quelque temps après, en pleine réunion, tous ensemble, nous avons reçu ce magnifique message sur la mort : « Toute baignée de lumière et de paix, je viens à vous les mains lourdes du plus merveilleux des présents : la Vie. Cette certitude de vie frémissante, de vie toute-puissante après le mystérieux passage.

« Je m'adresse à vous tous, mais plus particulièrement peut-être à ceux qui, blessés dans leur chair par la souffrance et la maladie, gardent, malgré la connaissance acquise, une légitime appréhension tout au fond d'eux-mêmes, sans oser surtout l'avouer à ceux qui les aiment.

« Oui, la vie continue. Ici est l'autre versant de la vie où l'énergie universelle nous pénètre, nous remplit, nous galvanise et nous donne un corps subtil, tout semblable au corps de chair gonflé de sève de la jeunesse. Qu'importe alors ce vêtement usé que nous abandonnons puisque nous savons retrouver, après chaque voyage, l'habit de lumière, étincelle du principe même de la vie qui animera éternellement les enfants de Dieu.

« De la qualité de notre vécu dépendent notre travail et notre devenir. Sous une apparente inertie, sous une paix profonde, ô combien féconde ! notre vie est faite d'actions, d'études, de recherches, de méditations, de souvenirs et de joies aussi. Au royaume de l'absolu habitent des âmes où, depuis des millénaires, chacun peut en toute connaissance choisir, ébaucher le sillon futur, ou prendre un nouvel essor pour un autre cycle cosmique, afin de s'affirmer et de s'épurer.

« Sans cesse un pont est tendu entre nos deux mondes pour aider ceux que nous aimons et que nous voulons protéger et guider sur le chemin difficile. Apprenez à percevoir, à ressentir avec les antennes infiniment sensibles qui sommeillent en vous, notre voix, notre message, à travers votre conscience. C'est alors que vous saurez que jamais, jamais nous ne vous avons quittés.

« Dans l'au-delà, comme vous dites, il émane de tout ce qui nous entoure et de ce que nous pouvons créer par la pensée une sérénité, une liberté, un éveil extraordinaires. La nature vit, palpite, pénètre jusqu'au cœur des effluves divins. De la verte prairie émaillée de fleurs, d'une brillance extrême, au bruissement des arbres de la forêt profonde, jusqu'au murmure de la source entre les galets blancs, tout est enchantement de couleurs et de parfums. C'est l'instant unique, l'instant suprême, où le temps d'un déclic, tout comme un flash, l'on sent revivre en soi, comme un vieux souvenir, l'heure christique de la création, car tout ce que l'on sent, l'on voit ou l'on respire ne peut porter qu'un nom : amour.

« Je ne suis qu'une passante de l'invisible à la lumière cachée, mais je vous dis avec sincérité, avec émotion, avec tendresse : la VIE EST.

« A l'heure du grand voyage, qu'il soit proche ou lointain, n'ayez point de peur, n'ayez point de regrets, car douce est la mort, douce est la vie et si douce la main de Dieu. »

Je vous livre ici le témoignage de Françoise, épouse d'un malade accompagné en phase finale par le groupe.

« 1979 — Pierre, jeune cadre, a été opéré d'un adénome (bénin). En 1982, ablation de la parotide (bénin).

« 1983 — Opération de la trompe d'Eustache ; 1984 — tumeur cancéreuse au cerveau : deux séances de chimio, cinq semaines de rayons journaliers.

« Les médecins le condamnent et me parlent de huit jours environ de survie.

« Pierre ignorait son état ; séances régulières pendant deux ans et demi. On parle de rémission totale, puis apparaissent en 1986 deux kystes cancéreux sur la tête et le front. Pierre découvre la vérité, dont il se doutait, mais qu'il voulait ignorer.

« On recommence les traitements de chimio, qu'il subit avec courage, malgré les vomissements et la déchéance. Il commence à douter de la médecine et des traitements et veut se tourner vers la médecine parallèle. Je suis très réticente et refuse.

« Pierre fait un œdème cérébral qui lui laisse une paralysie de la main. Il va de plus en plus mal, je suis désespérée.

« Une amie me conseille à ce moment-là d'aller voir Maguy Lebrun ; elle ajoute que celle-ci a refusé de soigner son mari pour qui elle ne pouvait rien, qu'elle est honnête, et nous prenons rendez-vous.

« " Coup de foudre " immédiat de Pierre pour Maguy. On ressent au contact de Maguy une paix, une sécurité que nous avions perdues depuis longtemps ; elle possède quelque chose ; quoi ?

« Elle nous dit immédiatement qu'elle ne fait pas de miracles, qu'elle n'a pas pouvoir de guérison absolue, qu'il faut à tout prix rester en contact avec les médecins de Pierre, qu'il suive son traitement médical, mais qu'elle nous aidera et tentera de le soulager avec ses " pauvres moyens ".

« Dès le premier contact avec Maguy, Pierre se sent mieux et ses maux de tête s'estompent, malgré le mal qui progresse et la paralysie qui s'étend à la jambe. Il continue à voir régulièrement Maguy, il en revient transformé physiquement et moralement et je me suis rendu compte après que Maguy commençait à le préparer à la mort.

« Nous avons pu aborder calmement ce problème tous les deux, chose impensable avant car Pierre refusait obstinément d'en parler, puis nous sommes allés au groupe de prière de Maguy. Nous revenions apaisés et bouleversés de voir tous ces gens consacrer du temps à prier pour la paix et pour les malades. Ils ont été pour nous un soutien permanent jusqu'au bout.

« Bientôt Pierre ne peut plus sortir ; c'est Maguy, généreuse, qui vient régulièrement tous les deux jours à la maison, elle est son rayon de soleil. Après son départ, il y a toujours quelques heures meilleures et il marche sans aide dans la maison ; incroyable ! Et je suis souvent le témoin éberlué de cette énergie extraordinaire qu'elle lui infuse et de cette force morale qu'elle lui communique.

« Puis un jour, nouvel œdème cérébral. Il s'en sort encore, reprend des forces, et le jour de la fête des Pères arrive, notre petite fille qui adore son père, toute la famille le gâtent mais il nous dit le soir : Mon plus beau cadeau aujourd'hui a été la visite de Maguy.

« Les vacances de Maguy arrivent, elle part pour l'Espagne, prenant le soin de laisser un ami magnétiseur à sa place, mais Pierre rechute et c'est la dernière hospitalisation. Il réclame Maguy sans arrêt et un

246

médecin avertit celle-ci qui interrompt ses vacances pour venir à son chevet. Il est dans le coma mais réagit à sa voix et après deux jours de coma murmure très distinctement : " Au revoir, Maguy. "

« Elle est venue tous les jours à l'hôpital, nous expliquant, nous soutenant. Nous comprenons que notre sérénité aide Pierre, sa petite fille lui chante ses chansons préférées, sachant bien qu'il l'entend. Les médecins de l'hôpital sont très gentils et nous demandent souvent s'il n'y a aucun signe clinique de douleur : aucun. Ils nous disent que notre attitude digne et calme aide Pierre en lui communiquant notre apaisement.

« Quarante-huit heures avant la mort du corps physique de Pierre, il veut rentrer en contact avec Maguy, lui expliquer qu'il est au-dessus de son corps, qu'il est bien, mais s'énerve un peu que ce corps soit si long à mourir ! Il lui fait part de son amour pour sa fille et moi et promet de nous aider plus tard, il demande que la petite porte ses médailles. Puis il est parti, sans souffrances, comme s'il se libérait enfin.

« Merci à Maguy, merci à son groupe, merci à Dieu de nous les avoir fait connaître. Ils ont contribué à notre élévation spirituelle, ils ont aidé Pierre à mourir. Ils nous aident à vivre sans lui. Nous avons retrouvé la foi. »

Elle s'appelait Henriette, elle a partagé notre vie quelques années. Son mari était aviateur, son fils bien loin d'elle lorsque la maladie, peu à peu, a paralysé son organisme. Elle n'avait personne au monde qui puisse s'occuper d'elle. Les événements d'Algérie l'avaient terriblement marquée. Au moment de la guerre, il avait fallu, déjà malade, qu'elle quitte, comme tant d'autres, sa maison, son pays.

Son corps de poussière repose dans le petit cimetière de Saint-Nazaire-les-Eymes, son esprit est resté avec nous. Je la revois, assise dans son fauteuil d'où elle dirigeait la maison, je dis bien, dirigeait, car elle était notre âme, notre éminence grise — très intelligente, sachant écouter. Chacun lui racontait sa vie et pas une décision n'était prise qui ne passât par elle. Elle comprenait tout, partageait tout.

Elle avait connu une grande évolution spirituelle, ayant vécu de nombreuses expériences comme la nôtre, qu'elle trouvait naturelle. Un soir où elle était à Alger, nous prions avec elle, lorsque Daniel se dédouble, non pas pour une transe médiumnique, mais un véritable dédoublement. Il était très conscient et lui décrivit simplement ce qu'il voyait : la baie d'Alger, la maison, il lui a décrit les motifs de fer forgé sur le portail d'entrée, la décoration intérieure, le mari couché sur un lit qui dormait (seul détail erroné — j'avais tout noté pour vérifier : son mari était bien couché sur son lit, mais écoutait la radio) ; il a ensuite visité la casbah ; il était calme et il avait même pu donner des nouvelles des petits-enfants qui se portaient bien ! C'était très impressionnant, nous étions suspendus à ses lèvres.

Lorsque l'état de santé d'Henriette a empiré, un jour Mamy nous dit : « Vous allez choisir un bel arbre et vous lui demanderez, sous certaines conditions, s'il accepte de donner sa vie pour Henriette. » Elle nous décrit très minutieusement ce que nous devions faire, tel jour, à telle heure, opération délicate et préparée à l'avance. Ainsi fut fait, nous étions pleins d'espoir ; mais quelques jours après, en allant voir notre « arbre », nous constatons qu'il a été coupé, abattu avec quelques autres, pour je ne sais plus quelle raison ! Nous avons compris que l'opération avait échoué et plus jamais elle ne s'est renouvelée (ce n'était pas du tout notre « truc » ; nous sommes beaucoup plus à l'aise dans le domaine de la « prière »). Henriette a vécu encore quelque temps, le temps de revoir son fils qui était au loin, et elle est partie, mais sa présence lumineuse, rayonnante est restée autour de nous, nous savons que nous pouvons compter sur elle.

Luc est myopathe, son père médecin — vous avez lu son témoignage —, sa mère, assistante sociale. Il disait, petit : « Mon père est à l'hôpital et ma mère en prison. »

Ses parents étaient mes voisins. Un soir, ils m'invitent à dîner et me demandent si je veux bien m'occuper de Luc qui souffrait de contractions nerveuses douloureuses ! Luc venait d'entrer dans notre vie, dans notre cœur. Il allait entrer dans le groupe et n'en sortirait plus jamais. Nous avons gravi le chemin de croix avec sa famille.

Très vite, il est venu se faire traiter au groupe, nous pensions l'aider, mais c'est Luc qui nous enseignait par son comportement. Luc avait le sourire, il « remontait » le moral de sa famille. Sa situation physique se dégradait très vite et déjà il ne pouvait plus du tout se tenir debout sur ses pauvres jambes mais participait à la vie de chaque jour, aux événements, donnait des conseils et était si heureux lorsque ma petite fille, qui avait son âge, venait le voir. Caro et Luc étaient sur la même longueur d'onde spirituelle.

Quelque temps avant son « départ », Luc a dit à sa famille : « Quand je serai au ciel, je retrouverai mes jambes, je courrai. » Et plus tard : « A mon enterrement, il faut chanter et ne pas être triste, ne pas pleurer », et nous avons chanté pour accompagner Luc, comme il le voulait ; la petite église de Saint-Nazaire-les-Eymes était trop petite. Tous les jeunes du groupe étaient là, tous les amis, et quand le chant de l'amitié est monté sous les voûtes, nous savions bien tous que Luc libéré chantait avec nous. Il était présent, si présent...

Luc, quelque temps après, nous a dit dans un message : « La cause de toute souffrance n'est ni fortuite ni hasard, mais l'escalier suprême de toute escalade spirituelle. Tout acte d'amour pose sa marque sur celui qu'il touche. Ce que vous avez fait pour moi, je le rendrai à des milliers d'autres. »

Luc est un médecin de l'espace, c'est un guide spirituel, présent dans le cabinet de son père. Il l'assiste dans son sacerdoce de tous les jours ; présent dans son cabinet où il soigne spirituellement.

Luc a su accepter accepter d'être en fauteuil roulant, accepter de ne plus faire la ronde, accepter de ne plus jouer au ballon. Donner l'exemple de sa force, de sa lumière à tous ceux qui nous entourent, transcender sa souffrance.

Marc avait une jeune femme, deux petits enfants, un cancer du foie en phase finale il était beau, jeune, il a tout de suite séduit tous les amis. Cette petite famille était sans religion aucune et venait, dans cette période douloureuse, puiser un peu d'amitié et de force dans notre groupe.

Marc chantait bien et avait enregistré des disques. Il s'était bien battu et avait participé à un film sur cette maladie.

Nous n'avons pas comme d'habitude fait de discours ; nous avons seulement été présents. Ils sont venus petit à petit prier avec nous et, lorsque Marc n'a plus été en mesure de se déplacer, tous les jours une petite délégation de copains, avec un magnétiseur du groupe, s'est rendue à son chevet à 20 h 30, heure de notre chaîne de prières.

Il est parti un jour dans la paix et nous l'avons tous accompagné. Sa jeune femme avait loué la grande salle où s'était déroulé leur mariage. Les amis sont arrivés, le cercueil de Marc sur l'épaule ; ils l'ont déposé sur des tréteaux. Nous avons écouté la musique de méditation du groupe. Sa famille, ses amis lui ont dit « au revoir », nous avons écouté sa voix, deux de ses disques préférés, et avons partagé les brioches et les jus de fruits apportés là. Quelle belle communion !

Puis tous ensemble nous l'avons accompagné au cimetière où tous ses amis ont chanté et joué à la guitare les chansons qu'il aimait. J'ai rarement assisté, à part celui de notre petit Luc, à un accompagnement aussi émouvant.

Sa femme et ses petits sont restés nos amis et participent chaque année à la fête de l'Amitié. Là, il n'est jamais question de foi ou de rites quelconques, mais dans ces brioches partagées, dans cette union des cœurs, dans les airs qui s'envolent, s'envolent aussi, avec notre ami Marc, les plus belles prières, celles de l'amitié partagée.

Et puisque je vous dévoile des histoires de départ, je vais vous raconter celle de Manon qui est extraordinaire, et qui nous a beaucoup marqués. Tous les jeunes du groupe ont été révoltés sur l'instant et n'ont compris qu'après.

Combien une âme est précieuse,
Qu'elle coûte cher parfois !

Manon était venue me voir avec un cancer généralisé ; c'était une récidive. Cette jeune femme se battait depuis plusieurs années, et nous ne pratiquions pas l'accompagnement des gros malades à ce moment-là. Je demande à Etty si je peux l'aider. « Hélas non ! me dit-elle, elle est atteinte d'une façon irréversible et ne croit en rien, totalement athée, rejetant même l'idée de Dieu ou de forces cosmiques quelconques. »

Deux ans se passent, son état s'aggrave brusquement et elle me contacte par un confrère magnétiseur qui l'avait traitée, pour me demander à nouveau mon aide. A mon grand étonnement, Etty me dit : « Prends-la au groupe, vite. »

Manon était une forte personnalité dotée d'une intelligence très au-dessus de la moyenne, elle avait brillamment réussi. Elle entra au groupe avec son compagnon, pleins d'espoir tous les deux.

Il se passa un fait étrange, unique dans les annales de notre groupe. Un médecin du ciel vint et dit : « Si vous priez beaucoup, si vous êtes capables tous de faire un immense effort, Manon guérira. »

Trois mois après, Manon avait trouvé la foi, la foi totale, entière, la foi du charbonnier, trois mois après seulement. Manon mourut en priant, s'endormant paisiblement.

La révolte des jeunes fut grande : « Pourquoi, pourquoi ce médecin du ciel nous a-t-il menti ? »

Sa mère rencontrée le jour des funérailles me dit : « Mais qu'avez-vous fait pour que Manon trouve la foi, jamais elle n'a cru en rien. Petite, si je l'envoyais au catéchisme, elle faisait une crise de nerfs. Je suis croyante, je n'ai jamais pu l'emmener à l'église, elle éprouvait une haine contre les prêtres et tout ce qui touchait à l'Église que je n'ai jamais comprise. »

Quelque temps après, l'explication nous fut donnée par un guide spirituel : lorsque Manon est entrée au groupe, elle était enfin prête à recevoir la lumière, mais le temps nous était compté. Peut-être la terrible maladie, peut-être l'amour de son compagnon, peut-être enfin d'autres facteurs sont-ils intervenus, la guérison pour nous était celle de son âme, sa véritable guérison spirituelle.

Manon avait vécu du temps de Jésus, mais hélas elle n'était pas du bon côté de la barrière ; que de temps, que d'errance, que de souffrance avant de trouver Dieu !

C'était pour nous l'occasion unique de la libérer, mais nous avions besoin de tant d'amour, de prières, de tant de sacrifices qu'il a fallu nous motiver tous et nous avions si peu de temps !

Voilà la triste et belle histoire de Manon, morte en pleine jeunesse.

Son compagnon à qui j'avais demandé deux ans de réflexion avant qu'il nous rejoigne (je n'accepte jamais quelqu'un en état de choc) fait partie des nôtres.

Pas plus que nous, il n'a oublié Manon.

Il arrive quelquefois, c'est extrêmement rare, qu'un médecin de l'espace, ou Etty, fasse un diagnostic précis pour alerter un membre du groupe.

Une infirmière du groupe « parlait » un jour avec Etty ; son père était fatigué et subissait des examens. Il avait soixante-dix ans. Elle annonce d'un seul coup à cette infirmière que son père avait une maladie maligne irréversible, à évolution très rapide ; elle ajoute que, de toute façon, nous devons bien tous mourir un jour, mais qu'il avait, lui et sa famille, une grande foi, qu'il ne souffrirait pas, qu'il y aurait encore une bonne période jusqu'au moment de son départ.

Quatre jours après, le diagnostic médical officiel tombait : mélanosarcome, c'est-à-dire une forme de cancer de la circulation. Les médecins pensent que les choses vont aller vite : trois semaines, six mois, peut-on savoir exactement ?

Ce monsieur, vice-président de notre groupe, homme plein de sagesse et de bonté, serait terriblement regretté. Nous l'avons, en plus de la surveillance médicale, traité par magnétisme. Il a vécu normalement plein de joie, avec ses loisirs préférés, pêche, lecture, voyages, menant une vie tout à fait normale.

Au bout de deux années où aucun symptôme de la maladie n'est apparu, il se réveille un jour fatigué, avec une indigestion ; il se trouvait à Golfe-Juan. D. me téléphone : « Que fait-on ? » Compte tenu des paroles d'Etty, j'ai pensé qu'il fallait agir très vite. Daniel a pris l'avion pour le ramener avec sa voiture à Grenoble.

Un spécialiste est appelé le soir, il l'a reçu dans un fauteuil, lui a offert l'apéritif et a accepté de passer des examens le lendemain.

A 2 heures du matin, il se réveille annonçant calmement à sa femme et sa fille qu'il allait mourir. Lorsque je suis arrivée, il a ouvert les yeux, m'a souri et m'a annoncé sa mort. Je lui ai demandé s'il avait peur, il m'a dit : « Non, prions ensemble. »

Nous avons tous prié ; il est parti comme ça, sa tête dans mes mains, comme un saint. La mort se prépare toute la vie et Etty avait bien dit : « Il a tant de foi qu'il ne souffrira pas. »

Mme C., la femme de notre vice-président, a vécu encore de nombreuses années, puis un jour elle fut atteinte à son tour d'un cancer du sein avec métastase cutanée et atteinte ganglionnaire.

Le choc fut très brutal et après une grosse crise de

colère (car son médecin traitant n'avait rien vu), après les larmes salutaires, elle fit très calmement son bilan.

J'ai soixante-seize ans, me dit-elle, la vie m'a gâtée, il me reste à mourir dignement, comme papa (c'est ainsi qu'elle appelait son mari qui l'avait quittée quinze ans plus tôt).

Elle fit promettre à sa fille, infirmière, de la laisser partir rapidement le moment venu : « Aucune survie artificielle. » Elle choisit cette fois-ci un médecin du groupe, réputé pour son humanité et l'utilisation des thérapies alternatives, pour la suivre, puis elle me demanda l'aide du magnétisme et du groupe de façon à vivre le mieux possible et mettre toutes ses affaires en ordre.

Ensuite, cette petite bonne femme pleine de principes, après une vie exemplaire et « guindée », entreprit avec application le programme qu'elle s'était fixé : vivre le mieux possible, mourir sereinement ! Elle prit avec sérieux ses médicaments, n'oublia pas une séance de magnétisme, porta attention à son alimentation, à sa forme, à ses distractions, et garda son sourire.

Elle s'était remise entre les mains de Dieu et du groupe avec une confiance totale. « Je vais bientôt mourir ; je demande à mon guide spirituel de venir me chercher ; je vais retrouver mon mari et ne veux pas être une charge pour mes enfants », disait-elle.

Elle est allée chez son notaire régler sa succession. Celui-ci, effaré devant cette dame rieuse, entourée de ses deux filles, qui discutait des détails d'après sa mort, n'en revenait pas. Puis elle rangeait sa maison, ses placards, profitait de tout, d'une sortie, d'un bouquet de fleurs, de ses amis, des parties de Scrabble, etc. « Croyez-vous que je m'achète une nouvelle robe ? Pour une mourante, c'est un peu futile, non ? »

Ses gendres riaient : « Vous allez vous rendre immortelle, Mamie, juste pour nous tourmenter. »

Pendant cette période de huit mois environ, elle n'arrêta pas... pour constater sa guérison, car elle était guérie bel et bien ! Son attitude avait aidé sa guérison et stoppé le processus de vieillissement et de maladie.

Faisant siennes les paroles de Montaigne d'« allonger les offices de la vie tant que l'on peut afin que la mort me trouve plantant mes choux mais nonchalant d'elle et encore plus de mon jardin imparfait », la vie reprit ses droits normaux et on ne parla plus de maladie. Toutefois, l'âge était là et un jour d'été et de grande chaleur elle fit une hémorragie cérébrale ; une main pend, inutile. L'équilibre est difficile. Elle se relève, fait son ménage, au prix de quels efforts !

Le médecin consulté, vu sa détermination, n'ose pas l'hospitaliser. Sa fille infirmière reste auprès d'elle. A nouveau, elle met ses papiers en règle, fait retirer de l'argent de la banque « en cas de besoin » et demande que l'on prévienne sa fille au Canada.

Le lendemain, après un bain parfumé qui lui fit grand bien, elle demanda à rédiger son acte de décès. Devant l'indignation de sa fille, elle dit très gaie : « Mais je suis mourante, ma fille, et puis, tu sais, maintenant je voudrais mourir ! »

L'avis de décès écrit, elle s'est allongée, a eu un petit arrêt respiratoire : « Si seulement, mon Dieu, je pouvais m'endormir ! » Elle s'excusa auprès de son gendre qui était venu la voir de l'avoir beaucoup taquiné.

Les heures ont passé, paisibles et douces. Il planait dans la chambre une atmosphère de paix et d'amour, elle priait, son visage avait une expression de bonheur intense, un rayonnement lumineux émanait d'elle.

Dans un souffle elle dit : « J'ai retrouvé papa ! », un soupir, et ce fut fini.

Sa fille, qui est vice-présidente du groupe en remplacement de son père, me dit avoir compris bien plus tard qu'elle s'était couchée, cet après-midi-là, avec l'intention bien arrêtée de partir pour ce monde invisible auquel elle croyait. Ses affaires étaient en ordre, elle avait, pour la première fois, quitté son alliance (on ne garde pas de métal pour se faire incinérer), elle avait, avec grandeur présidé à la cérémonie de l'agonie.

Je me devais, en accord avec ses filles, de faire part de cet exemple.

La foi devrait permettre à tous les croyants de vivre avec dignité la dernière marche du parcours terrestre et d'entrer, sereins, en paix, vivants, dans le surmonde.

Souvent, des questions nous sont posées à propos du suicide. C'est un acte contre nature, mais que nul n'a le droit de juger.

Pendant la guerre, le Dr Valois, chef de la Résistance, s'est suicidé dans sa cellule, après une séance de tortures par la Gestapo. Il a eu peur de parler en subissant l'interrogatoire suivant, bien des gens alors seraient morts ; il a préféré mourir lui-même : c'est un héros.

On peut se suicider pour échapper à une souffrance trop forte, ou à une maladie. Si la loi de réincarnation était connue, il y aurait beaucoup moins de suicides, puisqu'on sait qu'on sera obligé de retrouver la même souffrance dans la prochaine vie, à moins de rencontrer des êtres susceptibles de racheter notre karma et d'évoluer spirituellement. Cela n'évitera pas l'épreuve mais nous permettra de mieux la supporter.

Un jour, Jacques vint m'expliquer qu'on avait interné sa femme après une drôle d'histoire : mariés et heureux, ils avaient eu un bébé, lorsque le père de Jacques se tue dans un accident de voiture. Le corps est transporté à la morgue de l'hôpital et la famille — dont Jacques et sa jeune femme Mireille — vient le reconnaître. Mireille est entrée à la morgue dans un état normal, elle en est ressortie prostrée. Une terrible épreuve commençait.

Elle était si traumatisée qu'elle n'avait plus qu'une envie : se suicider. Elle est restée des jours et des jours sur un lit, inerte, sans vie, puis il a fallu la transférer dans un service psychiatrique, vu la gravité de son état.

Intriguée par cette histoire, je demande à Etty ce qui se passe : Etty me répond que Mireille s'est suicidée dans une vie passée en laissant deux jeunes enfants ; que ce couple avait une terrible épreuve à passer et que, lorsque Mireille a vu son beau-père à la morgue, elle a eu une violente réminiscence, d'où l'état de choc. Il faut la traiter par magnétisme, me dit mon guide, et si possible les faire entrer au groupe tous les deux. Ils pourront ainsi faire face à d'autres épreuves, s'en libérer, et la grande tache sera effacée à tout jamais.

Ainsi fut fait.

Mireille m'a expliqué par la suite qu'en découvrant son beau-père elle s'était vue, dans une espèce de flash, couchée à sa place, les veines du poignet tranchées, d'où la sévérité du choc.

Dès sa guérison, qui a été très rapide, elle a désiré un deuxième enfant. Ce couple a effectivement connu de grosses embûches, mais il est toujours avec nous et nous pensons que l'un et l'autre vont bientôt connaître la sérénité, qu'ils ont, cette fois, bien méritée.

Voici le bouleversant message reçu au cours d'une réunion de prière le 5 mai 1985. Son auteur : sœur

Sourire. On se rappellera qu'elle s'est suicidée après de dramatiques tribulations.

« Enfin un pôle de lumière dans l'abîme de ma nuit, enfin de la chaleur pour réchauffer mon corps, enfin de l'amour pour sécher mes larmes, enfin des prières pour apaiser mon âme, enfin le pardon puisqu'à travers vous je me sens revivre.

« Ma vie, ma merveilleuse vie, don sacré du ciel, gâchée, détruite, balayée par la marée montante de l'égoïsme, de la réprobation, de l'indifférence. Sous la robe de servante du Seigneur, battait un cœur si rempli d'amour, de foi que j'éprouvais le besoin irrésistible de la chanter à la face du monde, naïvement. L'espérance n'est-elle pas une graine qu'on doit semer à la volée pour la faire germer dans le cœur des hommes ?

« Seigneur, comme je t'aimais, cheveux dans le vent, cigale qui s'ignorait, ma guitare sous le bras ! Je parcourais les villes, les campagnes. Oh ! quel beau rêve, vivre en communion avec son Créateur ! Les jours, les années passaient au rythme des mélodies, mais dans cette vie de facilité, je commençais à en découvrir de multiples facettes, sous des reflets attirants : l'insouciance, la tentation, la liberté, le désir de briller, de plaire, monter au firmament des étoiles... ainsi s'est effilochée une partie de ma vie...

« Puis ce fut le choc ! Sur ce chemin de facilité, de lumière artificielle, j'ai croisé la vraie souffrance, la vraie misère, celle qui laisse sans voix. Bouleversée, je regardais ces visages qui ne savaient plus sourire, ces yeux sans couleur d'avoir trop pleuré, ces yeux qui n'étaient plus que le reflet d'une tristesse infinie, d'une lente agonie. Ah ! ma conscience, quel réveil fut le tien ! Je devais me battre, porter sur mes frêles épaules une partie de cette misère. De cigale, je suis devenue fourmi.

« Créer, construire, bâtir, réunir tous ces laissés-pour-compte, ces rejetés de la société, les enfermer tous dans mes bras qui ne demandaient qu'à les bercer tendrement. Mes chansonnettes ne faisaient pas le poids et le temps pressait ! En ai-je fait des démarches, tiré des sonnettes, ouvert et fermé des portes sur des promesses vagues, des refus polis, des fins de non-recevoir ! Quel crédit apporter à ce nom que j'avais traîné dans les égarements ? Pourtant je voulais lutter encore et encore, solitaire toujours... alors, pardon Seigneur, j'ai cru ma cause perdue, pardon Seigneur, j'ai douté, j'ai refusé ma croix, moi qui autrefois voulais porter la tienne !

« Anéantie de chagrin, de désespoir, de regrets stériles, je ne voulais que dormir, dormir pour oublier... oublier ? Je n'étais rien, plus rien qu'une feuille fanée détachée de sa branche, tourbillonnant, emportée dans le néant...

« Et me voilà ! Énergie pensante, découvrant ce fleuve de vie dont j'ai rompu les digues, les narines frémissantes des senteurs terrestres qui montent vers moi, mon âme, mes yeux, mon cœur s'emplissent de cet Esprit de lumière flottant autour de vous. Je suis là, repentante et meurtrie, les mains grandes ouvertes pour recueillir la manne que vous m'offrez. Je communie avec vous.

« N'est-ce pas miraculeux d'entendre cette musique ? A elle seule, elle est déjà un symbole ; n'est-ce pas miraculeux d'entendre cette émouvante prière qui me touche, m'élève lentement au-dessus des questions, au-dessus des réponses ? Vrai, tout est merveilleusement vrai, de cette richesse de liberté retrouvée pour suivre la voie lumineuse qui s'ouvre soudain sous mes pas.

« Je vois : tout est limpide, transparent. Je sais, sans l'avoir demandé, que je dois me fondre dans ce moule de conscience universelle pour repenser ma vie, guérir mes blessures, consolider la trame. Alors à son heure jaillira une âme forte, puissante et solide comme un roc, que rien ne pourra entamer. Ainsi je franchirai une nouvelle fois la porte terrestre pour achever un destin merveilleux tragiquement interrompu.

« Par vous ce soir j'ai reçu l'absolution. Vous êtes les roses de mon hiver, les rayons de lumière dorée, clés de ma triste prison. Maintenant, je sais... j'ai faim et j'ai soif d'une tout autre vérité qui m'aveugle, qui m'attend... elle m'emporte, m'emporte... Priez encore, priez toujours pour les âmes souffrantes en détresse dans ce monde et dans l'autre. Merci, oh! merci.

« Tout rayonnant de l'espoir que je vois poindre, tout mouillé de larmes de reconnaissance et de repentir, ce dernier sourire de la servante du Seigneur, je vous le donne. Bénis et glorieux vous serez, merci. »

Le Dr Dransard, depuis longtemps, fait partie de notre groupe. Il pratique l'accompagnement des mourants et son témoignage a ici un prix particulier.

Je voudrais simplement attirer le regard du lecteur sur cette phrase, écrite par lui, à propos du mourant : « Lorsqu'on accompagne un mourant, il vient un moment où on ne sait plus très bien lequel accompagne l'autre. »

Cette question ici, nous nous la sommes tous posée...

« Pendant longtemps le médecin que je suis s'est posé la question, comme certainement chacun de mes confrères — notre métier nous y incite —, à travers le malade auquel on s'attache et qui fuit entre nos mains, à travers le sort qui s'acharne sur tel ou tel, cette sorte de hasard aveugle qui défie la compréhension et déjoue les projets humains.

« Au médecin qui accompagne son malade, la mort pose aux moins trois questions :

— d'abord celle de son échec, les limites de son pouvoir, limites enfin de la science à apporter une réponse aux questions humaines ;

— celle de son angoisse devant l'idée de sa propre mort, car il ne lui sera pas toujours possible de l'aborder par personne interposée ;

— enfin, comme pour tout être humain, la question de la mort me pose implicitement celle du sens de la vie.

« Tout au long de ces pages, Maguy a exposé sa compréhension des choses, ses expériences multiples de contact avec des êtres désincarnés. Je ne me sens pas tenu d'adopter ici un point de vue scientifique sur le sujet. Je ne puis qu'affirmer avoir participé à quelques-uns de ces dialogues, assez pour ne plus douter de l'existence d'une vie, de la conscience après la mort.

« L'intention de ce livre n'est pas d'apporter des preuves, mais de relater une expérience personnelle et de la proposer comme source de réflexion, c'est-à-dire source de questions, dont on puisse trouver la réponse en soi-même ou dans cet autre soi-même que peuvent être les circonstances de la vie.

« Cependant, la reconnaissance de l'existence d'un " au-delà " ne répond pas nécessairement à cette question du sens de la vie. Cette question peut et doit être indépendante, rester ouverte, il est humain qu'elle le soit. Je crois tout un chacun libre de répondre à sa manière ou de laisser la question posée.

« Beaucoup de médecins accompagnent leur malade avec une vision assez différente. Qu'il me soit permis ici d'exprimer mon respect pour leur point de vue et mon admiration pour leur courage. Beaucoup d'entre eux, avec une grande objectivité, s'efforcent de faire taire leur vision et d'écouter leur cœur, dans le respect de l'autre et de sa propre vérité.

« Autour de Maguy s'est formé un noyau, puis un groupe de gens de bonne volonté, issus de couches sociales différentes, de préoccupations différentes, de religions et de modes de pensée différents. Au fil des ans s'est créée une cohésion, sorte d'affection réciproque telle que le centre de ce groupe en est la source d'amour.

« Maguy et Etty ont largement contribué à la matérialisation de cette source, ainsi que bien d'autres encore, dans le quotidien, avec ses difficultés, et dans le silence de leur âme.

« Groupe d'entraide sur un plan matériel et social, mais aussi groupe d'aide spirituelle, à travers la prière et la matérialisation de cette présence magnétique que chacun exprime à sa façon sans que cette source lui appartienne : lorsqu'on parle d'aide spirituelle, c'est le résultat du travail d'un groupe et non la prétention d'un être humain à en savoir plus que celui qu'il cherche à aider.

« Ceux qui font appel à ce groupe sont bien souvent des malades, mais le corps n'est pas l'objet de notre attention, les médecins existent pour cela. Eux seuls ont ce droit, qui découle d'un long héritage de pensée rationnelle et d'expérimentation scientifique, eux seuls sont gardiens de cet héritage et du devoir de soins qui l'accompagne.

« C'est à la souffrance de l'être que nous essayons de répondre, et bien souvent cette souffrance dépasse le cadre de sa douleur physique. Celui qui souffre est soit absorbé dans ses douleurs physiques, soit identifié à sa douleur morale. Il vient un moment où rien d'autre n'existe que cela. Or, comme le disent certains sages, " l'énergie suit la pensée ". Il s'ensuit dès lors une crispation qui ne peut se dénouer d'elle-même et qui vient prolonger cette souffrance. L'être humain cherche naturellement un sens à ce qu'il vit et, lorsqu'il s'agit de douleur, il en cherche la cause. Ce faisant, il peut opter pour une explication naturelle, mécanique ou biologique (le virus, etc.) ou pour une explication d'ordre moral, psychologique car il se trouve dans la pratique que l'un ou l'autre coïncident ou s'enchaînent dans le temps, ce qui contribue à scinder les efforts de compréhension des troubles de santé en deux camps qui devront bien un jour apprendre à travailler ensemble et à reconnaître à l'autre camp sa part de vérité.

« Dans ces conditions, vouloir aller plus loin paraît difficile, et cependant il me semble qu'il ne faut pas envisager seulement la souffrance sous l'angle de ses causes, mais surtout il faut laisser la porte ouverte à l'idée de sa finalité. Cela, qu'il s'agisse du plan physique, est longtemps le témoin d'une lutte avant d'être celui d'un échec : savoir sanctionner cet échec, par une ablation chirurgicale par exemple, mais aussi savoir respecter cette lutte et ne pas confondre confort et guérison en supprimant le symptôme. Et ce, aussi, sur un plan moral : la névrose n'a pas seulement ses causes, elle peut aussi avoir un but et être un chemin de la compréhension de l'amour, cela dit schématiquement, bien sûr.

« Une image quelque peu mystique permettrait de préciser cela : entre le monde végétal et le monde humain, il existe une certaine solidarité, et la fleur avec sa couleur, son parfum et ce qui d'elle est intangible, contient un secret de l'âme humaine et de sa nature : cette fleur, pour éclore, a autant besoin de la boue de la terre que de la lumière du soleil. Elle y plonge ses racines comme notre âme dans la lutte et les soucis quotidiens.

« Mais la lumière du soleil luit déjà pour cette terre et, en réponse à ce désir, la plante s'élève et s'épanouit en fleur.

« Il était question d'un groupe de prière. Toute prière, toute aspiration vers le Beau, le Bien, le Vrai, qu'il s'agisse de la beauté dont l'artiste est épris, du besoin de justice d'un militant politique, du souci de vérité du chercheur scientifique, sont à l'image de cette plante : elle s'élève en réponse à la lumière et au désir divin de transfigurer la misère des mondes et la souffrance humaine, ce n'est pas nous qui prions.

« Cet accent sur la terre et sur le quotidien, c'est parce qu'il est ici question de partager notre énergie et notre courage, autant que cette part de lumière que nous pouvons capter lorsque nous sommes concentrés en silence dans une prière commune, et de nous efforcer de mettre cela à la disposition de celui qui souffre.

« Qu'arrive-t-il en effet à cette fleur ?

« Le parfum d'un champ de fleurs attire l'abeille et tous les insectes, qui ne sont pas sur le même plan d'évolution que la vie végétale. Fixée sur sa tige, la fleur serait bien incapable de transmettre un peu de pollen à

265

sa compagne, mais, attiré par sa beauté, l'insecte fera cela naturellement, trouvant lui-même son avantage dans cette communion entre deux mondes. Lorsqu'il prie, l'homme appelle et concentre les énergies qui ne sont pas du règne humain, et dont la qualité dépend du parfum qui les attire. Et même dans les aspirations quotidiennes, il pourrait en être ainsi. Ces énergies ont le pouvoir de transmettre, et la prière n'est pas une émotion vaine : ce peut être une action particulière lorsque agir n'est plus possible, et il nous a été donné de vérifier, sinon de mesurer, le pouvoir de cette forme d'action lorsque l'action elle-même devient impossible.

« Un mot encore sur ce pouvoir : la prière peut incorporer une certaine énergie et la transmettre, sans toutefois l'imposer ; la conscience a son libre arbitre, son droit d'accorder sa confiance ou d'opposer sa réticence. On a beaucoup parlé d'amour, mais pour aimer il faut être deux. Un médecin qui n'a pas la confiance de son malade peut difficilement le soigner, un patient qui n'a pas l'écoute intérieure de son psychothérapeute pourra difficilement dénouer ses nœuds. Il en va de même pour le travail d'un groupe spirituel.

« Il est une autre limite au pouvoir de cette prière, celle non pas imposée par la conscience de l'être humain, mais émanant de la conscience divine en lui et de ses décisions.

« Il est difficile de parler de la mort des autres. Lorsqu'on accompagne un mourant, il vient un moment où on ne sait plus très bien lequel accompagne l'autre. Bien souvent, passé l'heure des doutes et la révolte, de cette dimension humaine de la " question sans réponse " sur le sens de tout cela, le mourant rayonne autour de lui une sérénité de l'au-delà des mots, un amour et une paix qui flottent dans la pièce, peut-être comme un parfum de l'au-delà. Il arrive souvent, c'est une certaine part de notre travail, que les proches de celui qui part ne se laissent pas envahir par leur propre peine, et restent assez proches du mourant pour partager avec lui ce moment intense d'amour et de paix.

« Cette communion-là est d'une grande importance, car il y a alors restitution, dans ce souffle d'amour, de chacun à lui-même, et une connaissance de ce que la séparation n'existe pas.

« Et bien souvent la suite des événements conforte ce sentiment chez ceux qui l'ont vécu. Le lien qui est créé pendant de longues années entre les êtres ne disparaît pas ainsi dans le néant, et quelquefois se manifeste au-delà du souvenir, comme un sentiment indéfinissable de présence ou comme une certitude ancrée dans le cœur.

« Mais nous avons le droit de concevoir tout cela, et cependant de connaître la peine, en ce sens que le défunt est désormais dans un autre plan d'existence, libre d'aller son chemin (comme nous le sommes nous-mêmes). La mort est aussi une épreuve de l'amour face à l'attachement, c'est pourquoi cet " acte de restitution " de l'affection réciproque me paraît important, qui consiste à laisser se transcender cet attachement dans l'amour lumineux qui apporte la paix de l'âme. Alors, d'une certaine façon, la séparation ne peut exister.

« Je me souviens de cette jeune mère de famille, avec qui j'avais fait le pari sur la vie, mais cette décision-là n'est pas dans le pouvoir de l'homme et, à travers elle, je l'ai vraiment compris.

« Je me souviens de cette grande dame, au terme d'une vie simple, lire dans mes yeux le diagnostic et pénétrer ma pensée, puis étendre son regard à l'infini, à travers et bien au-delà de mes yeux et de ma propre pensée, me laisser découvrir une immense sagesse que la discrétion de sa vie ne m'avait pas laissé soupçonner.

« Je me souviens de cet ami, qui, entre le diagnostic de la rechute et son départ, a vécu neuf mois. Neuf mois au terme desquels il s'installait dans son lit graduellement en position de fœtus, comme pour une nouvelle naissance. Son enfant, présent dans la pièce, jouait comme les enfants de toute éternité. Et ces veillées le soir, à ses côtés, où il rayonnait sur nous l'amour que nous étions censés lui apporter.

« La séparation n'existe pas. »

Un médecin qui participe à ce groupe
à titre d'être humain.

Mais la mort, c'est aussi gai, c'est aussi heureux, si simple et naturel !

Un ami de l'invisible — invisible à nos yeux — vient quelquefois nous saluer à l'improviste, si les circonstances le permettent. Ces moments de bavardage inopinés sont des moments privilégiés qui nous procurent beaucoup de joie et de sérénité.

Je venais de faire un tour d'horizon avec Etty, une conversation à bâtons rompus, comme il nous arrive parfois... A son départ, Daniel reste immobile, en transe... J'attends... Au bout de quelques secondes j'entends :

« Bonjour ! Je suis un ami inconnu. Je suis le médecin qui t'a mise au monde, je passais par là et j'ai plaisir à te saluer. Je suis chargé de préparer ta " naissance spirituelle " quand tu vas revenir dans l'au-delà. »

Puis vinrent une foule de détails me concernant.

Je suis ravie de rencontrer cet ami inattendu qui veille

sur moi. Il m'explique ce que je savais déjà : que la mort se prépare toute notre vie et que nous avons souvent le départ que nous méritons : « Dis-le bien, dis-le souvent aux membres de ton groupe. »

Je réalise alors que je parle de ma mort, je ne l'avais pas compris, au cours de cette passionnante conversation, et j'ai bien ri !

Sixième partie

LA RÉINCARNATION

Je venais de lire un ouvrage sur la réincarnation. Beaucoup de doutes m'assaillaient encore lorsque la petite Mady me fut confiée. Deux ans, couverte d'ichtyose, le corps entier criblé de véritables écailles, comme celles d'un poisson. Son état était très grave.

La fillette sortait d'un hôpital parisien. Elle dormait environ quatre heures par nuit.

Malgré tous les soins, l'état ne s'améliorait pas ; de plus, c'était un véritable petit monstre de laideur, insupportable, « teigneuse ». Il était impossible de la laisser au contact d'autres enfants de son âge : elle les griffait, les mordait et hurlait sans cesse. Il m'était très difficile d'aimer cette enfant, moi qui les adore, tant je sentais de méchanceté en elle.

Influencée par ma lecture, je réfléchis à ce cas particulier et me dis — simple hypothèse : peut-être a-t-elle fait beaucoup de mal dans sa dernière vie ; peut-être a-t-elle torturé des hommes ! Si cela était, vous tous, mes copains de la Résistance, venez m'aider !

Le lendemain, les écailles commençaient à tomber ; je crois que ce fut ma première réflexion profonde sur la thèse des renaissances. La première fois que je prenais conscience d'un lien de cause à effet et que là se trouvait peut-être la raison de certaines maladies inexpliquées, inexplicables, chez les petits enfants.

Au fil des années, les expériences se multiplièrent, souvent surprenantes ou déconcertantes.

Élise et Liliane étaient inséparables. Lorsque l'une apparaissait, l'autre suivait. Un jour d'avril, Liliane prend sa voiture pour rejoindre son amie. Un peu avant Chambéry, sous une pluie d'orage, elle dérape et percute un arbre. L'automobiliste qui la suivait la sortit d'un amas de tôle et la transporta dans une clinique. Bien sûr, on ne doit jamais faire ça... mais il lui a sauvé la vie !

Elle avait toutes les côtes fracturées, la paroi du cœur perforé, un traumatisme crânien important. Vingt jours de coma, vingt jours d'angoisse, de lutte terrible, vingt jours où j'ai mis au monde dans la souffrance, tous les jours, ma fille.

De plus, une péricardite se déclara : les services de réanimation ne nous laissaient aucun espoir.

Une énorme chaîne d'entraide se forma autour de nous. Ses camarades de promotion se relayaient sans cesse entre Grenoble et Chambéry pour la veiller le jour, et son amie Élise passait les nuits.

Elle hurlait sans cesse, ne reconnaissant personne, sauf moi, qui étais la sécurité. Dès que je m'absentais, elle le sentait et demandait l'heure toutes les deux minutes en criant : « Elle va m'abandonner ! »

Nous n'avons jamais baissé les bras ; la prière, l'espérance étaient notre bouclier. Une grande tristesse s'est abattue sur la maison. J'ai dû un jour emmener Françoise, sa petite sœur, car elle la croyait morte ; elle s'est évanouie en la découvrant avec des tuyaux partout, mais elle l'a vue bouger ! Qu'elles sont longues ces journées, ces heures, ces minutes pour une mère !

En plus de soins vigilants, en plus de la chaîne de solidarité, tous les soirs, nous nous réunissions à la maison pour prier tous ensemble et apporter aux médecins du ciel suffisamment de matériel spirituel pour qu'il rejaillisse en pluie bienfaisante sur Liliane. Élise, à cette heure-là, assise à côté du lit, lui prenait la main, priait avec nous.

Le contact se fit un soir. Brusquement Liliane, émergeant de son état comateux, demanda : « Qui sont tous ces gens autour de moi ? » et apaisée : « Ah ! ce sont eux ! » Elle vivait un étrange rêve éveillé et écrivait des lettres : « Votre Seigneurie, merci pour le bel alezan que vous m'avez offert, etc. » Elle vivait des épisodes de chasse dans le château d'une vie passée !

Un jeudi, à 17 heures, je m'apprête à partir quand elle me réclame le bassin. D'un seul coup elle s'écrie : « Oh ! c'est un garçon, le beau garçon. »

La pauvre, me dis-je, s'imagine accoucher ! Mais, rentrée chez moi, j'apprends qu'une amie venait de mettre au monde, ce jour-là, à 17 heures, un beau petit garçon et qu'elle avait offert ses souffrances à Dieu pour la guérison de Liliane.

« Offrez votre souffrance, ne la perdez jamais, pas une larme, pas une souffrance offerte et acceptée ne s'est perdue sur la terre. Quelquefois celui qui offre ne connaîtra jamais celui pour lequel il a offert ; seule l'offrande compte. »

Liliane guérit peu à peu, tout doucement. Un jour, pendant sa convalescence, au mois de juillet suivant, couchée sous un arbre de notre parc à Corenc, elle connut un petit moment de découragement et se mit à pleurer. Les feuilles de l'arbre sont tombées d'un seul coup et l'ont recouverte.

Bien que nos enfants aient été familiers de petits

phénomènes spirituels, Liliane est venue me chercher, éblouie, elle avait la preuve de la protection invisible et bien réelle des forces divines qui l'entouraient.

Jamais plus une plainte n'a franchi ses lèvres, jamais sa foi n'a été ébranlée, elle a été pour nous tous et pour ceux qui la connaissaient un exemple de courage.

Ne pouvant pas travailler physiquement, s'ennuyant un peu — à vingt ans, il est dur d'être inactive quand on est pleine de vie —, elle s'engagea sans nous le dire dans une banque pour coller des enveloppes ! A mi-temps.

Le premier soir, elle m'expliqua qu'elle était surveillée par une demoiselle très sévère, que ce travail était mortel et qu'une tristesse terrible régnait dans ce bureau. « Mais je vais changer cela ! » dit-elle. Le lendemain, tout en collant ses enveloppes, elle se met à chanter et, le jour même, elle est mise à la porte « pour perturbation dans le service ».

Triste société, où chanter est coupable...

Liliane s'est mariée et a adopté une petite fille, les séquelles de l'accident lui interdisant d'être maman.

Dix ans après, un dimanche matin, son mari m'appelle, affolé. Liliane avait perdu connaissance ; transportée à l'hôpital de Grenoble, on diagnostique un méningiome qu'il fallait opérer. Ouverture de la boîte crânienne, heures d'attente si longues dans un couloir. L'intervention a duré sept heures. Les médecins ont pensé, sans pouvoir l'affirmer, que le responsable était peut-être un caillot de sang calcifié.

Là encore, la chaîne de prières et de fraternité a fonctionné, mais tout s'est très bien passé et je souhaite, de toute mon âme, que Liliane ait vraiment bien réglé tous ses comptes dans cette vie et même dans toutes les autres à venir, si elle a à revenir sur terre, car à mon avis elle doit avoir pris une sacrée avance !

Myriam, elle, avait encore une « dette » à payer.

Tout a commencé par une magnifique journée d'été, sur fond de musique grecque. Myriam et l'homme de sa vie étaient partis ensemble en vacances, dans la gaieté, la joie, lorsque l'angoisse fondit sur elle. Pourquoi ce jour-là, alors que tout allait si bien ?

C'était le commencement d'une terrible dépression : de médecin en médecin, de guérisseur en guérisseur, Myriam gravissait les marches du calvaire ; aucun traitement n'agissait.

Elle était courageuse, essayait de se battre, tous ses amis, son ami, les médecins tentaient de l'aider ; elle se réfugia dans le travail, mais les angoisses étaient trop fortes, le combat inégal. Lorsque je la vis, elle me dit que seule la mort pourrait la délivrer ; quelque chose lui échappait, la dépassait : « Quelque chose d'inconnu s'empare par instants de ma volonté, je deviens une loque. »

Cela durait depuis six ans, mais heureusement Myriam était croyante, ouverte à certaines expériences. Je lui demande de prier avec moi. J'allais essayer de l'aider par magnétisme, mais je pensais bien qu'une raison karmique pouvait être à l'origine de cette histoire. J'étais intriguée du fait que les angoisses se déclenchaient surtout lorsqu'elle était avec un homme, dans des moments où, normalement, elle aurait dû être heureuse.

Myriam était « parasitée » effectivement par une entité, dans une vie précédente. Mère abusive, elle avait « bouclé » sa fille pour que celle-ci ne la quitte pas, ne l'abandonne pas. D'où, bien sûr, retour de manivelle. A son tour sa fille, dans l'invisible, se vengeait à sa façon.

Dès que Myriam a été entourée de prières, dès qu'elle a su la cause de son trouble, elle a prié pour cette entité. Tout est rentré dans l'ordre. Myriam a été guérie en trois séances de magnétisme, « en apparence », mais elle a guéri très vite grâce à sa compréhension. Elle a prié de toute son âme pour celle qui l'obsédait, lui a demandé pardon pour le passé et n'a plus jamais eu d'angoisses depuis douze ans.

Albert, beau garçon de vingt-deux ans, travaillant dans un bureau, souffre de la « crampe de l'écrivain ». J'ai ouvert la porte et l'ai refermée aussitôt en le voyant, comme si une force invisible, très violente, très forte, me le faisait rejeter. J'ai horreur de cela et me méfie comme de la peste de ce genre d'impulsion. Me ressaisissant, je le fais entrer et lui fais quatre séances de magnétisme en trois semaines.

La dernière était un vendredi matin ; il était guéri et m'annonce qu'il part faire du ski pendant le week-end.

Trois semaines plus tard j'apprends son suicide par sa mère qui vient me voir, en larmes. J'étais la dernière à l'avoir vu vivant.

J'étais sidérée et désespérée. Comment avais-je pu passer à côté ? Aucun médecin de l'espace ne m'avait alertée. Rien, rien n'a empêché ce tragique destin. Comme je me suis sentie petite et misérable en essayant de consoler, avec de pauvres mots, cette mère désespérée.

Elle m'expliqua qu'Albert avait la « folie des grandeurs ». Il n'achetait jamais un bouquet pour la fête des mères, mais cent roses. S'il allait à la poissonnerie, c'était pour acheter des langoustes, du homard et, en même temps, des rince-doigts en cristal.

Il était grand seigneur, méprisant les petites gens,

admirant les grands de ce monde. Très gentil, il devenait violent si une critique était faite devant lui sur la noblesse.

Enfant, il avait voulu aller en vacances en Autriche. Ses parents avaient décidé de camper quelques jours dans ce pays mais, en arrivant, il fit une scène affreuse devant ces pauvres gens ébahis. « Jamais je ne camperai dans ce pays. Je veux aller dans le plus grand hôtel, même si je ne dois y rester que deux jours. »

Dès qu'il a pu travailler, le premier argent a servi à acheter tous les ouvrages d'histoire concernant la maison d'Autriche-Hongrie. Tout de même bizarre pour un fils d'ouvrier !

J'ai dressé l'oreille et pensé que la réincarnation d'Albert, non acceptée, pouvait avoir créé cette attitude.

La maman a très bien compris ce que je tentais d'expliquer. Elle rentra au groupe où tant d'amis l'aidèrent à porter sa peine ; et un jour vient l'explication par Etty : Albert était bien la réincarnation d'un grand d'Autriche, il était très orgueilleux et ne pouvait accepter d'être né dans un milieu modeste.

Il demanda bien pardon à sa mère. Il était venu pour racheter certaines faiblesses et avait à nouveau failli. Il reviendra donc, mais cette fois-ci beaucoup plus fort, grâce à l'amour maternel.

Au lieu de se désespérer et de se lamenter sans fin, cette courageuse maman a prié, prié avec tant d'amour qu'elle a racheté le karma de son enfant.

Dieu ne sépare pas ceux qui s'aiment. Le monde de la terre et le monde du ciel sont reliés sans cesse par les fils invisibles mais si puissants de l'amour.

Quant à l'histoire de Sarah, elle est profondément liée à mon enfance, cette enfance un peu bizarre, pas tout à fait comme les autres. Je n'avais pas d'amie. Je préférais de beaucoup jouer aux billes, à la fronde et grimper aux arbres, faire les quatre cents coups avec les garçons du village plutôt que de jouer à la poupée. Aussi à l'école d'infirmières, en 1944, je me pris d'une très grande amitié pour Sarah ; elle avait mon âge, nous partagions la même chambre, la même tablette de chocolat, lorsque nous avions la chance d'en trouver !

Au sujet du chocolat, nous étions « J.3 » et avions droit à trois tablettes par mois. La sœur de la clinique qui nous les remettait le soir nous faisait un chantage terrible pour que nous les « offrissions » le lendemain à ces pauvres jeunes gens du séminaire de Voreppe, petite ville environnante, qui faisaient des études de prêtre et allaient faire des curés tout à fait anémiques sans notre chocolat !

Pendant longtemps j'ai gardé un sentiment de rancœur vis-à-vis des curés à cause de ce sacrifice. Il faut dire que nous avions faim et que les gratins de rutabaga ne nous garnissaient guère l'estomac. Bref, un soir, Sarah et moi décidons de tout manger, d'un seul coup, pour ne pas céder le lendemain. Une effroyable indigestion nous a tenues toute la nuit debout aux toilettes, vomissant à tour de rôle ce chocolat de mauvaise qualité.

Après cette mésaventure, nos liens se resserrèrent encore ; toujours l'une avec l'autre, travaillant ensemble, ou plutôt Sarah me faisant travailler — j'avais tout de même de graves lacunes —, nous nous épaulions.

Je savais qu'elle était orpheline, sa mère morte en lui donnant le jour, son père assassiné... Ce que j'ignorais, c'est qu'elle était juive et qu'elle avait été cachée par un médecin juif après l'assassinat de son père par les

Allemands. Les sœurs de la clinique, merveilleuses, ont aidé et caché pendant la guerre des juifs, des résistants, ont soigné avec un cœur égal les miliciens, les Allemands, les maquisards ; ce n'étaient pour elles que des hommes qui souffraient, avec une balle dans le ventre, c'est tout !

A cette époque, je ne pouvais comprendre ; de famille résistante, je haïssais les « autres », j'ignorais bien des choses, entre autres que Sarah fût juive. Je l'emmenais avec moi dans mon village toutes les fois que je le pouvais et bien plus tard, la vie nous ayant séparées, nous avons continué à correspondre souvent.

Sarah habitait mon cœur, comme une petite sœur bien-aimée, ma première amie, celle avec qui je partageais tous mes secrets, celle avec qui je pleurais en entendant le canon, les bombardements du Vercors.

J'allais avec elle, inconsciente du danger, porter les lettres de résistants à leur famille et nous avons partagé bien d'autres dangers, en riant, en jouant.

Après la naissance de ma fille, pendant les mois de clinique et de maladie qui ont suivi, elle a tout quitté pour venir m'assister. C'était précieux !

Nous rêvions de nous réunir un jour et de créer une maison d'enfants ensemble. En attendant que nous gagnions l'argent nécessaire, elle partit travailler à Paris.

Daniel, qui me faisait une cour assidue, se trouvait toujours dans les familles où j'étais invitée lorsque j'emmenais un convoi d'enfants de Paris.

Un soir, il décida de m'emmener au Châtelet voir un spectacle avec une de mes amies. Je n'avais pas eu de nouvelles de Sarah depuis un mois ; elle avait subi une banale intervention d'appendicite et se remettait mal. Je demandai à Daniel de m'emmener boulevard

Magenta, imaginant la joie de Sarah et sa surprise. Le chagrin m'anéantit en entendant la concierge me dire : « Mais, madame, elle est morte, enterrée depuis quinze jours, elle s'est suicidée. » Le choc a été trop fort, je me suis évanouie.

La soirée et la nuit ont été affreuses. Le pauvre Daniel a tout fait pour me consoler, rien à faire ! Ma Sarah morte, partie sans me laisser un mot, une ligne, m'abandonnant, quelle horreur !

Je suis allée au commissariat de police, le lendemain, et sur sa tombe, à Pantin, la mort dans l'âme. J'ai prié pour elle pendant des années, tous les jours. Sarah, ma jolie, ma chère Sarah, ce n'est pas possible, pas possible que tu sois morte. Il me semblait qu'elle m'entendait quelque part, je ne savais pas encore... Mais sa générosité, sa grandeur d'âme (je l'avais vue offrir, elle qui n'avait rien, son manteau, en 1944, à une servante qui avait froid) ne pouvaient pas avoir été et ne plus être, c'était trop injuste, elle qui n'avait pas eu de mère !

Les années ont passé, mais l'oubli n'est pas venu. Pendant mon initiation, j'ai continué de prier pour elle et j'ai souvent demandé des nouvelles de Sarah.

« Continue de prier, me dit mon guide, et Dieu t'entendra. »

A peu de temps de là, un médecin me téléphone en m'expliquant qu'une jeune fille enceinte ne veut pas garder l'enfant. Puis-je la prendre chez moi quelque temps ? Ses parents l'ont mise à la porte, son père, maire du village, ne veut pas de « scandale ». Elle n'a pas un sou, mais peut-être qu'en l'épaulant, les parents céderont et qu'elle pourra garder le bébé.

J'accepte, bien sûr, cette jeune femme de la campagne, très honnête, très malheureuse ; elle avait été élevée avec plus de taloches et de travail que de caresses. A vingt-quatre ans, elle était encore terrorisée par ses parents.

Je retiens une place dans une clinique et les mois passent. Un matin, au réveil, je la trouve pliée en deux dans le couloir, elle avait les douleurs depuis la veille et n'avait rien dit, car elle refusait d'aller à la clinique. Elle me faisait une véritable crise de nerfs ; j'étais affolée car c'était un pont férié de trois jours : impossible de trouver un médecin ou une sage-femme et le temps pressait. Finalement, une belle petite fille arrive, avant le médecin de garde que j'avais enfin trouvé.

Devant son refus énergique de garder l'enfant (elle refusa même de la reconnaître), je me mis en relation avec une œuvre privée pour leur confier le bébé et demandai à des parents adoptifs, tout près de moi, de se mettre en relation avec l'œuvre car ils avaient depuis longtemps préparé un dossier d'adoption.

Le surlendemain de cette naissance, mon guide m'interroge : « Que penses-tu des événements qui viennent de se passer ? Cette petite fille née dans ta maison ne te pose aucune question ? » Et, devant mon silence, elle ajoute : « Ne comprends-tu pas que Sarah vient de t'être rendue ? Tu as tant prié que tu as racheté son karma. »

Sarah est devenue Elisabeth ; elle était juive, elle est catholique ; elle était seule, elle a un père et une mère, des frères et sœurs ; elle était infirmière, elle termine sa médecine.

Que veulent dire les notions de race, de religion ? Si la croyance en la réincarnation était enseignée, quelle tolérance elle apporterait ! Plus de racisme. Comment pourrions-nous mépriser les Noirs, les Maghrébins, les

Asiatiques ou d'autres, si nous l'avons été nous-mêmes hier ou le serons demain !

Elisabeth ne ressemble pas du tout à Sarah. L'une était brune, l'autre est blonde ; l'une était ronde, l'autre très mince, mais, à part le physique, les réactions de l'une sont les réactions de l'autre, et, quelquefois, lorsque j'ai cette belle jeune femme devant moi, que je ne pense pas du tout à ce passé vieux de quarante ans, une réflexion ou une attitude me rappellent tant Sarah que les larmes me montent aux yeux.

Au bout de la route, nous nous retrouverons tous égaux, lumineux, libérés. C'est peut-être ça le paradis ou le nirvana...

Bien évidemment, ces aventures étranges appellent des questions. Si, en Orient, la notion de réincarnation est tout à fait familière, il n'en va pas de même en Occident. Ici, nous en parlons avec réticence ou mettons le « karma » à toutes les sauces. Alors, qu'est-ce que la réincarnation ? Très simplement, on peut dire ceci : l'esprit revient plusieurs fois sur la terre, dans un corps différent chaque fois.

Beaucoup d'ouvrages, bien des religions se sont penchés ou ont enseigné cette doctrine. Le bouddhisme, le taoïsme, les anciens Égyptiens et les premiers chrétiens, les Pères de l'Église (tel Origène) enseignaient la réincarnation. Jésus ne l'a jamais combattue. Elle a été retirée de l'enseignement de l'Église au concile de Constantinople, vers l'an 500 et quelques, je crois...

Croire ou ne pas croire ne constitue pas en soi une preuve de grande évolution ; de grands saints ont atteint un stade mystique très pur sans y croire. Mais seule cette croyance peut répondre aux mille questions que nous nous posons inévitablement sur la vie et la mort.

Depuis quelques années, ces idées gagnent du terrain en Europe. Des médecins, comme le Dr Kübler-Ross par exemple, ont étudié et écrit sur ce sujet. Peut-être la science progressera-t-elle plus vite que les religions...

Bien sûr, nous ne sommes pas, aujourd'hui, identiques à ce que nous avons été hier car notre hérédité joue. Nous ressemblons souvent à nos géniteurs ; les chromosomes, l'éducation, le milieu familial, les études, la race, la religion peuvent nous imprégner, mais au niveau du corps spirituel nous retrouvons nos acquis ou nos pertes.

Au sein du groupe, nous avons vécu plusieurs expériences de réincarnation sur un peu plus de trente ans ; si elles ne nous ont pas permis de tout comprendre, de tout savoir, elles permettent néanmoins de soulever un petit coin du voile. Il est donc normal que je fasse partager ce que j'ai compris, ce que nous avons vécu tous ensemble à Grenoble. A un moment donné, nous pouvons enfin « tenir le gouvernail et avons le choix de l'atterrissage ». La route n'est pas toujours facile, souvent étroite et sinueuse, avec des montées et des descentes, et nous sommes souvent face à nous-mêmes, avec nos faiblesses, nos luttes, nos regrets, nos victoires. Mais il faudra bien sortir de cette dualité un jour, de l'alternance de vie, de mort, de renaissance, pour être enfin libérés.

Nous sommes tous issus de la même source, l'Énergie suprême. A partir du moment où cette évidence pénètre en nous, nous sommes forcément plus attentifs à nos actes puisque nous savons être les artisans de notre propre vie.

Si Dieu dans Sa sagesse n'a pas donné aux hommes le souvenir de leurs vies antérieures, il avait ses raisons. Puisque nous progressons sans cesse, nous sommes meilleurs que ce que nous avons été, mais sommes suffisamment lourds et encombrés pour avoir, sans arrêt, à porter le poids de notre passé. A un certain stade d'évolution — et si cela peut nous aider —, les révélations se font d'elles-mêmes, d'une façon ou d'une autre, le moment venu. Il ne faut pas chercher à savoir à tout prix. Les risques existent. Ainsi une jeune femme, mise en état d'hypnose pour régresser dans son passé, est rentrée chez elle complètement déséquilibrée, a fait une crise de délire et a voulu jeter son bébé par la fenêtre du septième étage « parce qu'il était protégé par Dieu » : elle voulait prouver qu'il ne risquait rien. Je suppose que l'état d'hypnose n'a pas été supporté et que son corps éthérique était atteint. En outre, combien de fois raconte-t-on aux « curieux » qu'ils ont été princesse, grand de ce monde, etc., jamais paysan ou pauvre hère !

Je vais simplement vous raconter quelques expériences vécues, avec simplicité, comme je l'ai déjà dit, toujours à bon escient et pour des raisons d'aide spirituelle.

Nous naissons avec notre « bagage », le passif et l'actif. C'est ce que nous appelons le karma, l'héritage de nos actes, bons ou mauvais. Karma est un mot hindou qui signifie l'« apport » ; le karma n'est pas forcément une accumulation de dettes, comme certains le croient ; il peut être enrichi d'acquis intellectuels, artistiques ou spirituels.

Le karma n'est jamais fixé, arrêté. Des êtres ayant l'amour en eux et une certaine puissance peuvent « racheter leur karma », et l'accident qui aurait dû être n'est plus qu'une égratignure.

Une évolution spirituelle rapide peut éviter certaines épreuves qui n'ont plus de raison d'être. Nous ne pouvons et ne devons jamais juger un être dans l'épreuve, mais seulement l'aider.

Un ami yogi, après une conférence à Bruxelles, me demandait si, selon moi, le karma étant utile à l'évolution, devait être allégé : « Lorsqu'une personne très âgée porte deux valises et traverse la route encombrée, n'allons-nous pas l'aider ? » fut ma seule réponse.

Toute la charité de l'Évangile est là. Jésus n'est-il pas venu nous prêcher la charité et n'est-il pas mort pour nous racheter tous ?

Mais si un homme fait le mal, s'il cherche à nuire, la loi du « choc en retour » ne manquera pas de s'appliquer. Lorsqu'une balle est lancée contre un mur, elle revient obligatoirement au lanceur.

Si celui qui prie pour l'autre est bénéficiaire, un jour ou l'autre, de son acte généreux, il en est de même pour ceux qui sèment la désunion, voire la haine. Il n'est qu'à regarder autour de nous et au niveau même de l'histoire : comment finissent les dictateurs ?

Sabine vivait partagée entre ses enfants, sa profession et son époux, un peu égoïstement peut-être, comme la plupart d'entre nous ; le mari, un peu léger, avait donné quelques coups de canif dans le contrat conjugal, mais Sabine l'avait toujours ignoré, jusqu'au jour où il rencontra Flavie. Cette dernière était très ambitieuse et le mari de Sabine avait une très belle situation sociale. Il quitta femme et enfants pour vivre avec sa maîtresse. Jusque-là l'histoire est, hélas, fréquente et banale.

Après un très gros chagrin, Sabine retrouva son équilibre et essaya de vivre pour ses enfants, pour son travail qu'elle aimait ; heureusement, elle était financièrement libre et d'énormes responsabilités l'obligeaient à lutter. La vie reprit donc et, après la tempête, des relations plus amicales reprirent avec son mari, qui ne désirait pas divorcer à cause des enfants. Mais cela ne faisait pas l'affaire de Flavie. Qu'a-t-elle fait, cette malheureuse ? Quelles forces obscures a-t-elle déclenchées, de quel sorcier s'est-elle servie ?

Sabine a commencé par avoir peur chez elle le soir ; certains phénomènes désagréables se sont produits, des bruits inattendus, bref un climat d'insécurité inhabituel ; puis elle a failli se faire renverser en ville avec sa petite fille, a eu un tas d'ennuis et un matin elle trouve de la terre, un gros tas de terre, sur son siège de voiture, celle-ci étant fermée à clé. Alors là, elle a peur, très peur, et elle est venue me raconter ses malheurs.

Elle était croyante ; je lui proposai de la magnétiser pour l'aider à retrouver son équilibre et lui promis de prier avec elle. La prière protectrice l'aiderait. Effectivement, tout a été mieux, et j'ai eu la confirmation par Etty que Flavie, inconsciente, avait manipulé des forces pour éliminer Sabine, et, ajouta Etty avec tristesse : « La pauvre femme, quel boomerang a-t-elle lancé sur elle-même ! »

Le mari de Sabine a alors subi un très gros revers financier et, trois mois environ après la libération de Sabine, une grave maladie s'est déclarée chez Flavie...

Une autre aventure, fort troublante, m'a laissé un souvenir très puissant.

Lorsque Aline et son mari sont venus pour la première fois, je me suis demandé si je pouvais les aider. Aline venait d'accoucher de son premier enfant. Elle était revenue de la maternité très fatiguée et quinze jours plus tard elle entrait dans un état de prostration totale. Ne mangeant plus, ne dormant plus, ne reconnaissant plus son mari ni son entourage.

Un médecin appelé voulut immédiatement l'hospitaliser, le mari refusa et appela un psychiatre qui me connaissait ; celui-ci donna mon adresse sans beaucoup de conviction.

Devant la gravité du cas, je demande leur avis aux médecins du ciel. « Il faut prier et apporter beaucoup de matériel spirituel pour nous aider, m'est-il répondu, cette malade n'habite plus son corps, son esprit est dédoublé, d'où l'état de prostration. Demande à son mari de l'amener trois jours de suite ; si le troisième jour elle n'est pas mieux, tu l'envoies à l'hôpital. »

Nous nous réunissons le soir même pour une réunion de prière avec Aline et son mari, sans résultat ; mais le lendemain, lorsqu'elle arrive, elle me regarde avec des yeux furibonds, exorbités, et je vois immédiatement que son corps est habité... mais pas forcément par Aline. En entrant, elle voit un christ sur le mur et pique une colère folle, hurle, crache près de la croix, l'injurie, gifle son mari affolé qui, perdu, répète : « Aline, Aline, toi qui es croyante ! »

Ma réaction a été bizarre. Je n'ai pas du tout été effrayée mais, saisie d'une terrible colère, je secoue Aline en la fixant froidement, en hurlant plus fort qu'elle : « Qui es-tu ? Pour qui te prends-tu, toi qui viens insulter le Christ chez moi ? »

D'un seul coup, comme une poupée de chiffon, elle s'effondre sur une chaise et sanglote en se tenant le ventre, revivant ses douleurs d'accouchement. Je dis au mari, de plus en plus terrorisé : « Taisez-vous et priez, pour l'amour de Dieu, priez ! »

Aline se calme, ouvre les yeux et demande à son mari : « Qu'y a-t-il ? Où sommes-nous ? » Et à moi : « Qui êtes-vous ? »

Aline était revenue « chez elle », elle était guérie.

Des amis prêtres à qui j'ai raconté cette histoire m'ont dit que sans le savoir j'avais pratiqué un exorcisme. Peut-être, mais je pense surtout que la force de notre prière communautaire a aidé cette jeune femme et que, gratuitement, avec un peu de foi et d'amour, une lourde épreuve lui a été épargnée.

Il est possible que les forces obscures qui rôdent autour de la terre aient trouvé, vu son état de faiblesse, une porte ouverte, mais comme il est facile de les chasser et de fermer la porte !

Après l'ombre, la lumière...

L'histoire de Karole est l'une des plus merveilleuses qui nous soient arrivées.

Après dix ans d'études, de conseils, de prières, de sermons, de travail, Mamy m'annonce une nuit qu'elle va me quitter. Je suis effondrée : « Mais, Mamy, que vais-je devenir sans toi ? Je ne sais rien. »

Le chagrin du groupe est égal au mien. Toutes ces réunions de prière où nous l'entendions : « Bonsoir, mes petits... » Elle était si indulgente, maternelle, que nous l'avions baptisée Mamy. Elle nous considérait comme ses enfants, nous avait fait gravir les « premières marches » avec une très grande simplicité. Comprise de tous, de l'ingénieur comme du maçon ou de l'enfant, elle était notre phare. Merveilleuse Mamy qui nous a fourni le terrain — si ferme — sur lequel nous allions construire !

Elle m'expliqua que nous étions pris en charge par d'autres guides et que l'un d'eux, très puissant, prendrait sa place, plus adapté à la direction du travail du groupe : les soins spirituels aux malades. Que, d'autre part, mon initiation était terminée, que tout avait une fin, et que nous ne pouvions pas continuer à passer une partie de nos nuits à l'écoute du ciel, qu'un travail intense nous attendait et qu'il nous fallait suffisamment de sommeil. La partie la plus dure pour nous se terminait, celle du sacrifice permanent. Notre santé, notre jeunesse, notre foi profonde nous l'avaient bien fait vivre.

Elle me dit qu'une nouvelle forme de contact s'établirait pour moi : « Lorsque tu pries pour un malade, sois le plus passive possible en imposant les mains et, tu verras, les dix ans d'enseignement et d'obéissance ont développé en toi des facultés qui vont t'étonner, tu n'en as pas encore conscience. »

Ainsi se déroule ce que j'appelle mon « film », espèce de flash qui se produit brièvement, mais d'une très grande clarté, comme une bande magnétique qui se déroule au niveau du cerveau et qui ne m'a jamais trompée mais souvent bien encombrée ! Ainsi la voix de Mamy se tut et nous étions bien tristes.

Nous savions qu'elle nous avait apporté tout ce qu'elle possédait et qu'elle allait certainement quitter un plan pour un autre, mais je ne me suis pas doutée une seconde que j'allais la retrouver si vite. A-t-elle voulu me faire une surprise ? N'avait-elle pas l'autorisation de nous prévenir ? Je n'ai jamais su...

Une de mes filles me téléphona un matin et me dit : « J'ai eu un curieux phénomène cette nuit, j'ai été réveillée à une heure du matin par des bruits dans la maison, très forts, mon mari s'est réveillé aussi, nous avons écouté, il nous a semblé que l'on voulait nous faire passer un message, mais quoi ? »

Quelques jours plus tard, folle de joie, elle m'apprend sa première grossesse. Puis il y eut le phénomène des abeilles. Ma fille étendait une lessive dans le champ derrière sa maison, quand elle entendit un ronflement étrange et vit un essaim d'abeilles lui foncer dessus ; en une seconde elle fut recouverte d'abeilles, dans les cheveux, les oreilles, dans ses vêtements, partout. Elle n'a pas eu peur ; chez nous, n'est-ce pas, nous ne craignons pas les abeilles ! Elle n'a pas bronché, celles-ci l'ont quittée et se sont posées en essaim sur l'arbre voisin, dans son jardin. Pas une seule ne l'avait piquée.

Après la naissance de Karole, la mère et l'enfant sont venues se reposer quelques jours à la maison. Karole pleurait souvent la nuit pour demander le biberon ; un appétit féroce ! Elle voulait vraiment vivre !

Une nuit, je me lève pour éviter à la maman de le faire. Je tenais la petite boule hurlante et gigotante dans les bras, le biberon chauffait, et j'eus l'idée de lui parler, non pas comme on parle à un nouveau-né, mais comme on s'adresse à un adulte ! La transformation du bébé fut immédiate et saisissante ; son petit visage se figea, un échange d'une intensité extraordinaire se fit entre nous ; je vois encore le bras et le poing qui étaient immobiles, étendus, et tout le corps qui n'a pas fait un mouvement, parfaite statue à l'écoute, puis le biberon étant chaud, je me tus et le bébé se remit à hurler.

Vint enfin le jour tant attendu de la « consécration » où nous avons appris avec une émotion sans pareille que Mamy revenait près de nous et que l'enfant n'était autre que mon premier guide ; son père se trouva mal ! On nous demanda de lui faire porter l'abeille immédiatement pour la protéger et le seul incident désagréable eut lieu le jour où les parents sont allés chercher cette abeille. Je gardais Karo qui dormait dans son berceau, j'étais dans la chambre à côté et l'entendis gémir, de petits cris plaintifs qui me firent dresser l'oreille et passer un frisson dans le dos. Je fonçai dans sa chambre pour voir un frelon qui volait à quelques centimètres de son visage ; je le tuai, me demandant comment il avait pu venir là, en novembre, alors qu'il neigeait... Je le portai à un ethnologue habitant à côté de chez nous.

« C'est bien un frelon, me dit-il, je ne comprends pas comment il peut vivre ici en hiver ; la piqûre de cet insecte peut effectivement tuer un bébé. »

Je mis le frelon dans une boîte en fer, mais quand j'allai le chercher le lendemain pour le montrer à mes enfants, la boîte était vide. Cet insecte pervers était la matérialisation de forces négatives, que la venue sur terre d'un être plein de lumière gênait, mais, heureusement, si des « portes » ne leur sont pas ouvertes, elles ne peuvent l'atteindre.

Le comportement de Karo nous enchantait ; nous pouvions déceler très souvent les liens qu'elle conservait avec le ciel. Elle avait l'habitude, dès qu'elle était seule, de gazouiller en tendant les bras au-dessus d'elle puis, au bout de quelques secondes, elle riait aux éclats, répondant à on ne savait qui... Nous avons réussi à prendre des photos d'elle à ces moments-là.

Un jour, à midi, ses parents déjeunaient. Elle avait environ huit mois et ses grands-parents paternels, qui habitaient au-dessus d'eux, se disputaient, lorsque la grand-mère fort en colère vint rejoindre ses enfants et commença à râler très fort contre son mari.

Karo, assise très droite dans sa chaise, le visage un peu pâle, figé, comme toujours en ces cas-là, dit d'une voix très forte : « Attention. » Elle ne savait pas encore parler ! Les parents furent stupéfaits mais la grand-mère a failli s'évanouir. Elle me raconta plus tard qu'elle avait eu un choc tel que pendant un grand moment ses jambes ne la portaient plus !

Un jour, sa mère faisait du rangement lorsque Karo (dix-huit mois) prit une photo d'Etty, la tendant à bout de bras en disant : « Odette », qui était le vrai nom d'Etty, mais que nous ne prononcions jamais.

Elle dormait souvent le drap sur la tête et, quand elle a su parler, elle nous expliqua que les dames tout en lumière venaient avec des messieurs tout brillants la voir le soir. Pour s'endormir, elle se cachait sous son drap. Elle n'avait aucune peur, mais cela la gênait.

Très jeune, elle assistait aux réunions de prière, disant à sa mère en sortant : « Tu as compris, ou veux-tu que je t'explique ? » Elle avait quatre ans...

Les phénomènes ont été si nombreux que je ne peux me souvenir de tous ; vers l'âge de six ans, ils ont commencé à disparaître, petit à petit.

C'est une belle jeune fille aujourd'hui, qui se penche déjà sur la souffrance humaine, mais elle a son avenir et sa vie qui lui appartiennent ; il ne m'est pas possible de les dévoiler ; elle fait partie de la tribu de mes petits-enfants.

Encore quelques années et un car ne suffira pas pour les promener tous ensemble !

Mes petits-enfants que j'adore, même lorsqu'ils sont « sots », comme on dit dans l'Isère. Ma petite Émilie a les yeux bridés, d'autres ont la peau foncée. Mes enfants ont attrapé le virus et, dès qu'ils le peuvent, adoptent ou parrainent des enfants venus d'ailleurs, sachant bien que, s'ils sont là, c'est là qu'ils doivent être.

La maman de Karole, qui trouvait fréquemment des oiseaux voletant dans sa chambre, se demandait comment ils pouvaient entrer. La chambre était située au bout d'un couloir sombre et la fenêtre fermée.

Un matin, pendant la toilette du bébé, elle entend un petit bruit, se retourne, et voit un oiseau qui, tout aplati, passait sous la porte ! Il était entré par la fenêtre de la cuisine, à l'autre bout de la maison, avait traversé le long couloir et entrait dans la chambre par un interstice sous la porte, comme peuvent en avoir les vieilles maisons.

Ces prodiges, au fil des années, nous accompagnent...

Marie attendait un enfant. Son mari, comme elle, avait attendu longtemps : dix ans de mariage ! Marie avait la foi et priait tous les jours pour ce petit. Il lui semblait qu'il était « autour d'elle », elle lui parlait avec amour et, croyant en la réincarnation, elle était certaine qu'il l'entendait. Pourquoi, s'il est encore dans le « surmonde », serait-il un nouveau-né ? C'est un esprit, avec toutes ses facultés, me disait-elle.

Un jour où nous bavardions toutes deux, Daniel qui nous écoutait se dédouble brusquement et capte Jonathan. Moment privilégié, merveilleux... Il disait à sa mère : « Tu vas être ma mère, comme nous allons nous aimer ! »

J'étais absolument bouleversée et tout de suite j'ai réalisé la puissance de cette entité. Nous avons attendu impatiemment la naissance. Malheureusement, Marie a eu de graves difficultés et Jonathan a été emmené par les services de réanimation, immédiatement, tel un pauvre petit pantin inanimé.

Comme toujours dans notre groupe, en cas de malheur, tout le monde se réunit en silence et prie. Lorsque je suis arrivée dans cette salle silencieuse, j'ai senti la force fantastique de cette prière qui montait vers Dieu et mon cœur se dilata d'espérance. D'un seul coup, Jonathan fut parmi nous :

« Je suis au-dessus de mon corps ; dites à mes parents que si je vis je n'aurai aucune tare, aucune séquelle ; j'ai une importante mission spirituelle à accomplir sur terre. Elle ne peut être que si je suis en possession de toutes mes facultés. Si ce n'est pas possible, qu'ils se consolent, je leur reviendrai. »

Nous étions sidérés et plus d'un visage ruisselait de larmes. Il faut vivre un événement comme celui-là, une fois dans sa vie, pour ne plus jamais douter de la puissance de Dieu. Quelques jours après, il était sauvé et les services de réanimation nous le rendaient. C'est aujourd'hui un adolescent beau comme un ange.

Un jour sa mère le trouve en larmes dans la salle de bains : « C'est trop dur de vivre, si j'avais su, je ne serais pas venu ! Quand je partirai, je ne reviendrai jamais. »

Il avait six ans et jamais ses parents ni personne n'avaient parlé devant lui de réincarnation. Il est élevé normalement comme tous les enfants.

Parmi les plus émouvantes histoires « vraies » que nous avons vécues durant toutes ces années, celle de la petite Françoise nous a passionnés.

Nous avions tous été nous recueillir à la grotte de la Luire et, le soir même, Etty me dit : « Vous avez prié avec une telle ferveur qu'une de mes compagnes du Vercors a décidé de revenir parmi vous ; elle est autour de sa future mère et va préparer sa renaissance. »

Il est curieux de constater qu'un enfant peut choisir et rester si longtemps près de sa future mère pour que le destin s'accomplisse...

Un couple de « chez nous » avait quitté Grenoble deux ans auparavant à cause de la situation du mari, et habitait le centre de la France, mais revenait dès que possible passer un week-end ; ce jour de sortie, le mari était avec nous.

Il avait déjà un certain âge et deux enfants adolescents. Un jour, Jeanne, la maman, me téléphone pour me demander mon avis ; elle n'est pas bien et va aller consulter un gynécologue pour un retard de règles ; elle pense commencer une ménopause. Je lui conseille, en plaisantant, de faire un test de grossesse. « Quelle horreur ! me dit-elle. A mon âge, ce serait une catastrophe. — Je serai la marraine, rétorquai-je, je te ferai une fleur ! » Car nous avons tant de filleuls, Daniel et moi, que nous ne pouvons plus en accepter : être parrain ou marraine représentant un engagement spirituel important.

Deux jours après, les larmes ! « Je suis enceinte, je vomis sans arrêt, je suis très fatiguée, je ne·peux plus travailler. » Jeanne est infirmière dans une maison de repos et, compte tenu de ses idées, pas question d'IVG. Lorsque Etty m'avertit : « Alors les choses s'accomplissent, la naissance promise arrive ! » je n'ai pas compris immédiatement car plusieurs jeunes femmes du groupe étaient enceintes. « Non, non, me dit-elle, pas à Grenoble, mais ton amie Jeanne, ils font toujours bien partie du groupe ? »

Apprenant la nouvelle, folle de joie, Jeanne fut guérie sur-le-champ de ses vomissements et malaises. Elle prépara dans la joie cette arrivée. Une jolie petite Françoise vint au monde. Comme promis, je suis la marraine et un ami dentiste, de notre groupe, accepta le parrainage.

Nous nous sommes tous retrouvés pleins de curiosité à la consécration, tous assis en prière, autour du berceau où dormait l'enfant. Etty vint, elle était la marraine astrale et expliqua que, dans sa dernière vie, cette petite et sa famille avaient été anéanties par la barbarie nazie.

297

Les détails arrivèrent, très précis, très nombreux, et Jeanne, qui ne connaissait rien, en dehors de l'histoire d'Etty, à celle du Vercors, put tout vérifier : un pionnier du Vercors avait séjourné dans la maison de repos où elle travaillait et lui avait raconté la bataille dans toute son horreur, plus encore, le martyre de cette famille !

Nous pleurions tous. Etty nous secoua.

A l'âge des premiers pas, des stigmates sont apparus sur les jambes de Françoise et elle a eu quelques cauchemars nocturnes qui ont disparu avec un peu de magnétisme. Elle avait eu les jambes brisées sous un pan de mur et les stigmates étaient pour nous une preuve de plus...

Françoise est une belle jeune fille, bien implantée dans sa nouvelle vie, sans problèmes, et que nous adorons.

A plusieurs reprises, j'ai mentionné ce que nous appelons consécration ! L'idée en a été inspirée un soir par Mamy :

« Pour tous les petits enfants qui naissent dans le groupe et n'ont pas de religion, nous allons créer une petite cérémonie toute simple que nous appellerons la " consécration ". »

Consécration de l'enfant à Dieu, bien sûr.

Les parents sont présents avec le nouveau-né, le parrain, la marraine, Daniel et moi. Nous prions tous ensemble et le guide astral ou, si vous préférez, l'ange gardien de l'enfant, se manifeste, moment plus qu'émouvant pour les parents, mais souvent pour le nouveau-né qui parfois participe d'une façon extraordinaire.

Nous avons très vite réalisé l'importance de la

consécration car, lorsque cela doit être utile pour l'avenir spirituel de l'enfant, c'est une pluie de renseignements qui tombent du ciel, émerveillant les parents. Le guide explique parfois qui était l'enfant dans sa dernière vie, ce qu'il faisait, son niveau sur sa trajectoire spirituelle, les pièges à éviter, ses points forts, ses points faibles, etc. C'est une richesse prodigieuse pour l'éducation future de l'enfant. De plus, les époques difficiles peuvent être prévues et ainsi passées plus aisément. En plus de trente ans, jamais d'erreurs, nous avons toujours pu vérifier.

Mais je dois dire, afin d'être totalement franche, que les choses ne se passent pas toujours comme cela, et qu'il est bien inutile de poser des questions et d'insister ; le mutisme du guide est total sur le passé si la révélation n'est pas nécessaire ou si l'évolution spirituelle des parents ne permet pas de l'assumer. Cependant des conseils sont toujours donnés, et très bénéfiques s'ils sont suivis.

Il arrive aussi que les parents découvrent quelque chose de leur propre vie passée, sans l'avoir cherché ou désiré.

A la consécration d'une petite Anna, on expliqua aux parents qu'elle était polonaise dans sa dernière vie. « Comme toi, dit-on à son père, elle t'a suivie. » Ce garçon a compris alors pourquoi il était attiré par les Polonais, les danses, les chants, le folklore de ce pays. Comme par hasard, il avait engagé une étudiante polonaise pour élever sa petite fille la première année, car il travaillait, ainsi que sa femme. Anna a baragouiné des mots polonais avant de parler français.

Très amusant ! Et voilà qui peut nous laisser rêveurs sur nos goûts, nos désirs, nos envies.

La merveilleuse histoire de la réincarnation d'Antoine, nous l'avons vécue avec tout le groupe.

Il y a une dizaine d'années environ, une jeune femme du groupe attendait un bébé. Toute sa famille appartenait depuis longtemps à notre association. Elle y avait été élevée, ainsi que son frère et sa sœur. En se mariant, elle nous avait amené son jeune mari ; ils avaient une foi profonde. Tous sont généreux et prodiguent à leur entourage leur amitié et leur aide. Ils appliquent l'enseignement reçu et sont attentifs à ne pas transgresser les lois divines. Je dois dire aussi que cette famille constitue un mélange de races et de religions depuis plusieurs générations. Ainsi cette jeune future maman possède-t-elle un type égyptien très prononcé.

Au cours d'une réunion, un soir, comme pour Jonathan, l'esprit d'Antoine se manifeste à sa mère et lui dit devant tout le monde éberlué, textuellement, dans une langue hésitante et parfois déconcertante :

« Je ne suis encore qu'un enfant et l'expérience que j'ai de la terre n'est pas très vieille, vous savez. Je l'ai quittée il y a fort longtemps en des temps où elle était toute d'or et d'argent, toute de beauté, d'air pur et de gaieté, toute de pensées aérées. Je l'ai quittée en ces temps, avant quelques tristes cataclysmes qui effondrèrent cette terre que j'aime.

« Je veux revenir, non pas pour trouver ce que j'ai quitté car je sais très bien que cela n'est pas en usage actuellement dans la vie sur terre. Je veux revenir car, eh bien, tout simplement, il est important que je revienne ici avec vous, parmi vous, pour préparer la pensée des hommes. Ne croyez pas que cela soit prétention de ma part, mais essayez de penser avec la pensée pure de l'homme et vous me comprendrez très bien.

« Mais pour ce faire j'ai besoin de vous. J'ai besoin des hommes qui évoluent aujourd'hui dans ce monde et qui par leur foi et leur ressouvenir sont toujours attachés à la Grande Mère, astre de lumière, étincelle divine.

« Je ne suis pas très habitué à cette vibration de la terre et c'est cela que je viens vous demander. Je ne connaîtrai pas tout de chez vous. Je serai souvent un étranger, mais je suis plein de patience, de paix et d'amour pour cette préparation infinie du retour d'un esprit vers un corps de matière et ceci est le premier barrage ; je sais que vous saurez m'aider à accomplir ces premiers pas sur le nouveau chemin que je vais parcourir ici-bas.

« Du lieu où je suis actuellement, je sais que quelquefois je reviendrai et qu'ici toujours je retrouverai ma source, ma vie. Ma source qui désaltère cette soif qui quelquefois atteint les esprits las de la terre.

« Ne croyez pas que je sois triste, n'interprétez pas mes propos dans le sens des pensées actuelles des hommes, mais plutôt avec celles des hommes-esprits, des esprits clairs au regard vaste, au cœur vaste, à la parole vaste. J'essaierai d'être un de ceux-là et d'apporter à la terre ce qui est nécessaire pour que l'homme en fasse une terre vivante.

« Parlez autour de vous de cette chose extraordinaire qu'est la naissance d'un homme sur terre et qu'il y en aura encore quelques autres qui ne seront que les prémices d'une ère nouvelle sur la terre : celle de l'Esprit.

« Je vous remercie de m'avoir laissé passer et de pouvoir saluer, non, remercier, ceux qui m'accueillent aujourd'hui dans ce nouvel atterrissage sur la planète Terre. »

Il a dit : « Je ne suis pas habitué à cette vibration de la terre, c'est cela que je viens vous demander. » Mais hélas, nous n'avons pas compris le langage un peu spécial de celui qui revenait, et nous aurions dû préparer ce matériel spirituel, si utile en certains cas.

Comme pour la naissance de Jonathan, les choses se sont très mal passées, et Antoine a été placé en réanimation dès son arrivée.

Lorsque je l'ai vu, inerte, un peu verdâtre, j'ai été très peinée, la maman n'allait pas bien, mais un fait l'a surprise : lorsque l'infirmière lui a dit qu'on emmenait son bébé en réanimation, elle a vu l'enfant tendre la main vers sa mère, placer son doigt dans la main de celle-ci et serrer son doigt comme pour dire : « Ne t'inquiète pas ! »

Nous nous sommes tous réunis pour prier et, lorsque je suis arrivée dans notre salle, quarante enfants environ, assis en rond par terre, attentifs, silencieux, se donnaient la main, les yeux clos, pour Antoine ; les plus jeunes avaient quatre ans !

Au moment du départ, après la prière, nous n'étions que quelques-uns en plus de la famille d'Antoine lorsque à nouveau celui-ci se manifesta, s'adressant à moi d'abord ; je venais de demander une prière pour lui :

« S'il vous plaît, madame, ne croyez pas que je fuis votre monde. Non, mais les hommes de science ont cru en des lois qui ne sont pas les miennes et sont incompatibles avec mes actes futurs. Je vais rester avec vous, mais je dois adapter mes vibrations à celles de ce corps qui m'a été fait, je veux bien entrer en lui quand tout sera harmonie.

« Je désire l'harmonie en toute chose. Il ne faut pas d'équivoque entre ce que je suis et ce que je serai sur votre terre. Je veux rester ce que je suis, ne pas entrer dans vos lois fausses, c'est peut-être pour cela que je suis déjà en défaut avec elles. »

Puis, à sa maman : « Je conçois votre tristesse et votre peine, ma mère, mais je ne concevrai pas de vie en dehors de la Vie, de loi en dehors de la Loi, d'être en dehors de ce que je suis. Ce désaccord n'est que temporaire, le temps qu'à ma loi j'adapte mon corps et mon être. Qu'à la volonté des hommes de science les terriens laissent celle de Dieu faire Son œuvre.

« Prenez votre prière de petite fille, ma mère, et récitez-la comme le leitmotiv qui file et file et tisse le chemin par lequel la voix de Dieu parle, comme la prière qui résonne là-bas sur la terre de Jérusalem.

« Ne perdez jamais votre foi, gardez votre confiance, vous ne serez pas déçue, et gardez surtout l'espoir, comme les mères de toutes les terres, de tous les univers. Si le mien n'était pas le vôtre, il le devint à partir du jour où je fus conduit à vous choisir comme ma conductrice, mon traceur de chemin sur la terre.

« Quant à celui que j'appellerai père, je laisse à la Vibration le soin de lui dire quelles seront nos relations.

« Gardez confiance, gardez cette vision unique, de l'amour unique, d'un Père unique, dans un monde unique. »

Antoine avait quatre jours terrestres ce soir-là ; le lendemain matin, il tétait son premier biberon, quelques jours après il était rendu à sa mère. Les médecins perplexes, après un tas d'examens, ont avoué n'avoir rien trouvé de spécial et ne pas comprendre le pourquoi de ces ennuis. Nous avons compris que les vibrations trop rapides qui l'entraînaient ne pouvaient pas s'accorder avec celles du corps terrestre.

Jamais Antoine, grand garçon adorable et gentil, si

gentil, n'a été malade depuis, excepté les petites maladies virales des enfants.

Si nous n'avions pas apporté la somme d'énergies spirituelles dont Antoine avait besoin, aurait-il eu assez de force pour vivre ? Il est curieux de constater que ces enfants, chargés d'une mission, naissent presque toujours, du moins ceux que nous connaissons, au milieu d'un clan où sont pratiquées la prière et l'élévation de pensée.

Sa maman s'est remise peu à peu et pour terminer, lorsque tout est rentré dans l'ordre, le dernier message est arrivé, pour Noël, cette année-là.

« Je suis venu de si loin... Comme il est difficile, douloureux, d'aborder sur cette terre oubliée depuis des siècles ! Je te retrouve, terre de mes lointaines incarnations passées, avec émotion. Terre des Gaules, terre de France, des millénaires de croyants, de prières, t'ont forgée, t'ont pétrie. Tu es le peuple des bâtisseurs de cathédrales, le peuple de la charité des missionnaires, le peuple qui a donné au monde chrétien le plus de héros, de martyrs et de saints, le peuple de prédilection qui a vu le plus d'apparitions de Marie, médiatrice de toutes grâces.

« Je viens en messager de Noël, pour vous ce soir. Noëls d'autrefois enfouis dans la nuit des temps, Noëls du futur dans un monde enfin lumineux, tout feutré de bonté et d'amour. Dans mes mains offertes, je porte l'âme de votre pays empreinte d'un glorieux passé : cette âme qui parle encore à la mienne de ses souffrances, de ses combats, de ses doutes, de ses espérances. Cette âme dans laquelle j'entends encore résonner dans le lointain, comme un écho, les cloches joyeuses d'un soir de Noël. Noël n'est-il pas toujours le signe du miracle ? Combien de personnages prestigieux, le long de la voie triomphale, jalonnent encore de leurs noms les rues et les places de vos cités, combien de mes compagnons ont stoppé la course de leur sacerdoce pour apporter aux hommes le message extraordinaire, comme un conte de fées : il était une fois un royaume sublime, le royaume merveilleux de la révélation de l'amour infini de Dieu pour toutes Ses créatures. Ce Dieu qui aimait si fort les hommes qu'Il leur offrit Son fils en holocauste pour effacer le karma de l'humanité. Quelle plus belle preuve d'abnégation, d'amour, cachée derrière ce symbole d'humilité, d'innocence que cet enfant roi couché, nu, dans la paille d'une étable miséreuse. Miracle de tous les Noëls sans cesse renouvelé à l'infini qui permet au monde entier de s'agenouiller, de prier devant la crèche pour y ressourcer sa foi.

« On doit se recueillir devant tout ce qui est beau, grand, devant tous les paysages féeriques où l'on sent la main de Dieu. Devant des temples, des cathédrales, les pyramides, les mégalithes, vestiges du passé de civilisations brillantes, non pas éteintes, mais qui poursuivent leur évolution dans d'autres univers. C'est pourquoi ce soir je me recueille pieusement dans cette maison, sanctuaire modeste de fraternité et d'amour, cellule vivante digne de respect, car ici l'on prie, on agit, on souffre, on espère et on guérit. C'est l'espérance d'aujourd'hui et celle de demain.

« L'invisible est là, dans cette assemblée, la remplit de sa présence, l'anime de son esprit; il en est le conseiller, le guide fidèle. Vous en êtes, vous, le phare puissant inondant le monde de sa lumière, un monde enlisé dans les ténèbres de l'égoïsme et du matérialisme. Vous portez le message du Divin et partout où il parviendra se lèvera le souffle de la spiritualité, pour la consolation des âmes qui cherchent, pour la réconciliation de tous les hommes de bonne volonté, quelle que soit leur race. Rien n'est plus beau que de croire et faire croire ; de savoir et de faire savoir qu'en son temps viendra l'heure et, de cet hymne d'amour chanté dans toutes les religions, l'heure du cantique nouveau de la délivrance de la gangue matérielle des hommes dans un festin de joies, l'heure où la main miséricordieuse du Tout-Puissant balaiera la cohorte des misères de votre pauvre humanité, par des voies que ne soupçonne aucune intelligence humaine : alors tel le phénix renaissant de ses cendres jaillira, à l'infini dans tous les univers enfin réunis, ce fleuve puissant : l'amour universel, la marque de Dieu.

« Ma mission est terminée, je dois reprendre ma course sur le chemin illimité. Dans mon cœur, la petite flamme bercera ma peine, je vous laisse une âme très chère dans un berceau enrubanné. Il est beau, il est serein, il est confiant d'un destin librement choisi et enfin accepté. Son front pur est marqué du sceau dont on fait les sages, les guides, mais, pour devenir un homme, que d'amour, que d'amour il faudra lui donner !

« Sur ce berceau brille aussi l'étoile du Messie, l'école d'espérance, l'étoile de tous les Noëls. Terre de France, je vous le confie. A tous, heureux et saint Noël. Mille fois merci.

« Adieu. »

La souffrance n'est pas une malchance, mais la conséquence d'erreurs de parcours, de conduite, qui nous aide à comprendre que les autres ne sont pas responsables de nos ennuis, mais nous seuls.

A celui qui aura fait souffrir, la souffrance subie en

retour sera punition, mais non punition gratuite. Elle devra servir à comprendre, à ne plus faire de mal.

Celui qui aura infligé l'humiliation, à son tour sera humilié. Que dire de celui qui, comme le vendeur de drogue, « tue » par soif d'argent ? Pour chaque être détruit, pour chaque famille désespérée par sa faute, il devra payer par de nombreuses réincarnations de souffrances, d'épreuves, où il se retrouvera lui-même dans l'état où il en aura plongé d'autres, etc.

Le Bouddha n'a-t-il pas dit que nous sommes le résultat de ce que nous avons pensé et fait dans nos vies précédentes et Jésus lui-même n'a-t-il pas dit : « Ne jugez pas, si vous ne voulez pas être jugé ? »

Les maladies karmiques sont souvent décelables à certains signes, au comportement répétitif que le malade vit fréquemment.

Ainsi Didier, après le déménagement de ses parents, était obligé de passer devant un asile psychiatrique pour aller en classe. Dès le premier jour, il se sentit mal à l'aise et finalement fit un grand détour pour changer d'itinéraire. A l'adolescence, il fut atteint de troubles nerveux, d'instabilité, et même adulte, marié, père de deux enfants, il lui est toujours impossible d'assumer un travail suivi.

Etty m'expliqua que, dans une vie passée, il avait fait interner un de ses proches, par intérêt, et l'avait ainsi empêché de travailler... Il ne parvient pas à se libérer...

La connaissance et l'évolution jouent beaucoup dans ces situations pénibles qui parfois dégénèrent en névrose. Il faut beaucoup de volonté et de courage pour s'en sortir.

Le Dr P. Callet nous donne ici sa conception de la maladie karmique. « Contrairement à une définition fréquemment admise, le karma n'est pas un simple rapport de cause à effet, de répercussion mécanique d'un fait sur un autre. Selon Steiner, il faut, pour qu'il y ait karma, qu'entre la cause et l'effet il y ait quelque chose qui échappe de façon immédiate à celui qui engendre la cause, de telle sorte qu'il existe bien un rapport, mais non intentionnel, non voulu par l'être lui-même ; en d'autres termes, un rapport de loi de nécessité qui dépasse les intentions immédiates du sujet.

« Il faut également que l'identité de l'être se soit conservée, qu'il soit resté le même quand l'effet vient le frapper.

« R. Steiner nous explique que la maladie n'est qu'une des multiples formes de révélation du karma et que, par définition, les causes karmiques d'une maladie doivent être recherchées dans des causes lointaines, non superficielles (de nos jours on préfère croire qu'une maladie n'a de rapports qu'avec les causes les plus immédiates). Celui qui conçoit les nombreuses ramifications des effets karmiques remonte des événements actuels jusqu'à des événements très anciens et acquiert cette conviction qu'on ne comprend vraiment une maladie qu'en en connaissant la cause profonde.

« Toutefois les parents ne sauraient être tenus pour responsables des malformations, maladies ou tares héréditaires transmises à leurs enfants, encore que celles-ci puissent faire partie intégrante de leur propre karma.

« Il arrive aujourd'hui que l'on préserve des formes de vie, tant dans la vieillesse que dans l'enfance, alors qu'il serait justifié de ne pas les préserver à tout prix. Ces vies n'ont plus aucune fin utile et causent de multiples douleurs et souffrances à des formes que la nature, si elle était laissée à elle-même, se chargerait d'éteindre. Et l'on déroge fréquemment à la loi du karma lorsqu'on maintient par acharnement thérapeutique ces " formes " qui devraient être abandonnées. Dans la majorité des cas, cette préservation est imposée de force par les proches de l'intéressé et non par le sujet lui-même qui est fréquemment un invalide inconscient, ou une personne d'âge dont les réactions et l'appareil de contact sont imparfaits, ou bien encore un bébé anormal. Ces cas constituent des exemples nets de neutralisation de la loi du karma.

« Ces notions de karma et de maladies karmiques ayant été précisées, venons-en à l'influence que peut avoir notre groupe de prière sur l'évolution de la maladie, en précisant qu'il s'agit d'un apport qui ne saurait en aucun cas se substituer aux traitements médicaux ou chirurgicaux entrepris, mais susceptible d'influencer favorablement leur action et, partant, leurs résultats, si le karma le permet.

« Il importe de rappeler en effet, comme le stipule Alice Bailey, que, si l'on a toujours interprété le karma en termes de désastres, de conséquences douloureuses, d'erreurs, de pénalités et d'événements malheureux, tant pour les individus que pour les groupes, la beauté de la nature humaine est telle, et bien des efforts accomplis sont d'une si belle qualité, si généreux et orientés avec tant de bonheur que le mal est fréquemment neutralisé par le bien.

« C'est dans ce sens que l'action du groupe de prière doit être comprise, le groupe mettant alors en jeu des forces susceptibles d'agir en tant qu'énergies curatives sur lesquelles les thérapeutes peuvent toujours compter. »

Les enfants que nous avons adoptés ou fait adopter ont toujours été très aidés par la connaissance de cette loi karmique.

Un jeune couple du groupe, cher à mon cœur, comme tous, ne pouvait avoir d'enfant. Il avait gardé chez lui, longtemps, une petite Marie pendant que la maman était malade, et le jour où, guérie, elle revint chercher sa fille, Daniel vint au monde.

Je savais, par un ami médecin, qu'une jeune maman allait abandonner son bébé, mais on ne peut jamais dire qu'une femme va laisser son enfant tant qu'elle ne l'a pas eu dans les bras. Il fallait attendre.

J'avais, en secret, préparé la layette, n'osant rien leur dire de peur d'une déception. D'autre part, le médecin était obligé de surveiller la mère de très près ; elle avait dû être hospitalisée, bien avant l'accouchement, après bien des sottises car elle souhaitait se débarrasser de l'enfant.

Ce dimanche-là, vers 18 heures, notre maison était pleine de bruits, de chansons, de musique, tous les enfants présents, lorsqu'une étrange fatigue m'a obligée à m'allonger. Quelques minutes après, Daniel, mon mari, fatigué à son tour, vint me tenir compagnie, et c'est alors que mon guide se fit entendre : « Excusez-nous, nous sommes obligés de puiser de l'énergie en vous deux pour aider. Priez, nous allons prier avec vous car l'enfant arrive. Il y a quelques difficultés. Nous y tenons beaucoup. Il faut que les choses s'accomplissent. »

Nous avons prié, pleins de joie et de ferveur, un quart d'heure environ. Le téléphone sonna, c'était la clinique qui nous annonçait la naissance ! Un petit garçon ! Il n'y avait plus qu'à faire les démarches pour régulariser l'adoption.

Deux ans après, l'identité de Daniel fut révélée. Il
était le guide de son père. Il avait été son ancêtre. Les
parents croient souvent qu'ils ont adopté un enfant,
mais en réalité c'est l'enfant qui les a adoptés! Un
merveilleux synchronisme régit les lois de la renaissance
puisque, même par l'adoption, l'enfant était venu là où
il devait venir, et ils comprirent aussi l'attachement de
l'enfant pour son père. Il allait toujours vers lui,
mangeait de préférence avec lui, ne le quittait pas d'une
semelle.

A six ans, un jour où les parents discutaient et ne
parvenaient pas à se mettre d'accord, Daniel, bien sûr,
prit le parti de son père : « Tais-toi, papa, elle ne peut
pas comprendre ; elle n'est pas de la famille ! »

Maintenant que Daniel, adulte, peut analyser la
situation, il dit avoir vécu son adoption avec joie, sans
problème, se sentant bien dans sa peau et dans son âme,
avec sa famille. Il savait qu'il était là où il devait être.

Parfois, ces enfants qui nous « tombent du ciel »
viennent de très loin, dans l'espace et dans le temps.
Ainsi j'ai ramené d'Égypte, où j'ai eu le plaisir de faire
un voyage avec un groupe et le père Biondi, un souvenir
plus merveilleux que les autres ; ce n'est pas un collier
ou un papyrus, mais, bien sûr, une aventure spirituelle.

Je flânais un peu, en arrière du groupe et, seule dans
un mastaba, je me suis trouvée face à Isis gravée dans la
pierre. Prise d'une impulsion subite, je mets mon front
contre celui d'Isis et lui dis : « Isis, tu es la déesse de la
fécondité, envoie un enfant à Renaud et Marine qui
n'en ont pas et qui en désirent un si fort. » J'ai senti une
décharge électrique dans tout le corps, des frissons le
long de la colonne vertébrale, et il m'a semblé que mes
cheveux se dressaient sur ma tête ; je découvrais avec

stupeur que les divinités et les pierres égyptiennes demeuraient chargées depuis tant de siècles et de siècles! Je n'ai pas osé raconter cette aventure à mes compagnons.

Quelque temps plus tard, je suis allée faire une conférence dans une grande ville italienne, et des amis m'ont demandé si je voulais bien aider une femme de quarante ans, enceinte de trois mois, qui voulait absolument se faire avorter; l'avortement était interdit en Italie, mais déjà autorisé en France à ce moment-là. Pourrais-je l'emmener en France en repartant? Je me suis toujours refusée à aider une femme à avorter, mais j'avoue que là j'ai beaucoup hésité car cette femme était ivre morte tous les soirs à partir de 17 heures. Elle buvait pour oublier son état de déchéance, sa misère, et je craignais les dégâts occasionnés par l'alcool sur le fœtus.

Après avoir beaucoup prié, ma décision fut prise. Quelles que soient les circonstances, on doit éviter de tuer. J'ai essayé de discuter avec elle et lui proposai de l'emmener chez moi pour la nourrir et la loger, le temps de sa grossesse, et ensuite essayer de lui trouver du travail. Elle accepta, n'ayant guère le choix et pas beaucoup de volonté non plus. Je l'ai gardée six mois à la maison, six mois difficiles. A son âge, ce n'était plus une gamine, et son caractère, déjà dur, l'était encore davantage car je tentais doucement le sevrage de l'alcool, aidée en cela par un médecin ami, compétent en la matière.

Petit à petit, elle alla mieux, retrouva une stabilité, un équilibre qu'elle n'avait plus depuis longtemps. Elle désirait que l'enfant soit adopté dans ma famille et il lui semblait ahurissant que nous acceptions, sans condition, de prendre le bébé en charge. Quand elle a compris que nous avions la foi et que nous agissions par idéal, elle a commencé à poser des questions. Elle avait été exploitée toute sa vie et trouvait merveilleux de se retrouver au sein d'une famille unie.

L'accouchement ne s'est pas très bien passé et elle a dû rester un mois de plus à la maison en convalescence. Elle avait mis au monde une adorable petite Pia. Puis elle a travaillé quelque temps à Grenoble, mais est repartie dans son pays, nous laissant sans regret cette petite fille dont elle ne voulait pas ; elle m'a donné longtemps de ses nouvelles. Nous nous sommes quittées dans les larmes ; elle ne savait comment nous remercier et nous assura qu'elle n'oublierait jamais la prière de 20 h 30, le soir, qui nous relierait par la pensée. Elle avait trouvé la foi.

Quant à notre petite Pia, de nature très douce, très généreuse, elle fait notre bonheur.

Nous avons appris à sa consécration que, dans sa dernière vie, elle appartenait à la famille de Daniel et qu'elle était morte, très jeune, d'une leucémie. Elle est en parfaite santé en cette vie.

Il est des grâces divines dans cette histoire : l'enfant est si heureuse de vivre et la « mère », disons la génitrice, a été retenue sur une pente fatale. Elle vit normalement depuis. Isis avait entendu et exaucé ma demande.

Lorsque nous avons fait le compte, Pia est née neuf mois jour pour jour après ma rencontre avec la déesse égyptienne.

L'amie chez qui la rencontre s'est produite est la marraine de Pia, et mon ami Roger Masse-Navette, le parrain.

313

« Ce soir, amie, à prendre ta main, mon cœur me paraît moins lourd. Peut-être déjà s'est-il glissé dans ce message. Je m'en expliquerai plus loin.

« Avec mes compagnons j'ai suivi avec intérêt ta conférence sur la réincarnation. Tu t'es exprimée avec justesse et simplicité pour mieux toucher les cœurs simples, ignorants, indécis ou incrédules. Tes paroles ont été enregistrées, et malgré une apparente inertie, elles feront leur chemin jusqu'à la porte bien close. En toute chose ne faut-il pas considérer la fin ?

« Ce message, si tu le permets, sera mon droit de réponse.

« La réincarnation, as-tu dit, n'est pas une chimère, c'est vrai, elle est évidente réalité. Elle remonte aux racines de la mémoire humaine, et même bien en deçà. Le but de tout homme est de trouver la lumière ; les erreurs, trames de toute vie, conduisent elles aussi à la lumière. C'est ainsi que, réparées de vie en vie, et enfin transcendées, elles deviennent vérité et enfin lumière. C'est le but de la réincarnation. Je dirai qu'elle est en définitive le couloir, le passage du temps à l'éternité. Elle est aussi un des moyens d'approche pour découvrir, en douceur, ce monde difficilement concevable dans sa perfection infinie, ce monde inexploré, berceau de toutes les civilisations connues et inconnues, planétaires et interplanétaires. Aucun cerveau humain, à ce jour, fût-ce celui d'un savant, ne pourrait, sans en perdre la raison, affronter d'un bloc la révélation de la Divine Connaissance ; il est donc bien difficile de s'y soustraire en regard des besoins pressants de l'humanité et de l'individu lui-même.

« Il est des instants privilégiés, comme inspirés, où l'on pressent le geste invisible du Créateur, qui à votre insu vous entraîne vers l'accomplissement final du destin de l'âme. C'est le fil de la continuité des vies individuelles et universelles, fil conducteur subtil qui relie le cosmos tout entier, dans une seule chaîne, la chaîne de Vie, sans commencement ni fin. Un maillon s'est-il brisé qu'il faut le remplacer par un autre, neuf et plus solide. Ainsi est fait le choix.

« Dans le monde, tous les chemins des hommes sont différents, mais qu'ils soient faciles ou tortueux, Dieu nous suit pas à pas. Si l'on est dans le doute ou bien si l'on s'égare, les guides de lumière préposés au cheminement de notre vie nous envoient le signe discret et révélateur pour nous montrer la voie. C'est la raison d'être de la réincarnation.

« Les embûches, les pièges, la souffrance seront bientôt mes compagnons, mais ne m'importe-t-il pas avant tout de bien savoir vivre cette lutte ? Ne m'importe-t-il pas de bien remplir ma valise comme tu l'as dit si justement. Là est vraiment la clé des réponses aux questions sur le pourquoi de la Vie, dans laquelle sont encore cachés bien des secrets, bien des mystères.

« Une nouvelle vie ne peut se concevoir que dans l'harmonie des esprits, des cœurs et des corps. J'ai donc choisi le berceau de ma renaissance. Une mère sensible à la misère des humbles, un père donnant sans compter sa foi.

« Ouverts tous les deux aux choses de l'esprit, à la communion de la prière, j'aimerais leur apporter en cadeau de bienvenue un peu de cette conscience de l'éternité dans laquelle, sur la terre, chacun est en droit de puiser à l'instant nécessaire. Dans ce souffle d'amour germera la graine et poussera la plante ; l'épi sera gorgé de sève, la moisson fructueuse, je le crois. Tout est bien tracé, je sais tout cela mais à l'heure du choix, à l'heure décisive, combien j'ai de peine à quitter ce monde impalpable, ces plans multiples, où la vie magnifiée, purifiée, se manifeste dans toute son harmonieuse beauté, où tout respire la paix, où tout respire l'amour ; mes yeux glissent à la surface des choses et je reste éblouie, dans une lumière indéfinissable ; puisse Dieu me permettre parfois le souvenir de ce bonheur tranquille, de ces images de rêve !... Alors, dans un esprit serein, du plus profond de mon être, montent vers mes lèvres ces paroles d'espoir :

« Pour l'amour de ces roses, reines du grand jardin
Pour l'amour du soleil qui baigne toutes choses
Pour l'amour des cœurs qui se retrouvent enfin
Pour l'amour de la connaissance et de la vérité
Pour la dernière fois, amis, donnons-nous la main. »

Après notre réunion de prière, un jour où nous étions très nombreux, deux cent cinquante à trois cents personnes, ce message nous arrive, entendu de tous, enregistré sur magnétophone.

Tout le monde est ému, un bébé va nous arriver, où ? Comment ? Plusieurs couples viennent me voir. Un petit esprit revient, nous le prenons !

« Attendez, leur dis-je, il n'est pas encore là ! » Mais le quatrain final avait pour moi une signification particulière et je savais déjà que je ne pourrais le donner à personne et qu'il m'était bien destiné.

Nous n'avons pas attendu longtemps, dix jours après exactement, dix jours au lieu de neuf mois (ils sont rapides, là-haut !) un samedi, un médecin m'expliqua : « Je viens d'examiner une jeune femme, enceinte de huit mois, qui se trouve dans une situation désastreuse ; elle ne veut pas garder l'enfant ni le confier à une œuvre. Elle désire signer un acte d'abandon en faveur d'une mère sans enfant. »

Cette jeune femme avait été élevée dans les foyers de la DASS et dans de nombreuses familles. Elle avait vingt-cinq ans et était décidée, nous dit-elle, à étrangler le bébé si nous le laissions aller dans un foyer ou dans une œuvre. Sans famille, sans argent, sans situation, elle ne voulait pas l'assumer.

Nous décidâmes donc de garder cet envoyé du ciel qui s'était bien manifesté avant de naître.

Etty me dit : « Tu regarderas les yeux du bébé à la naissance. »

Une jolie petite Laurence nous est née, sans problème, et dans la salle d'accouchement, la sage-femme s'écrie d'un seul coup : « Docteur, regardez les yeux du bébé ! » Laurence, les yeux grands ouverts, des yeux d'adulte, regardait alternativement le médecin, la salle et moi. Le médecin, surpris, se tourna vers moi : « Maguy, voilà qui va hanter mes nuits et mes jours, il faut m'expliquer ! »

Laurence est très brillante en classe, très autoritaire et, à l'occasion, se bat comme un garçon. Elle fait partie de la tribu de mes petits-enfants : d'une nature un peu sauvage, elle n'est pas très tendre, mais je vous assure qu'entre nous cela colle très bien !

A la consécration, nous apprenons l'identité de Laurence. Dans sa dernière vie, elle était officier et cela, je pense, explique son caractère. Il était très tentant pour elle de revenir rapidement parmi les hommes pour progresser plus vite !

Il est impossible de définir d'une façon précise le temps passé dans le surmonde entre deux incarnations. Bien des facteurs interviennent. Nous connaissons des êtres réincarnés quelques années après leur départ, comme Laurence, mon amie Sarah et d'autres. Des siècles et des siècles plus tard comme Antoine. D'autres ne se réincarnent jamais, leur temps terrestre étant achevé. S'ils reviennent, ce sont des phares, des apôtres qui entraînent dans leur sillage des multitudes ; en ce cas, le véhicule humain, soigneusement choisi, doit être préparé.

Bien souvent, une telle arrivée peut entraîner un changement remarquable dans la personnalité de la mère ou des parents. Aucune règle très précise en ce qui concerne l'atterrissage, certains êtres entrent en relation avec le milieu où ils naîtront longtemps avant, s'en imprègnent ou l'influencent comme, je pense, cela a été le cas pour Antoine ou Jonathan. Ces enfants ont besoin d'une ambiance de spiritualité très forte. Jonathan bébé, un peu comme Karole, levait les mains de telle sorte qu'on aurait dit qu'il orientait « ses antennes vers le ciel » !

D'autres rejoignent le corps au moment de l'accouchement, et d'autres peut-être, plus tard, mais alors une émanation psychique de l'être maintient le bébé en vie.

Septième partie

LE GROUPE

Le groupe s'appelle APRES (Association pour la recherche et l'étude de la survivance). Il faut dans notre société mettre une étiquette sur tout, être répertorié, classé, numéroté.

Nos débuts, bien sûr, ne nous laissaient pas supposer l'importance de notre mouvement actuel ni son évolution. La première discipline que notre guide bien-aimé, Mamy, nous a enseignée est la prière, son importance dans notre vie de tous les jours.

Nous avons commencé à trois, Daniel et moi, Yvette ma bonne amie fidèle et présente depuis les débuts. Trois à nous réunir et prier tous les soirs à la même heure, ensuite cinq, deux jeunes amies s'étant jointes à nous, puis les enfants, dès que nous avons compris l'importance de la prière pour eux.

Mamy nous recommandait bien de prier dans le silence, toujours aux mêmes heures, dans la même pièce. Au fur et à mesure de l'augmentation du nombre de membres, nous intéressions nos amis de l'invisible qui venaient, de l'autre rive du monde, se joindre à nous.

Lorsque nous fûmes vingt, trente, Mamy nous demanda de choisir un chef de groupe astral, c'est-à-dire un protecteur qui puisse nous aider. Nous avons choisi le saint curé d'Ars. Nous faisions l'apprentissage du silence, de l'humilité, de la puissance de la foi et de la charité.

Le curé d'Ars, humble parmi les humbles, était un médium extraordinaire ; je connaissais, de par ma mère, beaucoup d'histoires fabuleuses qu'elle tenait elle-même de son oncle, « curé à Fourvière ». Il n'était ni aimé ni compris du clergé de l'époque ; on l'appelait « le fou » ; il dérangeait, dans sa soutane râpée et ses chaussures éculées et pleines de boue.

Dans tous les ouvrages écrits par la suite sur lui, on a lu que le curé d'Ars avait été vu disant sa messe en lévitation à cinquante centimètres du sol, qu'il avait un don de claire audience merveilleux. Les fidèles faisaient la queue, très nombreux, pour venir se confesser à lui.

« Un jour, il sortit du confessionnal et fit avancer une pauvre femme qui se trouvait tout au fond de l'église : Venez de suite, vous là-bas, madame, qui avez beaucoup d'enfants, l'un d'eux, malade, vous réclame, ne perdez pas de temps ! »

Beaucoup de phénomènes se produisaient dans sa cure, surtout lorsqu'une âme se convertissait. Il appelait cela « pêcher un gros poisson », alors le « grappin », le diable furieux de voir une proie lui échapper, déclenchait de terribles représailles, allant un jour jusqu'à brûler son lit.

Il guérissait les paralytiques par imposition des mains, mais bien trop humble pour penser qu'il avait reçu un quelconque don de Dieu, il attribuait tous ces miracles à sainte Philomène, sa sainte préférée. Mais l'histoire que je préfère est celle de sa Légion d'honneur.

A la fin de sa vie, des milliers de pèlerins affluaient à

Ars, les guérisons étaient si nombreuses que personne ne pouvait nier que le « curé » fût un saint. Il est décidé de le décorer de la Légion d'honneur et, pour ce faire, un festin a lieu à Lyon, sous la présidence de l'évêque. Le curé d'Ars arrive en retard, vêtu comme d'habitude comme un pauvre. Tout le monde a faim. Au premier plat : « Non merci, » dit-il ; au deuxième, même chose et ainsi de suite. Bientôt s'installe un silence gêné car le saint homme n'a rien mangé ; alors il sort un paquet de la poche de sa soutane, deux patates cuites à l'eau ; il les mange dans un silence de mort, se lève et dit à tous les prêtres et participants : « Si vous aviez fait comme moi, messieurs, tous les pauvres de Lyon auraient mangé aujourd'hui », et il partit sans attendre la Légion d'honneur dont il ne voulait pas !

Ma mère avait bercé mon enfance de toutes les histoires du saint curé qui me passionnaient, et il incarnait exactement ce que mon guide spirituel me demandait : la foi, la prière, la guérison des malades, la guérison des âmes et des corps, tout cela dans la simplicité la plus grande. En outre, ses dons médiumniques nous faisaient mieux comprendre et accepter les nôtres.

Ainsi le bon saint curé d'Ars, J.-M. B. Vianney, devint notre maître spirituel. Notre joie fut immense lorsqu'il « accepta » ce patronage :

« Que la paix soit sur vous, nous dit-il, j'accepte cette charge qui me sera facile, je vais vous montrer la route. N'oubliez jamais que l'ignorance est cause de grands malheurs. On fait fi sur cette terre des commandements de Dieu, on se voile la face et c'est le chaos. Remerciez le Seigneur de cette manne céleste mise à votre portée, c'est une puissance énorme que vous ne mesurez pas encore... Dans l'union et la prière, vous trouverez des éléments de sagesse qui vous ouvriront quelques portes au paradis. »

Depuis ce jour, nous allons régulièrement, chaque année, nous ressourcer en pèlerinage à Ars, vers notre grand et cher patron.

La deuxième chose demandée fut de me trouver un emblème. Mamy m'expliqua que, dans l'univers, les initiés spirituels ne se connaissaient les uns les autres que par leurs emblèmes qui ne changent pas leurs trajectoires évolutives alors que les noms qui changent avec les différentes vies ne sont que passagers. Mais un emblème spirituel ne se choisit pas comme ça, sur un coup de tête, c'est un choix lourd de conséquences ; comment pourrais-je expliquer ? Comme un signe chargé de bonnes ou mauvaises choses. Il faut que cet emblème corresponde exactement à nous-même, à notre personnalité, à nos travaux, à nos vibrations et à nos trois corps : physique, éthérique, spirituel. Il faut qu'il soit accepté par toute l'équipe astrale : les guides, les médecins et tous ceux qui nous entourent et nous aident dans le surmonde, que cet emblème soit propre et n'ait pas servi à des fins honteuses, douteuses ou malhonnêtes. Qu'il soit accepté par les autres emblèmes vivants sur la terre et que personne ne le porte.

Après avoir beaucoup discuté, Daniel et moi, beaucoup prié, nous avons choisi l'abeille ; nous avons essayé de demander conseil, mais jamais personne ne nous a répondu. Notre choix devait être le nôtre, venir de notre moi intérieur, sans subir aucune influence.

Lorsque Mamy a su que nous avions choisi l'abeille, elle nous en a demandé la raison. Notre maison toujours pleine et active représentait une ruche. L'abeille fabrique le miel, la gelée royale, le pollen qui nourrit et guérit, et pouvait représenter de façon ésotérique le magnétisme et les soins donnés aux malades. L'essaim est l'union homogène que devenait le groupe en grandissant et nous pensions que peut-être, un jour, un essaim se détacherait pour s'implanter ailleurs... L'abeille travailleuse, infatigable représentait les travaux spirituels que nous espérions accomplir.

Mamy nous dit : « Je ne sais pas si l'abeille va être acceptée, elle était l'enblème de Napoléon, mais elle n'est plus utilisée. Attendez la réponse, ce n'est pas moi qui la détiens. »

Des mois ont passé, tellement pris par nos occupations multiples nous avions un peu oublié, lorsqu'un matin...

Nous avions déménagé deux jours auparavant de Corenc pour venir aux Eymes dans notre grande maison toute neuve. C'était l'hiver, avec neige et verglas, il faisait un froid de canard, toutes les portes et fenêtres étaient fermées. A 8 heures du matin, Daniel m'apporte un café chaud dans ma chambre, lorsque tout à coup nous entendons un bourdonnement très près de nous, nous voyons une grosse abeille, oui, une abeille, dans une maison neuve, en plein hiver, voler autour de notre lampe de chevet. Interloqués, nous posons nos tasses pour suivre l'insecte des yeux pendant plusieurs minutes, puis elle a disparu, comme elle était apparue. Nous voilà tous deux à quatre pattes pour chercher notre abeille ! Elle a bien disparu et pourtant les portes et fenêtres sont fermées.

C'est Mamy qui nous a éclairés : « N'avez-vous pas compris ? C'était votre réponse, l'abeille est acceptée, elle vous a été matérialisée. Tu vas la porter sur toi, Maguy, elle sera ton porte-bonheur. » Dans la nuit qui a suivi, nous sommes entrés avec un autre emblème dont je ne peux révéler le nom. C'était un mendiant arabe qui vivait sa dernière incarnation terrestre. Nous avions beaucoup de mal à le comprendre car il ne parlait pas français et il lui était très difficile, étant vivant, de s'emparer du médium pour nous contacter.

Nous avons compris que l'abeille était aussi acceptée sur la terre et je l'ai toujours portée sur moi depuis. Les bases solides du groupe étaient implantées, nous bâtissions sur du roc.

Le groupe est donc un centre de soins spirituels, un lieu de prière, où chacun peut mieux vivre et comprendre sa religion, s'il en a une, ou venir participer et évoluer s'il n'en a pas. C'est pour nous tous un endroit imbibé de forces où nous créons, par nos pensées, notre puissance, notre volonté, notre foi, la colonne de lumière qui guérit les âmes et souvent les corps.

C'est le lieu de fusion avec les forces divines. Les médecins du ciel nous permettent ainsi de puiser quelques parcelles de cette conscience cosmique et de les redistribuer. C'est peut-être aussi le pilier de la future religion universelle, celle où tous les hommes qui croient en Dieu se donneront la main au lieu de se combattre ! Mais ce n'est pas que cela...

Pour nous tous, le groupe est une grande famille qui nous ramène à la grande foi fondamentale de l'amour. Aimer pour aimer. Essayer, à notre petit niveau, de briser les chaînes de la routine, du quotidien, de l'égoïsme, de la tranquillité. La plupart des hommes se mettent des œillères pour ne point voir ni entendre, surtout ces appels au secours qui dérangent ; mais nous savons bien tous que nous ne sommes pas des saints, nous ne serions pas sur terre, mais nous sommes engagés, nous sommes des enfants de Dieu et à ce titre nous devons mener le combat de la justice, de la liberté, contre le racisme et, comme il est dit dans l'Évangile, l'amour, le vrai, ne se vit pas avec des discours mais avec des actes.

Nous nous tendons la main. Si l'un d'entre nous est dans la peine, les autres sont là, présents. Nous nous donnons la main dans la joie. Si un enfant du groupe se marie, les autres sont là pour chanter et danser. A chaque naissance une chaussette, bleue ou rose, est pendue près de la porte de sortie et chacun dépose son obole.

Nous organisons des journées de l'amitié ; de celles-ci est née la journée d'Amitié internationale. Nous allons fréquemment à Ars ou à la grotte de la Luire. Par affinités ou par quartiers, des soirées fréquentes réunissent des petits groupes qui font la fête. Dans notre société si harcelée, si dure, si indifférente, il est bon d'avoir tant d'amis près de soi.

Nous espérons vivre dans la joie, puisque nous sommes ou devrions être libérés de la peur de la mort.

Bien souvent au cours d'une réunion, comme un mariage, des étrangers au groupe m'ont dit : « C'est curieux, tous tes copains ont une espèce de flamme dans le regard. »

Bien sûr, nous rencontrons les épreuves que nous devons rencontrer, mais à partir du moment où la connaissance pénètre en nous, nous les vivons mieux. Un poids partagé est moins lourd à porter. Mais le véritable but de notre groupe doit être le secours à apporter à notre proche, l'amour que nous lui donnons, l'exemple de notre vie.

Nous avons également une caisse de secours. En cas de besoin, une quête est organisée. Compte tenu de notre nombre, le dépannage est immédiat.

Pendant vingt-cinq ans, il nous a été interdit de parler de nos travaux. Chacun faisait vœu de silence. Dans leur sagesse, nos amis de l'invisible nous ont voulu forts et solides comme des rocs et en vingt-cinq ans nous pouvons juger des résultats !

Souvent des malades, accompagnés de leurs proches, viennent avec nous le temps d'une période de soins et nous quittent. C'est bien ainsi. Ce que nous leur offrons est gratuit, ils ne nous doivent rien et presque toujours nous restons amis.

Il est rare que des gens engagés dans le groupe nous quittent, mais c'est arrivé, pour d'autres engagements qui leur convenaient mieux, parfois. D'autres fois, parce qu'ils n'ont pas compris ou parce que nous n'accordions aucun intérêt à leur statut social, ils étaient vexés dans leur vanité. Chez nous, tout le monde est égal, nous n'avons pas plus de considération pour le professeur ou pour l'écolier. La vraie valeur n'est pas celle du rang ou du titre, mais celle du don de soi.

Notre plus grande richesse est notre liberté. Nous sommes libres, libres de nos pensées, de nos actions, de notre choix de vie, de notre religion, de notre idéologie. Nous sommes notre propre juge, devons toujours garder notre libre arbitre. Le seul maître à qui nous devons rendre des comptes est celui que certains appellent le Grand Architecte, que d'autres appellent Dieu, ou la Grande Loi Cosmique.

A partir du moment où nous avons compris que nous récoltons ce que nous semons, nous savons aussi que, nulle part au monde, il n'est plus belle chose que l'amour, plus grande richesse que l'amour, remède plus parfait que l'amour, voie d'évolution plus rapide que celle de l'amour.

Les gens du groupe, comme tous les êtres humains, ont leurs qualités et leurs défauts, leurs conflits intérieurs, leurs progrès, leurs reculs, leurs épreuves et leurs joies.

Notre association est une mini-société, à l'échelle de la grande, mais ils sont reliés par la fraternité et trouvent toujours à leurs côtés une main tendue, fraternelle ; les cœurs battent à l'unisson et animés d'une foi sincère, chacun est à l'écoute de l'autre.

Monique était au groupe depuis douze ans au moins et habitait une petite ville minière, lorsque son mari — quarante ans — a sauté accidentellement sur une mine et a été déchiqueté. Nous sommes partis tout un groupe autour d'elle et ses petits enfants. Ses premiers mots, en se jetant dans mes bras, n'ont pas été des lamentations ni des larmes, mais un acte de foi bouleversant : « Oh ! Maguy, croyez-vous qu'il a accepté ! Prions pour qu'il accepte, c'est si brutal et il est si jeune ! »

Elle a su, par la suite, qu'il avait accepté et qu'il veillait sur les siens, qu'il les attendait. Merveilleuse chaîne d'amour reliant nos deux mondes, visibles et invisibles, pour ceux qui s'aiment.

Certains disent que « tout est écrit ». Je ne le pense pas : le libre arbitre de l'homme lui permet toujours de faire basculer sa destinée.

A quoi serviraient l'effort, le travail, la volonté, si tout était écrit d'avance ?

Un jour d'excursion, où nous allions rendre visite à notre bon curé d'Ars, chef spirituel de notre groupe, des jeunes s'étaient amusés à faire une course de voitures. A la réunion suivante, que n'ont-ils entendu !

« Vous devez respecter votre vie et celle des autres. Il existe des accidents de parcours inattendus qu'on ne peut éviter, mais si votre responsabilité est engagée, vous serez obligés de payer. »

Quelle leçon !

Sur la route, nous avons aussi reçu le soutien moral du père Biondi, auquel je tiens ici à rendre hommage. Prêtre catholique de l'évêché de Paris, pour le courageux combat qu'il mène depuis des années.

Un ami parisien me téléphona un jour me disant : « Vous êtes de passage à Paris, vous devriez aller écouter une conférence d'un prêtre qui me semble partager vos idées. »

Le père Biondi commença sa conférence en disant : « Si vous avez perdu un être cher et que vous n'avez pas de contacts avec lui, c'est que vous n'avez pas la foi ; par et dans la prière, vous pourriez le retrouver ! »

J'étais bouche bée ! J'ai demandé au père Biondi de venir à Grenoble faire une conférence sur la médiumnité. Enfin quelqu'un qui comprenait bien, qui prêchait ! Pour lui les médiums n'étaient pas des suppôts de Satan ! Étant médium lui-même, il avait fort bien étudié et compris la médiumnité.

Il vint, examina nos travaux, nos messages et fut convaincu de notre sincérité. Nous avons tant parlé cette semaine-là que j'en ai eu une extinction de voix.

Le père Biondi est un éminent égyptologue et, comme je l'ai déjà dit, nous avons fait un voyage en Égypte avec lui, intégrés dans un groupe. A Assouan un soir, face à l'île Éléphantine, où a été érigée la plus vieille synagogue connue, il nous a demandé de participer à une soirée de prière. Il a expliqué aux assistants médusés les facultés de Daniel et nous avons reçu un message émouvant.

Tout ce groupe touristique a été très « accroché ». Nous avons organisé, afin de nous retrouver encore une fois, un week-end à Grenoble, où presque tous les participants du voyage sont venus. Les liens noués sont restés assez solides, et c'est un couple suisse, qui participait à cette excursion, qui dirige aujourd'hui le groupe de prière de Genève.

Le père Biondi est un pionnier de la religion universelle, fidèle aux théories de Teilhard de Chardin, et titulaire d'une chaire de l'Institut populaire de Paris.

Il n'est pas toujours suivi ni compris, mais un jour on mesurera ce qu'il a fait pour la religion universelle !

Plus de trente ans après, notre groupe compte près de quatre cents membres, avec les enfants ; il a essaimé dans de nombreuses villes de France, en Suisse, en Italie.

Qu'est-il en réalité ?

Un groupe de gens de bonne volonté qui désirent — quels que soient leur milieu ou leur religion, leurs idées politiques ou idéologiques — faire quelque chose de concret pour les autres. Nous ne sommes ni une secte ni une religion ; nous avons simplement un idéal commun ; aider celui qui souffre, nous aider les uns les autres.

Catholiques, protestants, juifs, musulmans, rosicruciens, francs-maçons, mormons, bouddhistes, etc., et gens sans religion s'y retrouvent.

Ouvriers, étudiants, employés, professeurs, médecins, infirmières, magistrats, maçons, plombiers, enseignants, psychothérapeutes se côtoient.

Mes premiers compagnons sont toujours là ; ils ont amené leurs femmes ou leurs maris et les enfants de leurs enfants sont là aussi, des têtes brunes, des têtes blondes, mêlées aux têtes blanches.

Dans notre groupe, toutes les tendances politiques sont représentées. La droite, la gauche, etc., mais nous avons appris la tolérance...

L'entrée dans notre groupe exige surtout un engagement spirituel. Quels que soient l'âge, le niveau social, nous devons être capables de faire le sacrifice de notre présence régulière deux fois par mois, d'une union de pensée, de prière, totale. Nous laissons à la porte notre personnalité, nos soucis, de façon à nous « brancher » tous sur la même longueur d'onde. Il faut créer l'harmonie, l'osmose parfaite, de façon à ce que, tous réunis, nous ne fassions plus qu'un, afin que la colonne de lumière qui s'élève permette à nos médecins de l'espace de puiser cette force-prière, d'opérer la trans-mutation nécessaire, pour qu'elle retombe en manne céleste sur celui qui est là, souffrant, et qui peut ainsi être soulagé.

Pendant ce moment de communion, tous immobiles, attentifs, mains réunies dans une chaîne d'amour, dans le silence absolu, les magnétiseurs du groupe, avec les gestes millénaires des guérisseurs, imposent leurs mains sur les malades.

Les magnétiseurs sont à ce moment-là des émetteurs-récepteurs. La fraternité qui unit tous les participants augmente cette puissance de communion mystique qui fait que pendant quelques instants, quelques instants seulement, notre conscience humaine devient conscience divine.

On me demande bien souvent comment se déroule une réunion. Quelles prières dites-vous ?

Il n'y a pas de prières récitées, puisque les religions sont différentes. Il y a déjà sur terre suffisamment de prières et de religions qui divisent les hommes au lieu de les réunir !

Notre présence à tous est une prière en soi. Ceux qui habitent à cinquante kilomètres, au plus gros de l'hiver avec la neige, les routes mauvaises, sont là, n'est-ce pas une prière ? Le médecin qui a travaillé toute la journée, épuisé, mais qui est là, n'est-ce pas une prière ? Les jeunes qui ont été invités à danser ou à sortir sont là, présents, n'est-ce pas une prière ? Lorsqu'il y a un pont de trois ou quatre jours et qu'une réunion de prière se situe dans cette période-là, il est extrêmement rare qu'il y ait beaucoup d'absents ; chacun préfère se passer de sortie et être là, auprès du gros malade, auprès du mourant, n'est-ce pas là la plus belle des prières ?

Il y a en réalité deux groupes : le petit qui est un peu l'école maternelle où les nouveaux venus entendent souvent la voix des guides, où on explique tous nos travaux, où on s'entraîne à la méditation, au silence, et le grand groupe où nous recevons les malades.

Le passage au petit groupe est de deux à trois ans ; c'est là qu'en toute simplicité nos guides laissent un peu filtrer de leurs mystères, apprenant à aimer, à donner et à mieux vivre le message divin, c'est une période d'initiation, d'instruction.

Dans notre grand groupe, chacun se retrouve avec joie. Une musique de méditation, enregistrée, est jouée afin que le silence s'établisse, surtout le silence intérieur qui permet à chacun d'éliminer ses propres soucis, pour entrer en communion avec tous. Ensuite, c'est la méditation silencieuse pour accorder nos pensées, puis un médecin du groupe fait une lecture pour préparer le malade à ce qu'il va recevoir ; enfin, c'est la chaîne de prières où chacun donne la main à ses voisins pendant que les soignants officient, dans le silence total. Beaucoup de médecins du groupe ont reçu le don de magnétisme et peuvent soigner spirituellement.

La concentration est si forte qu'un jour un malade, assis sur un simple tabouret de bois, s'est relevé en hurlant qu'il avait « pris le courant ». Il a cru le tabouret électrifié !

Bien des malades ressentent des picotements, des bouffées de « chaleur électrique ».

Une réunion dure en tout trois quarts d'heure à une heure, pas davantage. Nos médecins du ciel préfèrent une très forte concentration et une intensité totale à des discours qui s'éternisent. Nous traitons entre cinq et sept malades par soirée.

Voici en exemple la lecture faite par un médecin, avant les soins ; il y avait ce jour-là un de ses malades en phase finale :

« Un beau matin de printemps, alors que j'étais en retard, je roulais un peu vite, sur une petite route de montagne, pour descendre à mon travail : j'avais un rendez-vous que j'allais faire attendre, en tête des préoccupations quotidiennes de toute sorte. Un oiseau vint alors se cogner contre ma voiture. Je m'arrête, descends et un peu inquiet je m'avance vers cette petite boule de plumes qui semblait seulement un peu assommée.

« J'approche mes mains, l'oiseau fait quelques mouvements avec ses ailes pour essayer de voler, un battement, un autre, mais en vain. Puis il s'arrête, replie ses ailes et dégage tout à coup une sérénité particulière. Étant, en tant qu'être vivant, lié à tout ce qui vit, je reconnais instantanément la signification de cette sérénité.

« Alors je prends l'oiseau entre mes mains ; il se laisse faire, immobile, les yeux grands ouverts, sans l'ombre d'un reproche, et dans la rosée du matin je cherche un coin d'herbe un peu plus sèche, le dépose et m'installe à côté de lui. Celui qui veut progresser sur le chemin spirituel doit d'abord apprendre à ne pas nuire. Nuire n'était pas mon intention. Il est bien rare que ce soit notre intention et, pourtant, il nous est souvent dit que nos souffrances viennent de nos imperfections, quelquefois on appelle cela le karma, mais il est encore plus vrai que notre imperfection entraîne autour de nous une certaine forme de souffrance dont nous sommes rarement conscients.

« Le soleil venait de se lever au-dessus de la montagne. La brume était encore dans la vallée et dans le grand silence quelques bruits lointains rappelaient la vie des hommes. Nous sommes restés un long moment ensemble, il y avait dans l'air un sentiment de calme, de pardon, de paix. Et je remerciai profondément cet oiseau dont l'œil était encore ouvert, mais dont la conscience était déjà dans ce paysage, de me toucher de sa sagesse et de sa compréhension du temps venu, des cycles du jour et de la nuit, de la mort et de la naissance. Mort de son corps et naissance de tout ce qui vit. Au-delà du quotidien, il y a une réalité sublime que nos préoccupations, nos désirs et la peur nous empêchent de voir. A mesure que le soleil se levait au-dessus de la montagne, il y avait une paix au-delà des mots, il y a une paix au-delà du temps — et le soir un guide spirituel vint et dit :

« Celui qui s'arrête sur le bord de la route sait.

« Celui qui continue sa route ne sait pas encore.

« Celui qui sait connaît la vie. Celui qui sait croit en la vie. Celui qui croit en la vie donne la vie.

« Le signe de la vie est dans cet instant-là, dans cet instant où l'on arrête pour attendre la Vie.

« Si nous voulons que la vie coule à nouveau dans nos mains comme au temps jadis où la main se tendant dans l'espace cueillait la vie, il nous faut prendre ces instants de respiration céleste.

« Ce qui est vrai pour l'un est accessible à tous, n'est-ce pas ?

« Il y a là un exemple qui n'est point banal, vous semble-t-il ? Et pourtant banale est la réalité de la Vie (j'entends banal au sens d'accessible à tous, pour tous, donné à tous). Considérez donc les instants qui vous arrivent comme bénis. Ces instants qui vous donnent l'impression que l'on vous arrête dans le cours de votre vie quotidienne, oh ! profitez-en comme de celui-là, acceptez-les, consommez-les, ils sont des instants de paix-lumière qui viennent vers vous, des réponses à quelque appel de demain. Ce sont ces instants de vérité descendant sur la terre, qui lui donnent la Vie et qui la portent.

« Ceci fut un exemple.

« Arrêtez-vous les uns, les autres, à ces appels

« Arrêtez-vous à " votre appel "

« Arrêtez-vous à l'inspir de l'éternité

« Arrêtez-vous à la cadence du monde.

« Un regard, une fleur, un pas, un son, un parfum, un appel comme cet oiseau-là disent :

« Je suis la vie, vous êtes la vie.

« L'un et l'autre dans un même cycle

« Tous dans un même signe. »

L'histoire du médecin et de l'oiseau est celle du médecin devant son impuissance à guérir son malade : « Me pardonnes-tu de n'être pas guéri ? »

Etty m'expliqua un jour que, dès que nos pensées et nos prières s'élèvent dans ce recueillement total, les guides spirituels, les médecins du ciel viennent prier avec nous. Il y a deux assemblées : celle de la terre — nous tous bien visibles — et les autres, invisibles.

Une immense colonne de lumière faite des vibrations projetées monte et les médecins du ciel, comme nos guides d'ailleurs, ne viennent pas seuls mais accompagnent des âmes souffrantes ou ignorantes qui se désaltèrent à cette force « guérissante » qui leur est offerte.

C'est un peu, me dit Etty, comme si, entrant dans un hôpital de grabataires, les malades se levaient et marchaient.

Il existe en astral des âmes projetées rapidement, sans préparation, comme par exemple les morts violentes (guerres, accidents, etc.), perdues, errantes, ne sachant plus où elles sont, qui entendent la voix humaine, mais dont les vibrations trop basses ne peuvent leur permettre le contact avec leur guide.

Très vite, elles peuvent retrouver leur sérénité avec le « médicament »-prière. Je pense que c'est un acte de fraternité que tous les croyants devraient faire pour ceux qui partent.

Il arrive aussi, au cours de ces soirées, que nous puissions soigner une personne qui sert de « témoin » pour un parent ou un ami malade, absent, mais cela ne peut se faire que pour des membres du groupe ou des malades déjà soignés directement et que nous connaissons.

Une liste de malades pour lesquels nous prions est lue à chaque réunion.

Un message splendide vient parfois récompenser nos efforts et chacun repart le soleil dans le cœur, imprégné de cette foi qui nous permet de mieux vivre.

Les messages de l'invisible sont souvent sujets à caution, et bien des dogmes affirment qu'ils n'apportent rien à la foi ; c'est une lourde erreur. Ce sont les preuves vivantes de la vie après la mort.

Les hommes sont libres de croire aux messages ou de les réfuter, mais en analysant les messages, chacun comprend mieux sa religion, s'il en pratique une, et vit, l'espérance au cœur, en acceptant mieux les aléas de la vie s'il n'est pas pratiquant.

Pour les uns, cela entraîne une démarche spirituelle, pour d'autres, un questionnement, pour d'autres une exégèse. Nous lisons et relisons nos messages, nous y trouvons chaque fois une graine à faire lever, un peu de lumière qui rayonne en nous. La lumière triomphe toujours des ténèbres. La prière et le silence intérieur, la méditation sont nos nourritures journalières, comme elles sont la clé de voûte de toutes les religions et de toutes les philosophies.

Jacques et Marianne, catholiques pratiquants, désiraient entrer au groupe, mais Jacques avait très peur qu'il ne s'agisse d'une espèce de secte.

Un soir, il m'invite à dîner pour « discuter ». En réalité, il voulait m'observer et voir si je ne me prenais pas pour un « guru ». Nous avons passé une bonne soirée, très gaie, et après notre départ, Jacques dit à sa femme : « Je veux bien rentrer dans le groupe. Maguy ne se prend pas pour Jeanne d'Arc, elle est normale, elle a bu du vin, mangé de la viande et ne juge pas les autres. Ça va. »

Ce sont, bien sûr, des petits détails matériels sans importance, mais ils font notre vie.

L'enseignement des enfants sur le plan philosophique et spirituel, en donnant à ces termes un sens universel, fait partie également des activités et des devoirs de notre groupe.

Les parents reçoivent « sur le tas », si je puis dire, un enseignement et ils en font profiter leurs enfants. De temps à autre, les enfants du groupe sont réunis pour un goûter, une fête, une sortie.

Nous discutons avec eux, très librement, de toutes les religions de la terre, sans exiger d'eux aucun engagement. Les enfants du groupe assistent aux réunions dès que les parents le décident et ils acquièrent ainsi une maturité et une philosophie très rapides et ouvertes.

Il nous est arrivé de leur demander de poser des questions par écrit et par tranches d'âge. J'ai montré à un ami psychiatre celles qu'avaient posées les enfants de huit à douze ans. Il n'a jamais voulu croire qu'elles émanaient d'enfants de cet âge !

Aux tout petits, nous apprenons le respect de l'autre, l'amour de la nature, la nécessité de l'arbre, par exemple dans la vie, le cycle des feuilles qui poussent, tombent, ensemencent la terre et donnent de l'engrais à l'arbre, pour qu'il soit beau l'année suivante, cycle du printemps, été, automne, hiver et renouveau.

Dans l'enfant, nous respectons l'adulte.

La prière des enfants, si pure, sans arrière-pensées, est une manne spirituelle, une richesse, et lorqu'on me dit : « Mais ne conditionnez-vous pas les enfants ? N'est-ce pas une atteinte à leur liberté de penser ? » je réponds :

« Lorsque l'enfant naît, vous lui donnez un biberon, vous le nourrissez car il ne peut pas le faire seul, vous vous occupez de son corps pour qu'il soit sain et beau, et son esprit ? Est-ce conditionner un esprit que lui apprendre la tolérance, la responsabilité de ses actes, qu'en faire un être fort et capable d'affronter les épreuves de la vie ? »

Depuis tant d'années, nous commençons aussi à récolter le fruit de nos semailles, à travers ces enfants que nous voyons grandir.

Ces enfants du groupe deviennent des adultes qui combattent le racisme. En plus de trente ans, nous n'avons jamais eu un délinquant ou un drogué. Pas un d'entre eux n'est entré dans une secte. Il est peut-être là, le grand danger, pour des enfants élevés sans foi ni loi. Si un jour ils ressentent un appel spirituel puissant et qu'ils rencontrent à ce moment-là, sur leur route, une secte, ils sont mûrs pour tomber ; les parents qui n'ont proposé aucun exemple ne peuvent rien pour eux.

Les sectes constituent un danger terrible pour des jeunes fragiles ; beaucoup d'adolescents s'y perdent corps et âme. Le meilleur ami d'un de mes fils, enfant brillant, intelligent, a disparu le lendemain de sa majorité ; il avait rencontré des « envoyés de Dieu ». Malheureusement, mon fils me l'a dit trop tard et je n'ai pas pu alerter ses parents. Il est parti... Ils ne l'ont jamais revu. Je crois que, pour des parents, perdre ainsi leur enfant est plus atroce que de le voir mourir !

Le deuxième piège est la drogue. J'ai parlé longuement avec des adolescents drogués qui n'ont, à leur première expérience, eu d'autres désirs qu'une expérience « spirituelle ». Qu'on le veuille ou non, un esprit est comme un terrain : si on le laisse sans soins, les mauvaises herbes poussent très vite.

Le petit David, qui a perdu son grand-père, s'étonne en voyant ses parents pleurer. « Pourquoi avez-vous du chagrin, mon Pépé, il est heureux dans sa lumière ! » Nos enfants ne sont pas terrifiés par la mort. N'est-ce pas aussi une force pour eux ?

Un jour qu'une amie expliquait aux petits que Dieu n'était pas un être humain, mais une sorte d'Esprit, pour les aider elle disait : « Il n'a pas de jambes comme nous, pas de bras, c'est un Es... » Les enfants en chœur : « Un estropié !... » Mais la petite Cécile, quatre ans, ajoute : « Puis un estomac. » Elle aimait bien manger !

La meilleure école spirituelle pour les enfants est celle de la nature qui exerce un pouvoir merveilleux sur eux.

Le groupe n'apporte pas seulement une aide morale, il assure souvent aussi une aide financière.

Si l'un d'entre nous est en difficulté, tous les autres sont là pour l'aider. Nous sommes souvent alertés par Etty. Une quête est ouverte immédiatement, anonymement.

Si nous avons des bénéfices (une association loi 1901 ne doit pas en faire), nous vidons la caisse en finançant certaines œuvres ou autres associations. Nous avons aidé sœur Teresa aux Indes, sœur Emmanuelle au Caire et l'année passée nous avons fait le voyage nous-mêmes, dans les bidonvilles de Lisbonne au Portugal, pour aider une mission française.

Sœur Denise Bernard, française, vit dans les bidonvilles depuis des années. Après avoir aménagé un local pour préserver les bébés des rats et de la grande pauvreté, elle rêvait d'une « résidence » pour les vieillards paralysés, abandonnés, aveugles. Je n'oublierai pas l'émotion et les larmes de cette sainte femme devant l'offrande que je portais au nom du groupe et qui permettait de réaliser (en partie) son rêve. Je suis heureuse aujourd'hui d'avoir reçu une invitation du *Centro Paroquial* de Santo Vincente qui inaugura les travaux le 25 juillet 1986.

La fraternité, ça n'est rien d'autre que partager avec ses amis, avec ses frères, avec ceux qui, plus favorisés, sauveront des vies humaines grâce à notre petit sacrifice.

Que ce soit aux Indes, en Égypte ou au Portugal, nous avons toujours porté directement aux intéressés notre obole, sans jamais passer par des intermédiaires. C'est plus sûr !...

Tout pas de l'homme vers la lumière est fragile ; aucune expérience enrichissante n'est définitive. La lutte est incessante. L'être humain ne voit le progrès que dans la progression, le progrès peut être aussi dans la régression suivie d'un nouveau départ, d'un nouvel élan.

Qui d'entre nous n'a jamais chuté ? Qui d'entre nous peut se vanter de n'avoir jamais cédé à la tentation ? Qui de nous peut se permettre de juger son voisin, son ami, son frère ? Souvent on me reproche, dans notre association, de ne pas prendre parti pour l'un ou pour l'autre en cas de différend. Nous sommes très nombreux, constituant donc une mini-société, avec ses peines et ses joies. Je le dis sans cesse, je ne suis ni un maître spirituel, ni un gourou et nous devons tous nous prendre en charge nous-même ; chacun est responsable ; la morale ne sert à rien ; l'acte généreux seul compte. Depuis des siècles où tant de religions, tant de moralistes ont prêché, nous devrions être des saints... hélas, nous en sommes bien loin ! Et il suffit d'événements dramatiques pour voir l'homme se transformer en bête.

Un jour, un couple de mon entourage, catholique pratiquant, vient me voir, très « mielleux », et me demande si une certaine personne, qui était venue à notre dernière réunion, allait être acceptée comme « membre du groupe ». Très étonnée, je leur demande la raison de leur démarche et ils me répondent : Nous sommes chrétiens et si ce personnage, homme adultère, entre au groupe, nous nous verrons dans l'obligation de le quitter. Quelle tristesse ! D'autant plus qu'ayant eu une très grave malade chez eux, ils avaient beaucoup reçu à travers sa guérison totale.

Ceux qui se croient forts ont un jour leur fragilité. Il

n'est point honteux d'admettre sa faiblesse, ce qui l'est, c'est de mépriser l'autre et de se croire supérieur à lui.

Dans le début de notre association, nous étions alors une trentaine ; un ingénieur et un kinésithérapeute étaient venus me demander d'« épurer » ce groupe naissant. « Nous traînons trop de " simplets ", il nous faut des gens plus intellectualisés. » Je leur ai demandé de partir et de créer leur propre groupe. Moi je resterai avec mes « simplets », pour prier.

Jamais, sachons-le bien, nous ne faisons assez. Du temps de mon initiation, lorsque Mamy me demandait si j'étais contente de ma journée et que je répondais par l'affirmative, elle me disait : « Pourtant, tu n'es pas montée voir cette petite vieille qui t'attendait... tout ce que tu as fait pour tous les autres en a été " annulé ". » Et Etty, souvent, me disait : « Tu es fatiguée ? C'est sans importance. Mieux vaut une vie courte et bien remplie que longue et vide... »

Je souhaite clore ce chapitre sur le témoignage d'un couple attaché à notre groupe et qui dit, très simplement, très sincèrement, son « aventure » parmi nous :

« Nous appartenons au groupe de prière de Grenoble depuis environ huit ans. Il nous est d'ailleurs difficile de situer avec précision quand tout cela a commencé, comme si le temps nous importait déjà moins.

« Après une succession de déménagements commandés par ma profession, nous nous sommes fixés à Grenoble en 1971. Nous, c'est-à-dire les parents — trente-cinq ans à l'époque — et nos trois enfants. La grand-mère nous accompagnait, ma femme ayant perdu son père quelques années auparavant.

« C'est par l'intermédiaire de notre fille cadette que

nous avons eu les premiers contacts avec le groupe. Elle entrait, désemparée, à la maternelle et fut prise sous la protection attentive d'un petit garçon. Les mamans sympathisèrent. De goûters d'enfants à une fréquentation plus régulière, les parents devinrent nos amis.

« Nos conversations avec les Gauthier dérivaient fréquemment sur les sujets médicaux. Mme Gauthier traversait une crise grave et se fit soigner par Maguy. C'est ainsi que nous en entendîmes parler pour la première fois.

« Nous étions tous deux catholiques, quoique de fait assez peu pratiquants. Ma femme fut captivée avant moi. Ses multiples questions incitèrent son amie à lui faire rencontrer chez elle d'autres femmes qui appartenaient au groupe de prière. Au travers de leurs témoignages, de leur chaleur, elle découvrit une force spirituelle à laquelle elle adhéra progressivement et de façon toute naturelle. Elle passa en quelque sorte de sa croyance en " Bon Dieu et petit Jésus ", inculquée au catéchisme, à une foi ravivée et bien plus approfondie.

« De mon côté, je gardais au départ un peu plus de distance, du fait probablement de ma formation scientifique d'ingénieur. Cadre supérieur dans une société d'informatique, j'étais supposé avoir une bonne dose de prudence, voire de scepticisme, pour tout ce qui touchait au " surnaturel ". En fait, je n'avais jamais eu auparavant l'occasion de m'interroger vraiment sur ce qui aurait pu remettre en question mon petit univers bien cartésien. J'étais malgré tout assez informé sur le " paramédical ", l'histoire des religions, et ouvert à l'inattendu par mon goût de la science-fiction. De plus, ma femme se montra diplomate et convaincante et j'acceptai de faire une démarche volontaire " pour voir ".

« Nous avons donc été reçus chez les Lebrun un beau soir, ma femme et moi, mais aussi notre fils aîné et sa grand-mère. Nous étions en compagnie d'une dizaine d'autres néophytes, dans cette fameuse maison qui allait nous devenir si chère, pour une séance intense de questions/réponses. Il faut croire que nous avions été acceptés à l'examen de passage puisque, après un été de réflexion, nous nous retrouvions presque tous pour constituer un " petit groupe ".

« Nos réunions mensuelles se déroulaient dans le garage : messages éducatifs, commentaires, soins, prise en charge d'un malade gravement atteint, sa guérison physique, lectures diverses, etc.

« Après une merveilleuse phase de maturation de trois années, nous avons laissé presque à regret notre place pour passer au " grand groupe ". Deux de nos enfants avaient suivi notre démarche et s'étaient intégrés avec un naturel et une rapidité déconcertants.

« Nous nous réunissons donc depuis des années, fidèlement, à échéances fixes, pour prier tous ensemble. Notre but principal commun est alors de contribuer à la création d'une puissante force terrestre utilisable pour des formes de guérison des malades pris en charge. Notre assemblée est impressionnante par sa taille, sa concentration et sa diversité. Tous les âges, milieux sociaux, raciaux ou religieux sont représentés, sans sectarisme ou intolérance. Nous avons le sentiment d'appartenir à une grande famille dont plus aucun des membres ne pourra désormais se sentir seul.

« Nous avons réappris le sens et la force de la prière en commun, main dans la main, pendant nos réunions. Mais nous réalisons aussi que la prière a bien des formes moins traditionnelles. Des actes d'amour, des petits sacrifices, des élans vers autrui, même un simple sourire sont autant de prières.

« Côtoyant de plus près la maladie, la souffrance, nous nous efforçons de devenir plus humbles, de comprendre et d'accepter nos épreuves qui en comparaison apparaissent dérisoires.

« Nous pensons pouvoir maintenant envisager notre propre mort avec sérénité, comme une étape naturelle de notre vie actuelle, ainsi que nous avons vu faire déjà des amis de notre groupe décédés mais tellement présents. Nous avons et continuons d'apprendre bien des choses en réalisant de plus en plus l'ampleur de notre ignorance.

« Des " preuves " personnalisées, magnifiques, nous sont venues progressivement alors que leur recherche n'était plus notre but, notre foi étant déjà établie.

« C'est un enrichissement permanent que de vivre proche de Maguy et de Daniel, de bénéficier de leur amitié et de leur exemple. Quelle joie aussi de pouvoir parfois les accompagner à la rencontre d'autres groupes de prière, d'être avec eux durant des conférences, en France ou à l'étranger. Nous réalisons pleinement qu'en fonction de ce qui nous a été donné, de ce que nous avons appris, notre contribution est toute petite. Ils donnent tous les jours de leur nécessaire, nous n'en sommes encore qu'à offrir un peu de notre superflu.

« Notre foi a sensiblement modifié nos attitudes. Nous sommes toujours catholiques tout en respectant les autres croyances religieuses ; les voies sont multiples. Notre cellule familiale qui avait toujours été très unie est encore renforcée ; notre prochain, c'est, bien sûr, d'abord les plus proches.

« Notre libre arbitre est préservé, nous ne sommes pas des saints, loin de là. Le tourbillon de la vie quotidienne peut nous faire en pratique oublier ce que nous savons, mais la prière quotidienne de 20 h 30 remet les choses en place. Nos réactions devant les détresses et les malades ne sont plus des dérobades gênées.

« La mort d'un être cher est toujours source d'un même chagrin intense, bien humain, mais il est vite estompé par nos certitudes.

« Voici notre témoignage à ce jour, la suite à bien plus tard... »

Et puis est venu le jour où Etty m'a demandé de porter le « message ». J'étais bien inquiète. Saurais-je parler devant une salle et où aller ? Nous sortions d'une grande période de silence ; faire le saut, affronter le public, c'était une épreuve pour moi.

Le président de la salle d'études psychiques des Terreaux de Lyon me demanda peu après si j'accepterais d'aller chez lui parler de notre expérience grenobloise. Il fallait y aller !

Je me trouvai devant une centaine de personnes, mon cœur battant à tout rompre. J'avais une boule dans la gorge lorsque Daniel s'accrocha à moi et tout bas me dit de la part d'Etty : « Je suis là, ne crains rien. » Je vis la puissance et la protection dont Etty m'entourait en réalisant la transe passagère de Daniel. Ma frousse s'envola immédiatement et je me laissai porter ; tout se passa bien.

Depuis, j'ai fait de nombreuses causeries dans les grandes villes de France, de Suisse, d'Italie, mais nos amis lyonnais sont restés très chers à notre cœur. Ils nous ont ouvert la porte...

De cette salle des Terreaux, qui est un lieu d'instruction, où bien des conférenciers apportent leur savoir et le font partager, est né un groupe de prière qui est un des premiers enfants du groupe APRES. Nous partageons bien des choses. Ils nous aident à organiser la fête de l'Amitié et nous nous épaulons dans nos travaux et études.

Lorsque nous avons reçu ordre de sortir de notre long silence, nous nous sommes précipités dans des milieux et des groupes dits « spirituels » ; la plupart du temps, quelle déception ! Que d'énergies perdues à des expériences douteuses au lieu de méditer et de prier, quel dommage ! Surtout pour les malades qui ont tant besoin de secours et d'attention.

A chacun sa route ! A partir de ceux qui ont bien voulu de la nôtre, de nombreux groupes sont nés, ont pris leur autonomie, et nous espérons qu'ils se multiplieront en foyers ardents et lumineux.

EN GUISE DE CONCLUSION

Le 26 novembre 1973

Il neigeait, nous étions, Daniel et moi, assis devant le feu de cheminée, bien au chaud. Les moments d'intimité devenaient plus fréquents à mesure que les enfants partaient, sort de tous les parents. Nous savourions cet instant de tranquillité et de bonheur, ces instants où le ciel et la terre se confondent autour de nous et où l'on se sent si bien. Beaucoup d'êtres humains, je pense, connaissent ces heures privilégiées, mais les savourent-ils sur l'instant ? Bien souvent, ce sont des années plus tard qu'ils y repensent et se disent, avec regret : mais nous étions heureux en ce temps-là...

Nous nous taisions et rêvassions lorsque je vois Daniel se métamorphoser tout à coup sous mes yeux. Très lentement, il prit la posture du lotus des yogis (il est absolument incapable de la prendre à l'état normal), très, très lentement il éleva ses bras au-dessus de sa tête dans un geste de protection et de bénédiction, et il parla, extrêmement lentement. D'abord, j'ai pensé que celui qui parlait ne connaissait pas le français et se servait de la parole du médium en influençant le cerveau, ce qui produisit un langage haché, comme si les lettres étaient épelées. J'ai eu le temps d'attraper un crayon et du papier, aucun instrument n'étant branché ; voici ce que j'ai reçu ce soir-là, intégralement.

« La sagesse règne dans votre maison, celle où il fait bon respirer.

« La sagesse règne dans votre maison. Il est bon d'y sentir le parfum des fleurs et des éléments ; il semble que l'accueil réservé aux visiteurs émane de votre cœur et de votre présence.

« Ainsi donc tout se poursuit ; notre œuvre n'aura pas été inutile. Nous désespérons quelquefois de ne pas rencontrer d'êtres susceptibles de donner d'eux-mêmes. Beaucoup demandent d'abord, de là l'obstination que nous mettons, pour ces derniers, à leur rendre ce qu'ils ont fait. Ils ne veulent pas suivre le chemin que nous leur avons tracé.

« Le voyage que vous avez entrepris se poursuit et vous aide à découvrir mille splendeurs dans ce qui vous entoure, vous élève au-dessus des petits riens terrestres.

« Qu'il est bon, qu'il est agréable pour moi qui ai froid, pour moi qui ai faim, pour moi qui ne suis pas connu, de venir en ce lieu où je sais que le pain et la chaleur ne me seront fournis qu'avec le cœur et dans la joie.

« Le temps ne compte pas dans ce que nous avons à faire. S'il devait se mesurer, il serait, je le crains, bien trop court pour réaliser l'œuvre. L'accomplissement par les actes est une révélation, l'évolution que nous donnons dans le sacrifice, dans l'abnégation de nous-mêmes, dans l'abandon de certains plaisirs...

« Il faut des êtres pour faire cela, des êtres susceptibles de comprendre et d'entendre ce que d'autres ne peuvent pas comprendre et entendre. Le chemin est difficile, il mène à la conquête de sujets qui deviendront meilleurs.

« Notre compassion pour toute chose ne peut être suivie que de notre certitude de soulager par notre foi et par notre désir d'aider.

« Tous les messages qui sont adressés de par le monde, par tous ceux qui l'ont traversé et ont essayé de le comprendre, n'auraient aucun aboutissement si quelques-uns ne reprenaient le flambeau de cette lutte bien-aimée, dans la recherche de l'amour et de la fraternité.

« Que tous ceux qui sont vos guides et le reste, vos amis, vos frères, viennent chanter avec nous le cantique qui versera dans les cœurs le baume sacré par Dieu.

« Que l'exemple de votre union et de ce que vous représentez tous ensemble ait pour conséquence l'épanouissement heureux que vous poursuivez et qui pourra devenir un jour le trait d'union de tous. »

Pendant quelques jours, j'ai connu une forme physique extraordinaire. Certaines entités ont une radiation telle que nous sommes imprégnés, régénérés, en pleine santé et légers, si légers !
Un pied sur la terre
Un pied dans le ciel.
Ce que nous avons vécu avec Daniel nous a apporté tant de joie, nous avons semé tant d'amour que la récolte est bonne. Notre fin de vie, illuminée, constitue notre récompense !
Bien sûr, nous aurions pu faire davantage, on peut toujours faire plus, et parfois le regret de celui qui nous a quittés, parce que nous ne l'avons pas suffisamment compris et aimé, nous traverse.
Il y a la vie, une seule vie, tantôt terrestre, tantôt céleste.

La vie terrestre n'est qu'illusion et ce qu'elle offre est trompeur. La soif des pouvoirs, l'argent, le plus pompeux et brillant ne sont qu'apparence et mensonge. Tous les biens de la terre sont abandonnés un jour, de gré ou de force, et ne laissent que goût de cendre et regrets.

Dans notre monde d'aujourd'hui règnent tant de matérialisme et tant de cruauté, de cynisme et d'indifférence que vivre selon les lois de Dieu est suspect, vivre sa foi est rare. Beaucoup d'hommes ont une croyance, appartiennent à une religion, à une idéologie, vont à la messe, à la synagogue, mais dans leurs actes de tous les jours il y a un abîme entre la théorie et l'acte. Ils se préparent des lendemains douloureux, et hélas, les préparent à leurs enfants à qui ils n'ont pas su donner l'exemple. Heureux est le père qui peut lire l'admiration dans les yeux de son enfant...

J'ai voulu, par ce livre très simple, donner quelques recettes de bonheur, de joie de vivre, parce que je les ai vécues. Elles existent aussi dans l'Évangile, elles sont à la portée de tous. Chaque être humain possède une étincelle divine.

La peur de la mort vaincue, c'est un grand pas en avant accompli. L'amour partagé est le soleil de notre cœur, la prière, la nourriture de notre âme, et pour ce court passage sur terre il importe de :

— Bien naître.

— Vivre le plus possible par l'« esprit ».

— Mourir dans la paix.

Et pour terminer, je transmets ici le dernier message important que nous avons reçu le mardi 7 octobre 1986 très exactement. Il est « signé » de notre « patron », le curé d'Ars :

« Quel grand honneur j'ai eu! Je suis ému. Au fond de ma campagne j'ai reçu notre Saint-Père, chef spirituel, qui humblement a pris la peine de parcourir les petites rues de mon village.

« En ce moment de recueillement, vécu ensemble, combien nos pensées unies ont vibré avec la même force et sont allées droit vers Celui qui écoute les mêmes pensées, les mêmes désirs pour la paix, pour la croyance universelle.

« Oh! combien j'ai été ému de voir un homme si important se déplacer dans la foule, tendre la main, parler aux humbles, aux enfants, aux malades.

« Ce fut mon deuxième bonheur. Le premier fut, pour moi, lorsque vous m'avez choisi comme chef spirituel de votre groupe, vous étiez bien moins nombreux, mais vous étiez déjà des rassembleurs, vous rassembliez vos forces, votre prière, vos pensées dans le même objectif, le même idéal.

« J'ai marché longtemps avec mon bâton de pèlerin, j'ai frappé aux portes, elles sont restées souvent fermées. J'ai accueilli des âmes errantes, j'ai offert le gîte et le couvert aux mendiants. Je me retrouve ce soir chez vous, chez vous où je retrouve parfois " ma Providence " où je trouve l'humilité des cœurs et des âmes, où je trouve le gîte ouvert, où je trouve la force " Aimer ".

« J'ai mis du temps à rassembler un troupeau, j'ai mis du temps à remplir ma petite église, j'ai mis du temps à faire passer un sermon; il y avait peu d'oreilles pour l'écouter.

« Je suis récompensé ce soir, demain soir et tant d'autres soirs par les écoutes attentives, par toutes les âmes prêtes à aimer, toutes ces âmes qui oublient un peu leurs problèmes, pour offrir un peu d'amour.

« Ma pensée, mes souffrances passées sont remplacées par la joie, mes nuits tourmentées sont devenues des lumières paisibles, mes journées de travail et de cheminement sont devenues des instants de paix.

« Ici nous formons un bloc, une unité, une entente cordiale. Nous formons une parcelle d'amour : comme il existe des parcelles de vérité, il existe des parcelles d'amour. Je vous demande, bien humblement, de continuer à vous aimer, de continuer à vous comprendre et ensemble de continuer à servir, dans la mesure de vos moyens et de vos possibilités.

« Chaque pas que vous faites en avant est un pas vers la lumière, c'est un gain acquis, un travail constructif, je parle d'un travail spirituel dans la connaissance et l'élévation, je parle aussi du travail humain important, les malades, les enfants... Ça accroche, ça émeut, c'est peine à supporter, mais chaque pas que vous ferez, chaque main que vous tendrez sera peut-être le premier geste vers l'amélioration, voire la guérison.

« C'est tout ce que l'on vous demande. On ne vous demande pas l'immensité, on ne vous demande pas l'impossibilité, on vous demande de rester surtout ce que vous êtes, comme vous êtes.

« Ensemble nous marcherons, ensemble nous ferons, ensemble nous nous agenouillerons.

« J'ai été très touché, j'ai été très bouleversé par ces foules en délire d'amour et de spiritualité, ces foules qui ne demandent qu'une chose : la paix. Ces foules qui ne demandent que le droit de vivre, le droit de prier, le droit d'être libres.

« Avec le Saint-Père nous nous sommes compris :

« Il a descendu les marches de l'escalier pour venir jusqu'à moi, j'ai pu m'élever un petit peu jusqu'à lui.

C'est ce qu'il faut faire tous, comme lui, savoir descendre les marches.

« Le travail entrepris depuis si longtemps dans ce groupe est un travail de mérite, un travail de chaque jour, un travail de chaque instant, un travail en vous tous.

« Ayez le regard clair, ayez le regard pur, ayez la parole gentille et tout ira bien.

« Je ne suis pas Dieu, je ne suis que son humble, très humble serviteur.

« Je serai toujours encore et encore à vos côtés tant que ce travail spirituel, si important pour les âmes, continuera et que, sincèrement, profondément, je serai d'accord avec vous.

« Je vous bénis.

Curé d'Ars. »

Achevé d'imprimer le 12 mars 1987
sur presse CAMERON
dans les ateliers de la S.E.P.C.
à Saint-Amand-Montrond (Cher)
pour le compte des éditions Robert Laffont
6, place Saint-Sulpice - 75279 Paris Cedex 06

Dépôt légal : avril 1987.
N° d'Édition : 30414. N° d'Impression : 336-186.